NEGOCIE COMO SE SUA VIDA DEPENDESSE DISSO

NEGOCIE COMO SE SUA VIDA DEPENDESSE DISSO

CHRIS VOSS
e Tahl Raz

SEXTANTE

Título original: *Never Split the Difference*
Copyright © 2016 por Christopher Voss
Copyright da tradução © 2019 por GMT Editores Ltda.

Todos os direitos reservados. Nenhuma parte deste livro pode ser utilizada ou reproduzida sob quaisquer meios existentes sem autorização por escrito dos editores.

tradução: Bruno Casotti
preparação de texto: Sibelle Pedral
revisão: Luis Américo e Rayana Faria
diagramação: Ana Paula Daudt Brandão
adaptação de capa: Miriam Lerner | Equatorium Design
imagens de capa: Mark Airs / Getty Images
impressão e acabamento: Bartira Gráfica

CIP-BRASIL. CATALOGAÇÃO NA PUBLICAÇÃO
SINDICATO NACIONAL DOS EDITORES DE LIVROS, RJ

V936n   Voss, Chris
            Negocie como se sua vida dependesse disso / Chris Voss, Tahl Raz; tradução Bruno Casotti. Rio de Janeiro: Sextante, 2019.
            256 p.; 16 x 23 cm.

            Tradução de: Never split the difference
            Inclui apêndice
            ISBN 978-85-431-0805-6

            1. Negociação. I. Raz, Tahl. II. Casotti, Bruno. III. Título.

19-57743   CDD: 158.5
                                                        CDU: 316.47

Todos os direitos reservados, no Brasil, por
GMT Editores Ltda.
Rua Voluntários da Pátria, 45 – 14.º andar – Botafogo
22270-000 – Rio de Janeiro – RJ
Tel.: (21) 2538-4100
E-mail: atendimento@sextante.com.br
www.sextante.com.br

A minha mãe e meu pai,
que me amaram incondicionalmente
e me ensinaram o valor do trabalho duro
e da integridade

SUMÁRIO

CAPÍTULO 1 AS NOVAS REGRAS
Como se tornar o mais esperto... em qualquer ambiente
9

CAPÍTULO 2 SEJA UM ESPELHO
Como estabelecer um entendimento rapidamente
31

CAPÍTULO 3 NÃO SINTA A DOR DELES, ROTULE-A
Como gerar confiança com empatia tática
55

CAPÍTULO 4 TENHA CUIDADO COM O "SIM" E DOMINE O "NÃO"
Como produzir o impulso e revelar os riscos reais com segurança
79

CAPÍTULO 5 DESENCADEIE AS DUAS PALAVRAS QUE TRANSFORMAM IMEDIATAMENTE QUALQUER NEGOCIAÇÃO
Como obter a permissão para persuadir
99

CAPÍTULO 6 INCLINE A REALIDADE DELES
Como construir uma saída justa
115

CAPÍTULO 7 CRIE A ILUSÃO DE CONTROLE
Como calibrar perguntas para transformar conflito em colaboração
141

CAPÍTULO 8 GARANTA A EXECUÇÃO
Como identificar os mentirosos e assegurar a continuidade da negociação
161

CAPÍTULO 9 PECHINCHE MUITO
Como chegar ao preço que você quer pagar
185

CAPÍTULO 10 ENCONTRE O CISNE NEGRO
Como avançar revelando o que ninguém mais sabe
209

AGRADECIMENTOS
239

APÊNDICE PREPARE UMA FOLHA DE NEGOCIAÇÃO
243

NOTAS
251

CAPÍTULO 1

AS NOVAS REGRAS

Eu estava intimidado.

Havia passado mais de duas décadas no FBI, incluindo 15 anos negociando a libertação de reféns em Nova York, nas Filipinas e no Oriente Médio, e tinha chegado ao auge da minha carreira. Em qualquer momento, há dez mil agentes do FBI a postos, mas só um é o principal negociador de sequestros internacionais. Esse era eu.

Mas eu nunca tinha vivido uma situação tão tensa e tão pessoal envolvendo um refém.

– Estamos com seu filho, Voss. Ou você nos dá 1 milhão de dólares, ou ele morre.

Pausa. Piscar os olhos. Concentrar-se em fazer o ritmo cardíaco voltar ao normal.

Claro, eu já estivera em conflitos desse tipo. Milhares deles. Dinheiro em troca de vidas. Mas não assim. Não com meu filho em risco. Não por 1 milhão de dólares. E não contra pessoas com diplomas importantes e uma vida inteira de experiência em negociação.

As pessoas do outro lado da mesa – meus interlocutores – eram professores de negociação da Escola de Direito de Harvard.

...

Eu tinha ido a Harvard para fazer um breve curso de negociação executiva; talvez pudesse aprender algo com a abordagem do mundo dos negócios.

Era para ser uma experiência tranquila, um pequeno degrau na carreira de um agente do FBI em busca de ampliar seus horizontes.

Mas quando Robert Mnookin, diretor do Projeto de Pesquisas de Negociação de Harvard, soube que eu estava no campus, convidou-me para um café em seu escritório. Só para bater um papo, disse ele.

Eu me senti honrado. E assustado. Mnookin era um cara brilhante que eu acompanhava havia anos: ele não era apenas professor de direito em Harvard como também um dos expoentes no campo de resolução de conflitos e autor do livro *Negociando com o diabo*.[1]

Para ser honesto, parecia injusto que Mnookin quisesse que eu, um ex-policial de Kansas City, discutisse negociação com ele. Mas então a situação ficou pior. Logo que nos sentamos, a porta se abriu e outra pessoa entrou. Era Gabriella Blum, também professora de Harvard e especialista em negociações internacionais, conflito armado e contraterrorismo, que tinha passado oito anos como negociadora do Conselho de Segurança Nacional israelense e das Forças de Defesa de Israel (FDI).

Em dado momento, a secretária de Mnookin entrou e pôs um gravador sobre a mesa. Mnookin e Blum sorriram para mim.

Haviam me pregado uma peça.

– Estamos com seu filho, Voss. Ou você nos dá 1 milhão de dólares, ou ele morre – disse Mnookin, sorrindo. – Eu sou o sequestrador. O que você vai fazer?

Tive um momento de pânico, mas isso era esperado. Não muda nunca: mesmo depois de duas décadas negociando vidas humanas, você ainda sente medo. Ainda que se trate de uma simples encenação.

Procurei me acalmar. Claro, eu era um policial de rua convertido em agente do FBI jogando com verdadeiros pesos-pesados. E não era nenhum gênio. Mas estava naquela sala por um motivo. Com o tempo, eu adquirira habilidades, táticas e toda uma abordagem para interação humana que não apenas me ajudavam a salvar vidas, mas, como reconheço agora ao olhar para trás, também haviam começado a transformar minha vida. Meus anos de negociação haviam influenciado tudo, desde o modo como eu lidava com o atendimento ao cliente de uma empresa até a maneira como crio meus filhos.

– Vamos lá. Me dê o dinheiro ou eu corto a garganta de seu filho agora – disse Mnookin, impaciente.

Eu o encarei longamente. Em seguida, sorri.

– Como eu deveria fazer isso?

Mnookin fez uma pausa. Sua expressão tinha um misto de piedade e diversão, como um cachorro quando o gato que ele está perseguindo se vira e parte para o ataque. Era como se estivéssemos jogando jogos diferentes, com regras diferentes.

Mnookin se recompôs e me olhou com as sobrancelhas arqueadas, como que para me lembrar de que ainda estávamos jogando.

– Então tudo bem se eu matar seu filho, Sr. Voss?

– Sinto muito, Robert, mas como posso saber se ele ainda está vivo? – disse eu, usando um pedido de desculpas e o primeiro nome do meu interlocutor, semeando mais cordialidade no diálogo com o intuito de complicar sua artimanha para me intimidar. – Eu de fato sinto muito, mas como posso dar a você qualquer quantia agora, ainda mais 1 milhão de dólares, se eu sequer sei que meu filho está vivo?

Foi um espetáculo e tanto ver um homem brilhante como Mnookin confuso por causa daquela suposta resposta ingênua – acho que foi assim que ele a encarou. No entanto, minha jogada não tinha nada de tola. Eu estava empregando o que tinha se tornado uma das mais poderosas ferramentas de negociação do FBI: a pergunta aberta.

Hoje, após alguns anos desenvolvendo táticas como essa para o setor privado em minha empresa de consultoria, chamamos a estratégia que usei naquele dia de "perguntas calibradas": indagações que o outro lado é capaz de responder, mas para as quais não há respostas fixas. Ganha-se tempo com isso. As perguntas dão a seu interlocutor a ilusão de controle – ele tem as respostas e o poder, afinal de contas. Tudo isso ocorre sem dar ao outro lado a menor pista de como ele está sendo manipulado.

Mnookin, previsivelmente, começou a se atrapalhar, porque a estrutura da conversa tinha mudado. Eu respondera à ameaça dele de assassinar meu filho com questões de logística em torno da obtenção do dinheiro. De como ele resolveria *meus* problemas. A cada ameaça e cada exigência que ele fazia, eu perguntava como deveria lhe pagar e como saberia que meu filho estava vivo.

Depois de três minutos infrutíferos para ele, Gabriella Blum interveio.

– Não permita que ele faça isso com você – disse a Mnookin.

– Bem, tente *você* – disse ele, jogando a toalha.

Gabriella entrou no jogo. Ela era mais firme devido aos anos no Oriente Médio, mas ainda estava usando o ângulo da intimidação, e tudo que conseguiu foi que eu fizesse as mesmas perguntas.

Mnookin voltou à sessão, mas também não chegou a lugar algum. Seu rosto começou a ficar vermelho de frustração. Percebi que a irritação estava bloqueando seu raciocínio. Então falei, tirando-o daquele sufoco:

– Tudo bem, Bob, tudo bem. Basta por hoje.

Ele concordou. Meu filho viveria para ver mais um dia.

– Muito bem – disse ele. – Talvez o FBI tenha algo a nos ensinar.

...

Eu fizera mais do que apenas me manter firme diante de duas distintas autoridades de Harvard. Levara a melhor e saíra por cima.

Mas teria sido apenas um feliz acaso? Ao longo de mais de três décadas, Harvard se consagrara como o epicentro mundial da teoria e da prática de negociação. Tudo que eu sabia sobre as técnicas que usávamos no FBI era que elas funcionavam. Nos vinte anos que passei ali, criamos um sistema que resolveu com êxito quase todos os sequestros em que o aplicamos. Mas não tínhamos grandes teorias.

Nossas técnicas eram fruto de um aprendizado experimental; foram desenvolvidas por agentes em campo, negociando em meio a crises e compartilhando histórias sobre o que deu certo e o que falhou. Era um processo interativo, e não intelectual, enquanto aprimorávamos as ferramentas que usávamos dia após dia. E era urgente. Nossas ferramentas *tinham* que funcionar, porque senão alguém morria.

Mas *por que* funcionavam? Essa foi a pergunta que me atraiu a Harvard, àquele escritório com Mnookin e Gabriella Blum. Faltava-me confiança fora de meu mundo limitado. Mais que tudo, eu precisava articular meu conhecimento e aprender a combiná-lo com o deles – e estava claro que tinham algum. Assim eu talvez pudesse entender, sistematizar e expandir o que sabia.

Sim, nossas técnicas funcionavam com mercenários, traficantes de drogas, terroristas e assassinos brutais. Mas, eu me perguntava, e com seres humanos normais?

Como eu logo descobriria nos corredores de Harvard, nossas técnicas faziam muito sentido do ponto de vista intelectual, e funcionavam *em qualquer situação*.

Constatou-se que nossa abordagem para negociações era capaz de estimular interações humanas produtivas em todos os ambientes e em todas as relações pessoais.

Este livro é sobre como essa abordagem funciona.

O BURRO MAIS ESPERTO DA SALA

Para obter respostas às minhas perguntas, um ano depois, em 2006, consegui ingressar no Curso de Inverno de Negociação da Escola de Direito de Harvard. Os melhores e mais inteligentes disputam uma vaga nessa turma, e ela estava repleta de estudantes de Harvard cursando direito e administração e de alunos de outras universidades importantes de Boston, como o Instituto de Tecnologia de Massachusetts e a Tufts. Só gente brilhante, que tinha passado nas "provas olímpicas" para negociação. Éramos 144, sendo eu o único de fora.

No primeiro dia do curso, nos amontoamos em um anfiteatro para uma apresentação e em seguida nos dividimos em quatro grupos, cada um deles liderado por um instrutor de negociação. Depois de um bate-papo com nossa instrutora – ela se chamava Sheila Heen e é uma boa amiga até hoje –, fomos separados em pares e instruídos a simular uma negociação. Simples: um de nós estava vendendo um produto, o outro era o comprador e ambos tínhamos limites claros sobre o preço que podíamos aceitar.

Meu interlocutor era um ruivo indiferente chamado Andy (um pseudônimo), um daqueles caras que exibem sua superioridade intelectual como vestem sua calça cáqui: com relaxada confiança. Ele e eu entramos em uma sala de aula vazia com vista para uma daquelas praças de estilo inglês no campus de Harvard e cada um usou as ferramentas que tinha. Andy lançava uma oferta e dava uma explicação racionalmente incontestável sobre por que ela era boa para mim – uma armadilha de lógica inescapável – e eu respondia com alguma variação de "Como eu deveria fazer isso?".

Após algumas rodadas, chegamos a um número final. Quando saímos, eu estava feliz. Achei que me saíra muito bem para um cara burro como eu.

De volta à sala de aula, Sheila perguntou o preço que cada dupla tinha conseguido e escreveu os resultados na lousa.

Por fim, foi a minha vez.

– Chris, como foi com Andy? – quis saber ela. – Por quanto vocês fecharam?

Jamais esquecerei a expressão de Sheila quando eu lhe disse quanto Andy concordara em pagar. Primeiro seu rosto ficou vermelho, como se não conseguisse respirar, e então ela soltou um breve arquejo sufocado, como o grito de um filhote de passarinho. Por fim, Sheila começou a rir.

Andy se contorceu.

– Você arrancou literalmente cada centavo que ele tinha – disse ela –, e Andy tinha recebido instruções de reservar um quarto do valor para um futuro trabalho.

Andy afundou na cadeira.

...

No dia seguinte o mesmo aconteceu com outro parceiro.

Quer dizer, eu simplesmente destruí o orçamento do cara.

Não fazia sentido. Sorte aleatória era uma coisa, mas havia um padrão ali. Com meu conhecimento da velha escola, testado na prática diária, eu estava derrotando caras que conheciam cada truque avançado que se podia encontrar nos livros.

Na verdade, as técnicas avançadas que meus colegas estavam usando é que pareciam datadas e antigas. Eu me senti como se Roger Federer tivesse usado uma máquina do tempo para voltar aos anos 1920 e competisse em um torneio de tênis com cavalheiros distintos que vestiam ternos brancos, usavam raquetes de madeira e treinavam apenas de vez em quando. Ali estava eu, incorporando Federer com minha raquete de liga de titânio, um personal trainer exclusivo e saques e voleios definidos por inteligência artificial. Os caras com quem eu estava competindo eram igualmente espertos – na verdade, mais – e estávamos jogando o mesmo jogo com as mesmas regras. Mas eu tinha habilidades que eles não tinham.

– Você está ficando famoso por seu estilo, Chris – disse Sheila depois que anunciei meus resultados do segundo dia.

Eu sorri como o gato de Alice. Vencer era divertido.

– Chris, por que você não dá uma aula sobre a sua abordagem? – sugeriu Sheila. – Parece que tudo que você faz com esses estudantes da Escola de Direito de Harvard é dizer "não" e encará-los, e aí eles desabam. É realmente tão simples assim?

Entendi o que ela queria dizer: embora eu não estivesse de fato dizendo "não", as perguntas que fazia repetidamente soavam como uma negativa. Pareciam insinuar que o outro lado estava sendo desonesto e injusto. E isso bastava para fazê-los vacilar e negociar internamente. Responder às minhas perguntas calibradas exigia força emocional e insights psicológicos táticos que não existiam na caixa de ferramentas de que eles dispunham.

Dei de ombros.

– Só estou fazendo perguntas – disse. – É uma abordagem passivo-agressiva. Apenas formulo as mesmas três ou quatro perguntas abertas várias vezes. Eles ficam cansados de responder e me entregam tudo que quero.

Andy saltou da cadeira como se tivesse sido picado por uma abelha.

– Droga! – exclamou. – Foi *isso* que aconteceu. Eu não tinha a menor ideia.

...

Quando terminei o curso de inverno em Harvard, eu havia me tornado amigo de alguns de meus colegas estudantes. Até de Andy.

Se meu período em Harvard me mostrou alguma coisa, foi que nós no FBI tínhamos muito a ensinar ao mundo sobre negociação.

Em minha breve permanência percebi que, sem uma compreensão profunda da psicologia humana, sem a aceitação de que todos nós somos animais loucos, irracionais, impulsivos e guiados pelas emoções, toda a inteligência bruta e toda a lógica matemática do mundo terão pouca utilidade na interação tensa e inconstante entre duas pessoas que estão negociando.

Sim, talvez sejamos o único animal que regateia – um macaco não troca uma porção de suas bananas pelas nozes de outro. Porém, independentemente de enfeitarmos nossas negociações com teorias matemáticas, seremos sempre animais, agindo e reagindo sob o impulso de nossas necessidades e percepções, de nossos temores e desejos mais profundos, quase sempre invisíveis e rudimentares.

Porém não foi isso que o pessoal de Harvard aprendeu. Todas as suas teorias e técnicas tinham a ver com poder intelectual, lógica, acrônimos consagrados, como BATNA (Best Alternative to a Negotiated Agreement) e ZOPA (Zone of Possible Agreement), noções racionais de valor e um conceito moral do que era justo e do que não era.

E no topo desse falso edifício de racionalidade havia, é claro, o processo. Eles tinham um roteiro, uma sequência predeterminada de ações, propostas e contrapropostas que seguiam uma ordem específica para produzir determinado resultado. Era como se estivessem lidando com um robô: se executassem os itens a, b, c e d em uma certa ordem estabelecida, chegariam a x. Mas no mundo real a negociação é demasiado imprevisível e complexa; talvez você faça a, depois d e, na sequência, talvez q.

Se eu consegui dominar os mais brilhantes estudantes do país com apenas uma das muitas técnicas de negociação que desenvolvi e usei contra terroristas e sequestradores, por que não poderia aplicá-las aos negócios? Qual era a diferença entre assaltantes de bancos que faziam reféns e CEOs que jogavam duro para baixar o preço de uma aquisição de 1 bilhão de dólares?

Afinal, sequestradores são apenas homens de negócios tentando obter o melhor preço.

NEGOCIAÇÃO À MODA ANTIGA

O sequestro e a negociação de reféns existem desde que se começou a registrar o tempo. O Antigo Testamento é recheado de histórias de israelitas e seus inimigos transformando cidadãos em reféns como espólio de guerra. Os romanos, por sua vez, costumavam obrigar os príncipes de Estados vassalos a enviar seus filhos a Roma para serem educados lá, a fim de assegurar a lealdade dos pais.

Até o governo Nixon, porém, a negociação de reféns como processo limitava-se a enviar tropas e tentar libertar os prisioneiros a tiros. Na polícia, nossa abordagem consistia, sobretudo, em dialogar até descobrir uma maneira de resgatá-los usando uma arma. Força bruta.

Então uma série de desastres com reféns nos forçou a mudar.

Em 1971, 39 reféns foram mortos quando a polícia tentou resolver a bala as rebeliões na prisão de Attica, no norte do estado de Nova York. Depois, nos Jogos Olímpicos de 1972 em Munique, 11 atletas e treinadores israelenses foram mortos por seus captores palestinos após uma tentativa fracassada de resgate por parte da polícia alemã.

Mas o maior gatilho para a mudança institucional nas polícias americanas ocorreu em uma pista de pouso do aeroporto de Jacksonville, Flórida, em 4 de outubro de 1971.

Na época, os Estados Unidos enfrentavam uma epidemia de sequestros aéreos; houve cinco em um período de três dias em 1970. Foi nessa atmosfera carregada que um homem desequilibrado chamado George Giffe Jr. sequestrou um avião fretado que saíra de Nashville, Tennessee, com destino às Bahamas.

Quando tudo terminou, Giffe havia assassinado dois reféns – sua ex-mulher, que estava a bordo, e o piloto – e ainda se matara.

Mas dessa vez a culpa não recaiu sobre o sequestrador, e sim diretamente sobre o FBI. Os dois reféns tinham conseguido convencer Giffe a libertá-los em Jacksonville, onde o avião havia parado para reabastecer. Mas os agentes se descontrolaram e atiraram na turbina. Isso impeliu Giffe para a opção drástica.

Na verdade, a atribuição da culpa ao FBI foi tão forte que, quando a esposa do piloto e a filha de Giffe impetraram uma ação judicial por homicídio culposo alegando negligência do órgão de inteligência, os tribunais aceitaram.

No histórico veredito do caso Downs versus Estados Unidos, em 1975, a Corte de Apelações dos Estados Unidos estabeleceu que "havia uma alternativa mais adequada para proteger o bem-estar dos reféns" e declarou que o FBI transformara "o que havia sido um 'jogo de espera' bem-sucedido, durante o qual duas pessoas deixaram o avião em segurança, em uma 'competição de tiros' que deixou três pessoas mortas". A corte concluiu que "deve haver uma tentativa razoável de negociação antes de uma intervenção tática".

O caso Downs de sequestro se tornou o epítome de tudo que *não* se deve fazer em uma situação de crise e inspirou o desenvolvimento de teorias, treinamentos e técnicas atualmente empregadas em negociação de reféns.

Logo depois da tragédia de Giffe, a polícia da cidade de Nova York (NYPD, na sigla em inglês) tornou-se a primeira força policial dos Estados Unidos a reunir uma equipe de especialistas para elaborar um processo que lhes permitisse lidar com negociações de crises. O FBI e outros órgãos acompanharam esse movimento.

Começava uma nova era de negociação.

CORAÇÃO VERSUS MENTE

No início dos anos 1980, Cambridge, Massachusetts, era *o* centro do mundo das negociações, à medida que estudiosos de diferentes disciplinas começavam a interagir e explorar novos conceitos relacionados ao tema. O grande salto veio em 1979, quando foi fundado o Projeto de Negociação de Harvard. O objetivo era melhorar a teoria, o ensino e a prática de negociação de tal modo que as pessoas pudessem lidar de maneira igualmente eficiente com tratados de paz e fusões de empresas.

Dois anos depois, Roger Fisher e William Ury – cofundadores do projeto – publicaram *Como chegar ao sim*,[2] uma obra inovadora sobre negociação que mudou totalmente a maneira como os profissionais pensavam sobre o assunto.

A abordagem de Fisher e Ury consistia basicamente em sistematizar a resolução do problema para que as partes pudessem fechar um acordo benéfico para todos – o "chegar ao sim" do título do livro. A ideia central era que o cérebro emocional – essa fera animalesca, não confiável e irracional – podia ser dominado por meio de uma mentalidade de resolução de problemas mais racional e consistente.

O sistema, sedutor e fácil de seguir, tinha quatro princípios básicos. Primeiro, separar a pessoa – a emoção – do problema; segundo, não se deixar envolver pela posição do outro lado (*o que* eles estão pedindo), mas sim focar nos interesses deles (*por que* estão pedindo isso), para que se possa descobrir o que realmente querem; terceiro, trabalhar de modo cooperativo para produzir opções em que os dois lados tenham a ganhar; quarto, estabelecer padrões mutuamente acordados para avaliar as possíveis soluções.

Isso era uma síntese brilhante, racional e profunda do que havia de mais avançado em teoria dos jogos e pensamento legal na época. Durante anos após o livro sair, todo mundo – incluindo o FBI e a NYPD – adotou uma abordagem de resolução de problemas baseada em barganhas. Parecia tão moderno e *inteligente*.

...

Em outro ponto dos Estados Unidos, dois professores da Universidade de Chicago estavam examinando tudo, de economia a negociação, de um ângulo bem diferente.

Eram o economista Amos Tversky e o psicólogo Daniel Kahneman. Juntos, os dois lançaram uma nova área de conhecimento, a economia comportamental (e Kahneman ganhou um prêmio Nobel por isso), mostrando que o homem é um animal bastante irracional.

Sentir, descobriram, é uma forma de pensar.

Quando escolas de administração como a de Harvard começaram a ensinar negociação, nos anos 1980, o processo era apresentado como uma análise econômica objetiva. Foi um período em que os maiores economistas acadêmicos do mundo declararam que todos nós éramos "atores racionais". Essa postura se refletiu nas aulas de negociação: supondo que o outro lado estava agindo de maneira racional e egoísta ao tentar ampliar sua posição, a meta era descobrir como responder, em diversos cenários, para potencializar o próprio valor.

Essa mentalidade frustrava Kahneman, que, com anos de estudos no campo da psicologia, afirmou que "é evidente que as pessoas não são nem completamente racionais nem completamente egoístas e que seus gostos não são nada estáveis".

Ao longo de décadas de pesquisas com Tversky, Kahneman provou que todos os seres humanos sofrem de *Viés Cognitivo*, ou seja, processos cerebrais inconscientes – e irracionais – que literalmente distorcem o modo como vemos o mundo. Kahneman e Tversky descobriram mais de 150 deles.

Existe o *Efeito Enquadramento*, que demonstra que as pessoas respondem de maneira diferente à mesma escolha dependendo de como ela é apresentada (atribuem mais valor à diferença de 90% para 100% – probabilidade alta de certeza – do que à de 45% para 55%, embora nos dois casos haja dez pontos percentuais de diferença entre cada dupla de números). A *Teoria da Perspectiva* explica por que corremos riscos injustificados diante de perdas incertas. E o mais famoso dos vieses cognitivos é a *Aversão à Perda*, que mostra estatisticamente como as pessoas são mais propensas a agir para evitar uma perda do que para alcançar um ganho igual.

Tempos depois, Kahneman codificou suas pesquisas no best-seller lançado em 2011 *Rápido e devagar – Duas formas de pensar*.[3] O homem, escreveu ele, tem dois sistemas de pensamento: o Sistema 1, nossa mente animal, é rápido, instintivo e emocional; o Sistema 2 é lento, deliberativo e lógico. E o Sistema 1 tem muito mais influência. Na verdade, ele guia e direciona nossos pensamentos racionais.

As crenças, os sentimentos e as impressões rudimentares do Sistema 1 são as principais fontes das crenças explícitas e das escolhas deliberadas do Sistema 2. São a nascente que alimenta o rio. Reagimos emocionalmente (Sistema 1) a uma sugestão ou pergunta. Então essa reação do Sistema 1 informa e, a rigor, cria a resposta do Sistema 2.

Agora pense nisto: dentro desse modelo, se você sabe como afetar o pensamento com o Sistema 1 de seu interlocutor – seus sentimentos inarticulados – pelo modo como formula e apresenta suas perguntas e afirmações, então é capaz de guiar a racionalidade do Sistema 2 dele e, portanto, modificar as respostas que dará. Foi isso que aconteceu com Andy em Harvard: ao perguntar "Como eu deveria fazer isso?", induzi sua mente emocional no Sistema 1 a aceitar que sua oferta não era boa o bastante; seu Sistema 2 então racionalizou a situação de modo que fizesse sentido me apresentar uma oferta melhor.

Se você acredita em Kahneman, conduzir negociações com base em conceitos do Sistema 2 sem as ferramentas para captar, entender e manipular o suporte emocional do Sistema 1 é como tentar fazer uma omelete sem saber como quebrar os ovos.

O FBI FICA EMOTIVO

Quando a equipe de negociação de reféns do FBI cresceu e adquiriu mais experiência em resolução de problemas, durante os anos 1980 e 1990, ficou claro que faltava ao nosso sistema um elemento crucial.

Na época, mergulhamos fundo no *Como chegar ao sim*. E como negociador, consultor e professor com décadas de experiência, ainda concordo com muitas das poderosas estratégias de barganha do livro. Quando foi publicado, forneceu ideias inovadoras sobre resolução cooperativa de problemas e originou conceitos absolutamente necessários, como entrar em negociações com uma BATNA: a melhor alternativa para um acordo negociado.

Era genial.

No entanto, depois dos cercos com desfechos catastróficos, como o da fazenda Ruby Ridge, de Randy Weaver, em Idaho, em 1992, e o da propriedade do Ramo Davidiano, de David Koresh, em Waco, Texas, em 1993, ficou difícil negar que a maioria das negociações envolvendo reféns poderia ser qualquer coisa, menos situações racionais de resolução de problemas.

Você já tentou imaginar uma solução mutuamente benéfica, em que os dois lados saem ganhando ao negociar com um cara que pensa que é o messias?

Aos poucos, ficou claro que *Como chegar ao sim* não funcionava com sequestradores. Não importa quantos agentes tenham lido o livro e grifado trechos com canetas marca-texto, ele não conseguiu melhorar o modo como negociadores de reféns abordavam um acordo.

Havia uma discrepância entre a brilhante teoria do livro e a experiência cotidiana da polícia. Todo mundo leu essa obra campeã de vendas e a endossou como um dos melhores textos sobre negociação já escritos, mas poucos tiveram êxito ao seguir suas instruções.

Será que fomos ingênuos?

Depois de Ruby Ridge e Waco, muita gente fazia essa pergunta. O subprocurador-geral dos Estados Unidos Philip B. Heymann, em especial, quis saber por que nossas técnicas de negociação de reféns eram tão ruins. Em outubro de 1993, ele apresentou um relatório intitulado "Lições de Waco: Mudanças propostas na aplicação da lei federal"[4] que resumiu o diagnóstico de um grupo de especialistas sobre a incapacidade da polícia federal de lidar com situações de reféns complexas.

Como resultado, o diretor do FBI em 1994, Louis Freeh, anunciou a formação do Grupo de Resposta a Incidentes Críticos (CIRG, na sigla em inglês), uma divisão mista que combinaria as equipes de Negociação de Crises, Gestão de Crises, Ciências Comportamentais e Resgate de Reféns. O objetivo era reinventar a negociação de crises.

O único problema era: que técnicas usaríamos?

...

Nessa época, dois dos mais condecorados negociadores da história do FBI, meu colega Fred Lanceley e meu ex-chefe Gary Noesner, estavam dando uma aula de negociação de reféns em Oakland, Califórnia, para um grupo de 35 experientes oficiais da polícia. Os dois fizeram a seus alunos uma pergunta simples: quantos haviam lidado com uma situação de barganha clássica em que a técnica de resolução do problema foi a melhor opção?

Ninguém levantou o braço.

Então eles fizeram uma indagação complementar: quantos haviam negociado em um ambiente dinâmico, intenso, incerto, em que o sequestrador estava em crise emocional e não tinha nenhuma exigência clara?

Todos ergueram os braços.

Estava claro: se os incidentes marcados por fortes emoções, e não as interações racionais de barganha, constituíam o grosso daquilo com que a maioria dos negociadores da polícia precisava lidar, então nossas habilidades de negociação tinham que focar diretamente no animal, no emocional e no irracional.

Desse momento em diante, nossa ênfase teria que estar não no treinamento para trocar uma coisa por outra nem em resolução de problemas, mas no aprendizado das habilidades psicológicas necessárias em situações de crise que exigissem intervenção. Emoções e inteligência emocional teriam que ser centrais para uma negociação efetiva, e não aspectos a serem superados.

Precisávamos de táticas e estratégias psicológicas simples que funcionassem em campo para acalmar as pessoas, estabelecer compreensão, ganhar confiança, estimular a verbalização de necessidades e convencê-las de nossa empatia. Teria que ser algo fácil de ensinar, fácil de aprender e fácil de executar.

Naquela sala de aula, porém, havia policiais e agentes, e eles não estavam interessados em se tornar acadêmicos ou terapeutas. O que queriam era mudar o comportamento do sequestrador, independentemente de quem fosse e do que quisesse, para transformar o ambiente emocional da crise e, assim, garantir a segurança de todos os envolvidos.

...

Nos primeiros anos, o FBI experimentou técnicas terapêuticas novas e antigas desenvolvidas por profissionais de aconselhamento. Essas habilidades tinham como objetivo desenvolver relações positivas com as pessoas, demonstrando compreensão do que elas estavam passando e de como se sentiam em relação a isso.

Tudo começa com a premissa universalmente aplicável de que todos desejam ser compreendidos e aceitos. Escutar é a concessão mais barata, porém mais eficaz, que podemos fazer para chegar a esse ponto. Escutando atentamente, um negociador demonstra empatia e o desejo sincero de entender melhor o outro lado.

Pesquisas na área de psicoterapia indicam que, quando os indivíduos se sentem ouvidos, tendem a escutar a si próprios de maneira mais atenta e a avaliar abertamente seus pensamentos e sentimentos, buscando clareza. Além disso, tendem a ficar menos na defensiva e na oposição e mais dispostos a considerar outros pontos de vista, o que os leva para a posição calma e lógica em que podem contribuir para a resolução do problema.

O conceito e ponto central deste livro é chamado de *Empatia Tática*. Consiste em escutar como se fosse uma arte marcial, equilibrando os comportamentos sutis da inteligência emocional e as habilidades assertivas da influência para obter acesso à mente da outra pessoa. Diferentemente da opinião popular, escutar não é uma atividade passiva, mas sim a conduta mais ativa que alguém pode adotar.

Quando começamos a desenvolver nossas novas técnicas, o mundo da negociação se dividiu em duas correntes. A negociação que se ensinava nas melhores universidades do país ainda era a da resolução racional de problemas, enquanto, ironicamente, nós, os cabeças-ocas do FBI, começávamos a treinar nossos agentes em um sistema carente de comprovação, baseado em psicologia, aconselhamento e intervenção em crises. Enquanto a Ivy League ensinava matemática e economia, nós nos tornamos especialistas em empatia.

E o nosso método funcionou.

A VIDA É NEGOCIAÇÃO

A esta altura, talvez você esteja curioso para saber como os negociadores do FBI induzem alguns dos bandidos mais perigosos do mundo a libertar seus reféns. No entanto, talvez esteja se perguntando também o que negociação de reféns tem a ver com a sua vida. Felizmente, poucas pessoas terão que lidar algum dia com terroristas que sequestraram seus entes queridos.

Mas quero contar um segredo: a vida é negociação.

A maioria das interações que temos no trabalho e em casa são negociações que se resumem a um anseio simples, animalesco: *Eu quero*.

"Eu quero que você liberte os reféns" é um anseio muito relevante para este livro, é claro.

Mas também o são:

"Eu quero que você aceite esse contrato de 1 milhão de dólares."

"Eu quero pagar 20 mil por esse carro."

"Eu quero que você me dê um aumento de 10%."

e

"Eu quero que você vá dormir às nove horas."

A negociação serve a duas funções distintas e vitais – obter informação e influenciar comportamento – e inclui quase toda interação em que cada parte queira algo da outra. Sua carreira, suas finanças, sua reputação, sua vida afetiva, até o destino de seus filhos – em algum momento tudo isso depende da sua capacidade de negociar.

Negociação, como você aprenderá aqui, nada mais é do que comunicação com resultados. Obter o que você quer da vida significa obter o que você quer das outras pessoas (e com elas). O conflito entre duas partes é inevitável em todas as relações. Portanto é útil – mais do que isso, é crucial – saber como se envolver nesse conflito de modo a obter o que deseja sem infligir danos.

Neste livro, recorro à minha carreira de mais de duas décadas no FBI para aplicar os princípios e as práticas que empreguei em campo em uma abordagem nova e estimulante: desejo ajudar você a desarmar e redirecionar seu interlocutor em praticamente qualquer negociação. E a fazer isso de uma maneira que preserve a relação.

Sim, você vai aprender como negociamos a libertação segura de incontáveis reféns. Mas vai aprender também a usar uma compreensão profunda da psicologia humana para comprar um carro pagando menos, garantir um aumento maior no trabalho e convencer uma criança a dormir na hora certa. Este livro ensinará você a retomar o controle de conversas que definem sua vida e sua carreira.

O primeiro passo para alcançar o domínio da negociação cotidiana é superar sua aversão a negociar. Você não precisa gostar disso; precisa apenas entender que é assim que o mundo funciona. Negociar não significa intimidar ou oprimir alguém; significa apenas entrar no jogo emocional que rege a sociedade humana. Neste mundo, você recebe o que pede; só precisa pedir corretamente. Portanto, exerça sua prerrogativa de reivindicar o que você pensa que é certo.

Este livro, portanto, é sobre levar você a aceitar a negociação e, ao fazer isso, aprender a obter o que deseja de uma forma psicologicamente consciente. Você descobrirá como usar suas emoções, seus instintos e insights em qualquer encontro para se conectar melhor com os outros, influenciá-los e ir além.

A negociação eficaz é a representação da inteligência pessoal aplicada, uma vantagem psicológica em cada área da vida: como avaliar alguém, como influenciar uma avaliação sobre você e como usar esse conhecimento para obter o que deseja.

Mas cuidado: este não é mais um livro de psicologia popular. É uma interpretação profunda e refletida (e, sobretudo, prática) de uma teoria psicológica de ponta que destila as lições de uma carreira de 24 anos no FBI e dez anos lecionando e prestando consultoria nas melhores escolas de administração e corporações do mundo.

E essa teoria funciona por uma simples razão: foi elaborada no mundo real e para ele. Não surgiu em uma sala de aula ou um centro de treinamento, mas foi construída com base em anos de experiência que a aprimoraram até chegar perto da perfeição.

Um negociador de reféns desempenha um papel único: ele *tem* que vencer. Será que pode dizer a um assaltante de banco "Está bem, você fez quatro reféns. Vamos dividir: me entregue dois e fica tudo certo"?

Não. Um negociador de reféns bem-sucedido precisa obter tudo que pede sem dar nada substancial em troca e deve fazer isso de tal maneira que produza nos adversários a percepção de que estabeleceram um ótimo relacionamento. Seu trabalho é uma espécie de "inteligência emocional com esteroides". Essas são as ferramentas que você vai aprender a usar aqui.

O LIVRO

Como uma empreiteira erguendo uma casa, este livro é construído da base para cima: primeiro vêm as grandes lajes da fundação, depois as paredes que sustentam o peso do telhado elegante, mas impermeável, e, por fim, a encantadora decoração do interior.

Cada capítulo expande o anterior. Primeiro você aprenderá as refinadas técnicas dessa abordagem para a *Escuta Ativa* e depois passará a ferramentas específicas, como maneiras de falar, o que deve haver ou não no ato final – a barganha – e, por fim, como descobrir o elemento raro que pode ajudar você a alcançar a verdadeira grandeza na arte da negociação: o Cisne Negro.

O Capítulo 2 explicará como evitar as suposições que cegam negociadores novatos e substituí-las por técnicas de *Escuta Ativa*, como *Espelhamento*, *Silêncios* e a *Voz de Locutor de FM Tarde da Noite*. Você descobrirá como desacelerar o ritmo das negociações e fazer seu interlocutor se sentir seguro o bastante para se revelar; como discernir entre o que se quer (aspirações) e as necessidades (o mínimo para um acordo); e como focar diretamente naquilo que a outra parte tem que dizer.

O Capítulo 3 irá explorar a *Empatia Tática*. Você aprenderá a identificar a perspectiva de seu interlocutor e, então, ganhar sua confiança e compreensão por meio da *Rotulagem* – ou seja, devolvendo a ele essa perspectiva. Também descobrirá como desativar dinâmicas negativas ao expô-las. Por fim, explicarei como desarmar as reclamações de seu interlocutor sobre você expressando-as em voz alta em uma *Auditoria de Acusação*.

Em seguida, no Capítulo 4, examinarei maneiras de fazer seu interlocutor se sentir compreendido e confortável em uma negociação, de modo a criar uma atmosfera de respeito positivo incondicional. Nele você aprenderá por que deve se esforçar para obter um "Está certo" em vez de um "Sim" em cada estágio de uma negociação e como identificar, rearticular e afirmar emocionalmente a visão de mundo de seu interlocutor com *Resumos* e *Paráfrases*.

O Capítulo 5 ensina o outro lado de *Como chegar ao sim*. Você aprenderá por que é de importância vital chegar ao "Não", pois é o "Não" que dá início à negociação. Descobrirá também como sair de seu ego e negociar no mundo de seu interlocutor, a única maneira de chegar a um acordo que o outro lado cumprirá. Por fim, verá como envolver seu interlocutor reconhecendo o direito de escolha dele e aprenderá uma técnica que assegura que seus e-mails nunca mais serão ignorados.

No Capítulo 6 apresentarei você à arte de inclinar a realidade. Ou seja, revelarei várias ferramentas para enquadrar uma negociação de tal maneira que seu interlocutor aceite inconscientemente os limites que você impõe à discussão. Você aprenderá a conduzir prazos finais para criar um senso de urgência; a empregar a ideia de justiça para cutucar seu interlocutor; e a ancorar as emoções dele de modo que *não* aceitar sua oferta pareça uma perda.

Depois disso, o Capítulo 7 é dedicado à ferramenta incrivelmente potente que usei em Harvard: *Perguntas Calibradas*, aquelas que começam com "Como?" e "O quê?". Eliminando respostas "Sim" e "Não", elas forçam seu interlocutor a empregar a energia mental dele para resolver os seus problemas.

No Capítulo 8 demonstro como empregar essas *Perguntas Calibradas* para se proteger de fracassos na hora de implementar a solução negociada. O "Sim", como eu sempre digo, não é nada sem o "Como?". Você também descobrirá a importância da comunicação não verbal; o emprego das perguntas "Como?" para dizer delicadamente "Não"; como levar seu interlocutor a fazer uma oferta contra si mesmo; e como influenciar os sabotadores de acordos quando eles não estão à mesa, diante de você.

Em determinado momento, toda negociação chega ao que interessa, ou seja, à boa e velha barganha. O Capítulo 9 oferece um passo a passo para pechinchar com eficácia, desde como se preparar até como se esquivar de um interlocutor agressivo e dar prosseguimento à ofensiva. Você conhecerá o Sistema Ackerman, o mais eficaz processo do FBI para estabelecer e fazer ofertas.

Por fim, o Capítulo 10 explica como encontrar e usar aqueles elementos de negociação mais raros: os Cisnes Negros. Em toda negociação há entre três e cinco informações que, se forem descobertas, mudam tudo. O conceito é crucial para virar o jogo, a ponto de eu ter dado à minha empresa o nome de The Black Swan Group (Grupo Cisne Negro). Nesse capítulo você aprenderá a reconhecer os sinais que indicam onde está o ninho escondido do Cisne Negro, bem como conhecerá ferramentas simples para empregar Cisnes Negros a fim de obter vantagem sobre seu interlocutor e chegar a acordos espetaculares.

Cada capítulo começa com um breve relato de uma negociação de reféns que é dissecada para explicar o que funcionou e o que deu errado. Uma vez explicadas a teoria e as ferramentas, você lerá estudos de casos da vida real, meus e de outros, que usaram essas ferramentas para levar a melhor quando negociavam um salário, a compra de um carro ou a resolução de problemas domésticos.

Ao término do livro, me considerarei bem-sucedido se você utilizar essas técnicas cruciais para melhorar sua carreira e sua vida pessoal. Estou certo de que você o fará. Lembre-se: para negociar com sucesso é fundamental se preparar. É por isso que no Apêndice você encontrará uma ferramenta inestimável que recomendo a todos os meus alunos e clientes: a Folha de Negociação, um manual conciso de todas as nossas táticas e estratégias para você adaptar a qualquer tipo de acordo que esteja querendo fechar.

O mais importante para mim é que você entenda como uma negociação pode ser urgente, essencial e até mesmo bela. Quando adotamos as possibilidades transformadoras de negociar, aprendemos a obter o que queremos e a conduzir os outros para uma posição melhor.

A negociação é o cerne da colaboração. É o que torna o conflito potencialmente significativo e produtivo para todas as partes. Ela pode mudar a sua vida, como mudou a minha.

Sempre pensei em mim como um cara comum. Trabalhador e disposto a aprender, sim, mas não particularmente talentoso. E sempre senti que a vida guardava possibilidades incríveis para mim. Quando eu era jovem, não sabia como destravar essas oportunidades.

Com as habilidades que aprendi, porém, alcancei feitos extraordinários e vi pessoas transformarem suas vidas graças ao que ensinei a elas. Quando uso o que aprendi nas últimas três décadas, sei que de fato tenho o poder de mudar o curso que minha vida está tomando e ajudar outras pessoas a fazer o mesmo. Trinta anos atrás, embora eu sentisse que isso podia ser feito, não sabia *como* fazê-lo.

Agora sei. Aqui está.

CAPÍTULO 2

SEJA UM ESPELHO

30 DE SETEMBRO DE 1993

Manhã fresca de outono, por volta de oito e meia. O alarme dispara quando dois assaltantes mascarados invadem o Chase Manhattan Bank na esquina da Sétima Avenida com a rua Carroll, no Brooklyn, Nova York. Dentro estão apenas duas funcionárias do caixa e um segurança de 60 anos desarmado. Os assaltantes agridem o homem na cabeça com uma .357, arrastam-no para o banheiro masculino e o trancam ali. Uma das funcionárias recebe o mesmo tratamento: agressão com pistola.

Então um dos assaltantes se volta para a outra funcionária, põe o cano da arma dentro da boca dela e puxa o gatilho – clique. Nada acontece: a câmara estava vazia.

– O próximo disparo será real – diz o assaltante. – Agora abra o cofre.

...

Um assalto a banco, com reféns. Acontece o tempo todo nos filmes, mas fazia quase 20 anos que não ocorria em Nova York, a cidade com mais trabalho de negociação de reféns nos Estados Unidos.

Foi a primeira operação para libertar reféns que encarei de frente, sob forte pressão.

Eu vinha treinando para isso havia um ano e meio, mas ainda não tivera a oportunidade de usar minhas novas habilidades. Para mim, 1993 estava se mostrando um período movimentado e incrível. Trabalhando na Força-Tarefa Conjunta contra o Terrorismo do FBI, eu já tinha participado como agente de um caso de investigação que impedira um plano de detonar bombas nos túneis Holland e Lincoln, na ONU e na Federal Plaza, 26, a sede do FBI em Nova York. Chegamos justo quando terroristas estavam preparando bombas em um esconderijo. Os conspiradores estavam associados a uma célula egípcia ligada ao "Xeique Cego", que mais tarde seria considerado culpado de planejar a trama que descobrimos.

Um assalto a banco poderia parecer pouca coisa depois de arruinarmos um plano terrorista, mas àquela altura eu já tinha percebido que as negociações seriam minha paixão por toda a vida. Eu estava ansioso para pôr à prova minhas novas habilidades. Além disso, aquela situação nada tinha de simples.

Quando recebemos o chamado, meu colega Charlie Beaudoin e eu corremos para o local, saímos rapidamente do Crown Victoria preto dele e seguimos para o posto de comando. Toda a cavalaria apareceu dessa vez – NYPD, FBI, SWAT –, todos os músculos e toda a sabedoria das polícias contra o desespero insensato de uma dupla de assaltantes de banco que aparentemente não tinha a menor ideia do que fazer.

A polícia de Nova York, atrás de uma parede de caminhões e viaturas pintadas de azul e branco, instalara-se do outro lado da rua, dentro de outro banco. Os membros da SWAT, espiando através de miras de fuzis dos telhados de prédios próximos, apontavam suas armas para a frente do banco e as portas de trás.

SUPOSIÇÕES CEGAM, HIPÓTESES GUIAM

Bons negociadores, quando atuam, sabem que precisam estar preparados para possíveis surpresas; grandes negociadores têm certeza de que essas surpresas surgirão e procuram usar suas habilidades para revelá-las.

A experiência ensinou a eles que é sempre melhor imaginar múltiplas hipóteses – sobre a situação, sobre a intenção do interlocutor, sobre toda uma série de variáveis – ao mesmo tempo. Presentes no momento e alertas, eles usam todas as novas informações que chegam para testar e separar as hipóteses verdadeiras das falsas.

Em uma negociação, cada nova revelação psicológica ou informação adicional anuncia um passo à frente e permite descartar uma hipótese em favor de outra. É preciso envolver-se no processo com a mente aberta. Seu objetivo no início é extrair e observar tantas informações quanto possível. O que, aliás, é um dos motivos pelos quais as pessoas realmente inteligentes quase sempre têm dificuldade para ser negociadoras – elas são tão inteligentes que pensam não haver nada para descobrir.

Com bastante frequência, as pessoas acham mais fácil se ater ao que acreditam. Utilizando o que ouviram ou as próprias inclinações, elas costumam fazer suposições sobre os outros antes mesmo de conhecê-los. Chegam a ignorar as próprias percepções para que se adaptem a conclusões prévias. Essas suposições sujam nossas janelas de percepção do mundo, mostrando-nos uma versão imutável – e muitas vezes equivocada – da situação.

Grandes negociadores são capazes de questionar as suposições que os outros jogadores envolvidos aceitam por fé ou arrogância. Assim, permanecem emocionalmente mais abertos a todas as possibilidades e intelectualmente mais ágeis em uma situação fluida.

Infelizmente, em 1993 eu estava longe de ser um grande negociador.

Todos pensaram que a crise logo seria resolvida. Os bandidos tinham pouca escolha a não ser se render – ou assim pensamos. O dia começou com a informação de que eles queriam se render. Mal sabíamos que isso era um ardil que o líder deles plantara para ganhar tempo. E, durante todo o dia, ele se referiu à influência que os outros quatro assaltantes exerciam sobre ele. Eu ainda não havia aprendido a ficar atento ao uso exagerado de pronomes pessoais pelo interlocutor – *nós/eles* ou *eu*. Quanto menos importante ele se mostra, mais importante provavelmente é (e vice-versa). Depois descobriríamos que havia apenas mais um assaltante, que havia sido enganado para participar do assalto. Na verdade, eram três, mas o terceiro era o motorista, que foi embora antes mesmo de entrarmos em cena.

O sequestrador "líder" estava realizando a própria "operação de contrainteligência" alimentando-nos com todo tipo de informação errada. Ele queria que pensássemos que havia um grupo de conspiradores com ele – de vários países. Queria também que acreditássemos que seus parceiros eram muito mais voláteis e perigosos do que ele.

Em retrospecto, é óbvio que o plano de jogo dele era claro – queria nos confundir ao máximo até encontrar uma saída. Ele dizia o tempo todo que não estava no comando e que cada decisão era responsabilidade dos outros. Indicava que estava assustado – ou pelo menos um pouco hesitante – quando lhe pedíamos para transmitir certas informações. E ainda assim sempre falava com toda a calma e absoluta confiança. Isso foi uma lição para mim e meus colegas: enquanto você não souber com quem está lidando, você não sabe com o que está lidando.

Embora o chamado tenha sido feito às 8h30, quando chegamos ao outro lado da rua em frente ao banco e fizemos contato eram cerca de 10h30. Parecia que tudo correria como em outras vezes, de acordo com as regras, rápido e tranquilo. Nossos comandantes pensaram que seria vapt-vupt, porque os bandidos, em tese, queriam se entregar. Isso se tornaria um problema mais tarde, quando as negociações emperraram e o Comando ficou constrangido, porque havia cometido o erro de compartilhar esse otimismo inicial com a imprensa, baseado em informações iniciais equivocadas.

Chegamos à cena para fazer uma rendição, mas a situação mudou quase imediatamente.

Tudo que *supusemos* que sabíamos estava errado.

ACALME O ESQUIZOFRÊNICO

Nosso Centro de Operação da Negociação foi montado no escritório de um banco bem do outro lado da estreita rua onde ficava a agência do Chase. Estávamos próximos demais do local dos reféns, então, logo de cara, saímos em desvantagem. Nos posicionamos a menos de 30 metros do epicentro da crise, quando o desejável seria estar em um lugar um pouco mais protegido. É preciso haver alguma distância entre você e o pior cenário que talvez esteja à sua espera do outro lado.

Quando eu e meu parceiro chegamos, fui logo designado para instruir o negociador do Departamento de Polícia que estava ao telefone. Seu nome era Joe e ele estava indo bem – mas nesse tipo de situação ninguém trabalha sozinho. Sempre atuávamos em equipes. O raciocínio por trás dessa política era que quanto mais ouvidos houvesse, maior o número de informações extras que poderíamos colher. Em alguns impasses, tínhamos até cinco pessoas na linha analisando as informações em tempo real e oferecendo dados e orientação ao nosso homem ao telefone – e era assim que tínhamos nos organizado ali. Joe assumira a liderança e mais três ou quatro de nós escutávamos a conversa telefônica, tomando notas e tentando dar sentido a uma situação confusa. Alguém estava tentando avaliar o humor do bandido que assumira a liderança e outra pessoa estava escutando em busca de pistas ou "falas" que pudessem nos oferecer uma leitura melhor do que estávamos enfrentando, e assim por diante.

Alunos meus resistem a essa prática, perguntando: "Sério, você realmente precisa de toda uma equipe para... ouvir alguém?" O fato de o FBI ter chegado a essa conclusão, digo a eles, deveria fazer soar um alarme. É muito difícil fazer uma boa escuta.

Qualquer coisa nos distrai. Realizamos uma escuta seletiva, ouvindo apenas o que queremos ouvir, nossas mentes buscando cognitivamente a consistência, e não a verdade. E isso é apenas o começo.

A maioria das pessoas entra em uma negociação tão preocupada com argumentos que sustentem sua posição que é incapaz de escutar de modo atento. Em um dos artigos de pesquisa mais citados em psicologia,[1] George A. Miller apresenta de maneira convincente a ideia de que podemos processar apenas sete informações em nossa mente consciente em qualquer momento determinado. Em outras palavras, ficamos facilmente sobrecarregados.

Para pessoas que veem a negociação como uma batalha de pontos de vista, são as vozes em sua mente que as sobrecarregam. Quando não estão falando, elas estão pensando em seus argumentos, e, quando estão falando, estão produzindo esses argumentos. É comum que os dois lados estejam fazendo exatamente isso, criando o que chamo de estado de esquizofrenia: todos apenas ouvindo a voz interior (e ouvindo mal, porque estão fazendo outras sete ou oito coisas simultaneamente). Pode parecer que há apenas duas pessoas na conversa, mas é como se fossem quatro, todas falando ao mesmo tempo.

Há uma maneira eficaz de silenciar a voz em sua mente e a voz na mente do outro ao mesmo tempo: trate dois esquizofrênicos com apenas um remédio. Em vez de priorizar o seu argumento – na verdade, em vez de pensar em qualquer coisa que dirá –, transforme a outra pessoa e o que ela tem a dizer em seu único foco. Nesse modo de real escuta ativa – e com a ajuda das táticas que aprenderá nos próximos capítulos –, você desarmará seu interlocutor. Fará com que ele se sinta seguro. A voz na cabeça dele começará a silenciar.

O objetivo é identificar do que seus interlocutores de fato *precisam* (uma necessidade monetária, emocional ou de qualquer outro tipo) e deixá-los seguros o bastante para falar e falar e falar um pouco mais sobre o que *querem*. O que eles querem levará você a descobrir do que precisam. É fácil falar sobre o que se quer: representa a aspiração de fazer as coisas do seu jeito e sustenta qualquer ilusão de controle que temos quando começamos a negociar. Já as necessidades implicam sobrevivência, o mínimo de que precisamos para agir, e, portanto, nos tornam vulneráveis. Mas nós não começamos pelo que se quer nem pelo que se necessita. Começamos escutando, dando um crédito à outra pessoa, validando suas emoções e estabelecendo confiança e segurança suficientes para dar início a uma conversa de verdade.

Estávamos longe desse objetivo com o líder dos assaltantes ao telefone. Ele continuou criando estranhas cortinas de fumaça. Não dizia seu nome, tentava disfarçar a voz, estava sempre falando a Joe que iria colocá-lo no viva voz para que todos perto dele no banco pudessem ouvir e então, abruptamente, anunciava que poria Joe "em espera" e desligava. A toda hora pedia uma van, afirmando que ele e seus parceiros precisavam de um carro para seguirem com os reféns até um local na vizinhança onde se renderiam. Foi assim que começou a conversa absurda da rendição – mas é claro que não era um plano de rendição, e sim de fuga. No fundo de sua mente, esse cara pensava que de algum modo poderia deixar o banco sem ser preso e, agora que seu motorista fugira do local, ele precisava de acesso a um veículo.

Depois que tudo acabou, outros detalhes se tornaram claros. Não éramos os únicos para quem ele havia mentido. Aparentemente, esse líder assaltante não havia informado a seus parceiros que iriam assaltar um banco naquela manhã. Descobriu-se que ele transportava valores para o banco e que seus parceiros estavam achando que arrombariam o caixa eletrônico. Não haviam concordado em fazer reféns, então entendemos que, de certa maneira, eles também eram reféns. Foram apanhados em uma situação ruim que não previram – e, no fim, foi essa "desconexão" entre os assaltantes que nos ajudou a dividi-los e pôr fim ao impasse.

DE-VA-GAR

O líder queria que acreditássemos que ele e seus parceiros estavam tratando bem os reféns, mas na realidade o guarda de segurança estava fora de ação e a outra funcionária do caixa havia se refugiado no porão do banco. Sempre que Joe dizia que queria falar com os reféns, o assaltante se esquivava e simulava uma atividade frenética dentro do banco, chegando ao ridículo de nos dizer quanto tempo e energia ele e seus comparsas estavam gastando para cuidar bem dos prisioneiros. Com muita frequência, o líder alegava esse motivo para pôr Joe em espera ou para encerrar uma ligação. Ele dizia "As meninas precisam ir ao banheiro" ou "As meninas querem ligar para suas famílias", ou ainda "As meninas querem pegar algo para comer".

Joe estava fazendo um bom trabalho ao manter o cara falando, mas a abordagem de negociação que os departamentos de polícia usavam na época tinha limitações. A abordagem era metade MSU – Making Shit Up (inventar merda) – e metade uma espécie de tática de vendas – em suma, tentar persuadir, coagir ou manipular de qualquer maneira possível. O problema é que estávamos com pressa demais, pressionando muito por uma solução rápida; queríamos resolver o problema, e não demover as pessoas.

Avançar rápido demais é um dos erros que todos os negociadores tendem a cometer. Se estamos com muita pressa, o outro lado pode sentir que não está sendo ouvido e nos arriscamos a minar a cooperação e a confiança que construímos. Muitas pesquisas recentes concluíram que a passagem de tempo é uma das ferramentas mais importantes para um negociador. Quando o processo fica mais lento, também fica mais calmo. Afinal de contas, quem está falando não está atirando.

Houve um alívio quando os assaltantes começaram a reclamar que queriam comida. Joe ficou indo e voltando com eles durante algum tempo discutindo o que comeriam e como entregaríamos a eles. Isso se tornou uma negociação por si só. Acertamos tudo, nos preparamos para enviar a comida por meio de uma espécie de robô, porque só assim o cara se sentiu confortável, mas então ele voltou atrás e disse para esquecermos o assunto. Contou que haviam encontrado alguma comida lá dentro. Era um obstáculo após outro, uma cortina de fumaça após outra. Quando parecia que estávamos fazendo um pequeno progresso, o líder dava uma virada abrupta: ou desligava o telefone na nossa cara, ou mudava de ideia.

Enquanto isso, nossos investigadores pesquisavam o registro de cada um de dezenas de veículos estacionados ali perto. Conseguiram falar com os proprietários de todos, exceto um – um carro que pertencia a alguém chamado Chris Watts. Essa se tornou nossa única pista na época e, enquanto nosso interminável vaivém continuava ao telefone, enviamos um grupo de policiais ao endereço de Chris Watts. Lá eles encontraram alguém que conhecia Chris Watts e concordou em ir à cena do impasse para possivelmente identificá-lo.

Ainda não tínhamos uma imagem do interior do banco, então nossa testemunha ocular teve que ser uma "testemunha auditiva" – e ela identificou Chris Watts pela voz.

Agora sabíamos mais sobre nosso adversário do que ele *pensava* que sabíamos, o que nos deu uma vantagem momentânea. Estávamos encaixando todas as peças do quebra-cabeça, mas isso não nos aproximou do fim do jogo, que terminaria quando determinássemos com certeza quem estava dentro do prédio, assegurássemos a saúde e o bem-estar dos reféns e retirássemos todos em segurança – os mocinhos *e* os bandidos.

A VOZ

Depois de cinco horas, como ainda estávamos empacados, o tenente encarregado me pediu para assumir a negociação. Joe estava fora; eu estava dentro. Na prática, essa era a única jogada estratégica à nossa disposição que não envolvia uma escalada de força.

O homem que agora conhecíamos como Chris Watts continuava encerrando as ligações abruptamente, então meu trabalho era encontrar uma maneira de mantê-lo falando. Mudei minha voz para a *Voz de Locutor de FM Tarde da Noite*: profunda, suave, lenta e tranquilizadora. Eu fora instruído a confrontar Watts sobre sua identidade assim que possível. Assumi o telefone sem nenhum aviso, em substituição a Joe, contrariando o protocolo. Foi uma manobra astuta do tenente da NYPD para agitar a cena, mas o tiro poderia facilmente ter saído pela culatra. A voz reconfortante foi a chave para atenuar o embate.

Chris Watts ouviu minha voz na linha e me interrompeu imediatamente:
– Ei, o que houve com o Joe?
Respondi:
– Joe saiu. Aqui é o Chris. Agora você vai falar comigo.

Não era uma pergunta. Fiz uma afirmação com inflexão para baixo, em um tom de voz com a mesma característica. A melhor maneira de descrever uma *Voz de Locutor de FM Tarde da Noite* é como a voz da calma e da razão.

Quando estão deliberando sobre uma estratégia ou abordagem de negociação, as pessoas costumam concentrar todas as suas energias no que dizer ou fazer. Entretanto, o nosso jeito de *ser* (nossa atitude e expressão, de maneira geral) é mais fácil de representar – e também o modo mais imediatamente eficaz de exercer influência. Nosso cérebro não apenas processa e entende as ações e palavras dos outros, mas também seus sentimentos e intenções, o significado social do comportamento e das emoções deles. Em um nível mais inconsciente, podemos compreender a mente de outra pessoa não por meio de algum tipo de pensamento, mas literalmente captando o que ela está sentindo.

Pense nisso como uma espécie de telepatia neurológica involuntária – cada um de nós a cada momento sinalizando ao mundo se está pronto para brincar ou lutar, rir ou chorar.

Quando irradiamos cordialidade e aceitação, as conversas parecem fluir. Quando entramos em uma sala exalando conforto e entusiasmo, atraímos as pessoas para nós. Sorria para alguém na rua e, por reflexo, essa pessoa vai sorrir também. Entender esse reflexo e pô-lo em prática é crucial para o sucesso de praticamente cada habilidade de negociação que se pode aprender.

É por isso que sua ferramenta mais potente em qualquer comunicação verbal é a voz. Você pode usá-la para intencionalmente alcançar o cérebro de alguém e mudar um interruptor emocional. De desconfiar para confiar. De nervoso para calmo. Em um instante, o interruptor mudará para a expressão desejada.

Existem basicamente três tons de voz que negociadores podem usar: a *Voz de Locutor de FM Tarde da Noite*, a voz positiva/brincalhona e a voz direta ou assertiva. Esqueça a voz assertiva por enquanto; exceto em circunstâncias muito raras, usá-la é como dar uma bofetada no próprio rosto enquanto se tenta avançar. É uma sinalização de dominância, que, de maneira agressiva ou passivo-agressiva, induzirá o interlocutor a repelir as tentativas de ser controlado.

Na maioria das vezes, o melhor é usar a voz positiva/brincalhona. É a voz de uma pessoa tranquila, agradável, com uma atitude leve e encorajadora. A chave aqui é relaxar e sorrir enquanto estiver falando. Um sorriso, mesmo quando se está ao telefone, tem um impacto tonal que será captado do outro lado da linha.

Os efeitos dessas vozes são comuns a todas as culturas e sempre compreendidos. Durante férias na Turquia com sua namorada, um dos instrutores do The Black Swan Group ficou perplexo – até um pouco constrangido – por sua parceira conseguir os melhores preços pechinchando nas vielas dos mercados de especiarias de Istambul. Para os comerciantes de tais mercados em todo o Oriente Médio, regatear é uma forma de arte. Eles desenvolveram uma inteligência emocional afiada e usam de hospitalidade e amabilidade para atrair o cliente e criar uma reciprocidade que resulte em uma compra. Mas isso funciona nos dois sentidos, como nosso instrutor descobriu observando sua namorada em ação: ela tratava cada negociação como um jogo divertido, de modo que, mesmo quando a pressão poderia soar meio agressiva, seu sorriso e seu jeito brincalhão levavam os comerciantes a ceder.

Quando as pessoas se acham em um estado de espírito positivo, pensam mais rapidamente e tendem a colaborar e a resolver problemas (em vez de lutar e resistir). Isso se aplica a quem ganha o sorriso e também a quem sorri: um sorriso em seu rosto, e em sua voz, aumentará sua agilidade mental.

A voz brincalhona não era uma opção com Chris Watts. A do *Locutor de FM Tarde da Noite*, sim; quando você muda a inflexão para baixo, falando lenta e claramente, transmite a ideia de que está no controle. Já quando inflete a voz para cima, chama uma resposta. Por quê? Porque esse tom embute um grau de incerteza e faz uma afirmação soar como uma pergunta. A porta estava aberta para o cara assumir a liderança, então ali eu tive o cuidado de permanecer calmo e me mostrar seguro.

É a mesma voz que posso usar em uma negociação de contrato, quando um item não admite discussão. Se vejo uma cláusula de prestação de serviço, por exemplo, digo: "Não fazemos prestação de serviço." Assim: abrupto, direto, simples e amistoso. Não ofereço alternativa, porque isso incorreria em mais discussão, então faço uma declaração direta.

Foi minha cartada ali. Eu disse:

– Joe saiu. Agora você vai falar comigo.

Acordo feito.

Você pode ser bem direto, desde que transmita segurança por meio de um tom de voz que afirme: "Eu estou bem, você está bem, vamos resolver as coisas."

...

A maré estava mudando. Chris Watts se agitou, mas àquela altura tinha poucas opções. O outro bandido desceu ao porão para buscar uma das funcionárias do caixa. Ela desaparecera no subsolo em algum momento, mas Chris Watts e seu cúmplice não a haviam perseguido porque sabiam que ela não iria a lugar algum. Agora esse assaltante a arrastava de volta escada acima e a punha ao telefone. Ela disse:

– Eu estou bem.

Só isso.

Falei:

– Quem é?

Ela repetiu:

– Eu estou bem.

Eu queria que ela continuasse falando, então perguntei como se chamava – mas então, de repente, ela não estava mais na linha.

Essa foi uma jogada brilhante da parte de Chris Watts. Provocando-nos com a voz da mulher, ele fazia uma ameaça sutil e indireta, uma maneira de indicar que estava dando as cartas do outro lado da linha sem agravar ostensivamente a situação. Ele nos oferecera uma "prova de vida", confirmando que, de fato, havia reféns em estado decente o bastante para falar ao telefone, mas não permitiu que obtivéssemos qualquer informação útil.

Com isso, conseguiu recuperar algum controle sobre a situação.

ESPELHAMENTO

Chris Watts voltou ao telefone tentando agir como se nada tivesse acontecido. Mostrava-se um pouco agitado, isso era certo, mas ao menos estava a fim de falar.

– Nós identificamos cada carro na rua e falamos com todos os proprietários, exceto um – disse eu a Watts. – Temos uma van aqui fora, uma van azul e cinza. Descobrimos quem são os proprietários de todos os veículos, exceto esse em particular. Você sabe alguma coisa sobre isso?

– O outro veículo não está lá porque vocês afugentaram meu motorista – respondeu ele impulsivamente.

– Nós afugentamos seu motorista? – espelhei.

– Bem, quando ele viu a polícia, caiu fora.

– Nós não sabemos nada sobre esse cara. Era ele quem estava dirigindo a van? – perguntei.

O espelhamento entre mim e Watts continuou e ele admitiu vários pontos que o prejudicavam. Começou a vomitar informações, que é o modo como agora nos referimos a situações assim em minha empresa de consultoria. Ele falou sobre um cúmplice do qual não tínhamos qualquer conhecimento na hora. Esse diálogo nos ajudou a localizar o motorista do carro de fuga.

...

O espelhamento, também chamado de isopraxismo, é, em essência, uma imitação. É outro neurocomportamento que os humanos (e outros animais) apresentam; consiste em copiar a atitude do outro para lhe oferecer algum conforto. Isso pode ser feito com padrões de fala, linguagem corporal, vocabulário, ritmo e tom de voz. Em geral, é um comportamento inconsciente – raramente percebemos que está acontecendo –, mas indica que as pessoas estão criando vínculos, em sincronia, e estabelecendo o tipo de entendimento que leva à confiança.

É um fenômeno (e agora uma técnica) que segue um princípio biológico elementar, mas profundo: tememos o diferente e somos atraídos pelo que é semelhante. Como diz o ditado, pássaros da mesma plumagem voam juntos. O espelhamento, portanto, quando praticado de maneira consciente, é a arte de insinuar semelhança. "Confie em mim, você e eu somos iguais" indica um espelho para o inconsciente do outro.

Quando estamos atentos a essa dinâmica, nós a enxergamos em toda parte: casais caminhando na rua com passos em perfeita sintonia; amigos conversando no parque, ambos balançando a cabeça e cruzando as pernas ao mesmo tempo. Essas pessoas estão, em uma palavra, conectadas.

Embora o espelhamento seja com mais frequência associado a formas de comunicação não verbal, em especial à linguagem corporal, no caso de um negociador, um "espelho" se limita a palavras e nada mais. Desconsidera a linguagem corporal, o sotaque, o tom ou o modo de se expressar. Concentra-se nas palavras.

Isso é quase risivelmente simples: para o FBI, um "espelho" é quando você repete as últimas três palavras (ou a palavra fundamental em um grupo de três) que alguém acabou de dizer. De todas as ferramentas para negociação de reféns do FBI, o espelhamento é a que mais evoca um truque da mente Jedi. Simples, mas, ainda assim, espantosamente eficaz.

Ao repetir o que o outro disse, você desencadeia esse instinto de espelhamento e seu interlocutor, inevitavelmente, irá raciocinar sobre o que acabou de ser dito e sustentar o processo de conexão. O psicólogo Richard Wiseman convidou garçons para participar de um estudo cujo objetivo era identificar o método mais eficaz para criar uma conexão com estranhos: espelhamento ou reforço positivo.

Um grupo de garçons ficou com a técnica do reforço positivo: em resposta a cada pedido, cobria os clientes de elogios e incentivos, usando declarações como "Ótimo", "Sem problema" e "Com certeza". Outro grupo de garçons espelhou seus clientes – ou seja, limitou-se a repetir-lhes seus pedidos. Os resultados foram impressionantes: a gorjeta média dos garçons que usaram o método do espelhamento foi 70% maior que a daqueles que usaram o reforço positivo.

Decidi que era hora de atingi-lo com seu nome – de mostrar que sabíamos quem ele era. Eu disse:

– Tem um veículo aqui fora, e está registrado em nome de Chris Watts.

– Tudo bem – retorquiu ele, sem revelar nada.

Continuei:

– Ele está aí? É você? Você é Chris Watts?

Foi uma pergunta estúpida. Um erro. Para um espelho ser eficaz, você tem que deixá-lo ali fazendo seu trabalho. Ele precisa de um pouco de silêncio. Eu atropelei meu espelho. Assim que disse isso, quis voltar atrás:

– Você é Chris Watts?

Que diabos esse cara poderia responder? É claro que ele disse "Não".

Eu fizera uma jogada tola e dera a Chris Watts uma saída para se esquivar do confronto, mas ele ficou agitado. Até então ele tinha certeza do anonimato. Qualquer que fosse a fantasia que estivesse passando por sua cabeça, havia uma alternativa para ele, um botão de "começar do zero". Agora Chris Watts pensava diferente. Eu me contive, fui mais devagar e, dessa vez, calei a boca depois do espelho. Eu disse:

– Não? Você respondeu "Tudo bem".

Ele estava nas minhas mãos, pensei. Seu tom de voz se elevou e ele deixou escapar algumas coisas, vomitando mais informações. Ficou tão desconcertado que, a certa altura, parou de falar comigo. De repente, seu cúmplice, que mais tarde soubemos tratar-se de Bobby Goodwin, tomou o lugar dele ao telefone.

Até então não conhecíamos esse segundo assaltante. Sabíamos o tempo todo que Chris Watts não estava agindo sozinho, mas não tínhamos uma boa leitura sobre quantas pessoas participavam do assalto. De repente, seu cúmplice involuntário assumiu a ligação, pensando que Joe, o primeiro negociador, ainda estava do outro lado da linha. Soubemos disso porque ele ficou me chamando de "Joe", o que nos mostrou que estava na jogada havia tempos, mas, de alguma forma, menos envolvido enquanto o impasse se arrastava.

No mínimo, a desconexão entre eles me informou que aqueles caras não estavam exatamente de acordo, mas não me apressei em corrigi-lo.

Outra coisa: parecia que esse segundo cara estava falando através de uma toalha, ou um moletom – como se estivesse mordendo algum tipo de tecido. Ter chegado ao ponto de disfarçar a voz era claramente um sinal de que estava assustado. Parecia nervoso e muito agitado, ansioso em relação ao desfecho daquela situação.

Tentei acalmá-lo – ainda com a voz de Locutor em inflexão para baixo. Eu disse:

– Ninguém vai a lugar nenhum. Ninguém vai se ferir.

Um minuto e meio depois, a agitação pareceu desaparecer. O tom abafado também. Sua voz soou muito mais clara quando ele disse:

– Eu confio em você, Joe.

Quanto mais eu mantinha esse segundo cara ao telefone, mais ficava claro que ele não queria estar naquele lugar. Bobby queria sair – e, é claro, queria sair sem ser ferido. Ele já estava profundamente envolvido, mas não queria se envolver ainda mais. Não tinha começado o dia pensando em assaltar um banco, mas só passou a enxergar uma saída ao ouvir minha voz calma do outro lado da linha. O sétimo maior exército permanente do mundo estava de prontidão do lado de fora – é esse o tamanho da NYPD em força total – e suas armas estavam apontadas para ele e seu parceiro. Obviamente, Bobby estava desesperado para sair por aquelas portas desarmado.

Eu não sabia em que lugar do banco Bobby estava. Até hoje, não sei se ele conseguiu se afastar do parceiro ou se estava falando comigo à vista de Chris Watts. Só sei que capturei sua atenção total e que ele estava procurando uma maneira de encerrar o impasse – ou pelo menos de encerrar seu papel naquilo.

Mais tarde, eu soube que entre um telefonema e outro Chris Watts estava ocupado escondendo dinheiro no interior das paredes do banco. Também queimou pilhas de notas diante das duas reféns. Parece um comportamento estranho, mas, para um cara como Chris Watts, havia uma certa lógica. Aparentemente, ele pusera na cabeça que podia queimar, digamos, 50 mil dólares e, se constatassem que faltavam 300 mil dólares, os funcionários do banco não pensariam em procurar os outros 250 mil. Era um engodo interessante – não exatamente inteligente, mas interessante. Mostrava uma estranha atenção aos detalhes. Em sua mente, se ele conseguisse escapar daquela armadilha que fizera para si mesmo, poderia ficar na surdina durante algum tempo e voltar no futuro para pegar o que escondera – o dinheiro já não constaria dos registros do banco.

O que gostei nesse segundo cara, Bobby, foi que ele não tentou fazer nenhum jogo comigo ao telefone. Foi correto, então pude responder de maneira igualmente correta. Da mesma maneira que eu tinha uma resposta para tudo que colocava, ele tinha uma resposta para tudo que eu dizia, portanto, estávamos juntos. A experiência me dizia que tudo que eu tinha a fazer era continuar falando e ele viria. Encontraríamos uma maneira de tirá-lo do banco – com ou sem Chris Watts.

Alguém da minha equipe me entregou um bilhete: "Pergunte se ele quer sair."

Então eu disse:

– Você quer sair primeiro?

Fiz uma pausa, permanecendo em silêncio.

– Eu não sei como faria isso – disse Bobby por fim.

– O que impede você de fazer isso agora? – perguntei.

– Como faço isso? – indagou ele em resposta.

– Vou lhe dizer. Você me encontra lá fora, na frente do banco, agora.

Esse foi um momento de grande avanço para nós – mas ainda tínhamos que tirar Bobby dali e encontrar uma maneira de fazê-lo saber que eu estaria esperando por ele do outro lado da porta. Eu lhe dera a minha palavra de que ele se renderia a mim e não seria ferido, e agora tínhamos que fazer isso acontecer. Com muita frequência, essa fase de implementação pode ser a mais difícil.

Nossa equipe se desdobrou para organizar um plano eficaz. Comecei a vestir um colete à prova de balas. Examinamos a cena e calculamos que eu poderia me posicionar atrás de um dos caminhões grandes que havíamos estacionado em frente ao banco. Isso me daria alguma cobertura.

Em seguida, nós nos deparamos com uma daquelas situações enlouquecedoras em que uma das mãos não sabe o que a outra está fazendo. No início do impasse, uma das equipes ergueu uma barricada diante da porta do banco – uma precaução para evitar que os assaltantes fugissem. Todos nós sabíamos disso, é claro, mas, quando chegou a hora de Bobby se entregar e sair pela porta, foi como se nossos cérebros tivessem entrado no modo "pausa": ninguém da equipe da SWAT pensou em lembrar a alguém da equipe de negociação esse detalhe significativo. Durante longos instantes Bobby não conseguiu sair, e eu senti um enjoo no estômago ao pensar que, qualquer que fosse o progresso que acabáramos de fazer com esse cara, aquilo não daria em nada.

Enquanto nos recuperávamos do baque, dois caras da SWAT avançaram para a entrada com escudos e armas em punho para remover os cadeados e a barricada da porta – e nesse momento eles ainda não sabiam o que enfrentariam do outro lado. Foi supertenso. Podia haver dezenas de armas apontadas para esses dois caras da SWAT, mas eles não podiam fazer nada a não ser aproximar-se lentamente. Eram sólidos como pedra. Eles destrancaram a porta, recuaram e por fim o caminho ficou livre.

Bobby saiu, as mãos para o alto. Eu tinha dado a ele uma série específica de instruções sobre o que fazer e o que esperar ao passar pela porta. Os dois caras da SWAT o revistaram. Bobby se virou, olhou e disse:

– Onde está o Chris? Me levem até o Chris.

Por fim o trouxeram até mim e pudemos interrogá-lo em nosso posto de comando improvisado. Foi só aí que soubemos que havia apenas outro assaltante dentro do banco – informação que enfureceu o comandante. Mais tarde, entendi por que ele ficou tão zangado e constrangido com essa reviravolta. O tempo todo ele vinha dizendo à mídia que havia muitos assaltantes lá dentro – uma assembleia internacional de bandidos, lembra? Mas, agora que se revelara que o assalto era basicamente uma operação de dois homens, um dos quais sequer queria participar, parecia que o comandante não tinha compreendido a situação.

Porém, como eu disse, ainda não sabíamos da reação do comandante. Tudo que sabíamos era que, segundo aquelas novas informações, estávamos mais perto do que pensávamos de alcançar o resultado desejado. Foi um desdobramento positivo, algo para comemorar. Com os dados mais recentes, seria muito mais fácil seguir negociando, mas o comandante estava furioso. Ele não gostou de ter sido enganado, então ordenou a um dos caras da Unidade de Resposta de Assistência Técnica (TARU, na sigla em inglês) da NYPD que pusesse uma câmera dentro do banco, um microfone... *qualquer coisa*.

Agora que eu estava atracado com Bobby, o comandante me trocou por outro negociador principal ao telefone. O novo negociador jogou da mesma maneira que eu algumas horas antes e falou:

– Aqui é Dominick. Agora você vai falar comigo.

Dominick Misino era um ótimo negociador de reféns – na minha opinião, um dos grandes *closers* (fechadores) do mundo; *closer* é o termo que se usa com frequência para designar o cara que chega para acertar os últimos detalhes e garantir o acordo. Ele não ficava agitado e era bom no que fazia.

Prático. Safo.

Dominick avançou aos poucos. E então uma coisa incrível aconteceu – algo quase desastroso. Quando estava falando com Dominick, Chris Watts ouviu o som de uma ferramenta elétrica perfurando a parede atrás dele. Era um dos nossos caras da TARU tentando plantar um microfone ali dentro – precisamente no lugar errado, precisamente no momento errado. Chris Watts já estava agitado o bastante depois de seu parceiro se entregar daquela maneira e deixá-lo sozinho sob cerco. Ao escutar nosso cara furando a parede, ele explodiu.

Chris Watts respondeu como um pitbull acuado em um canto. Chamou Dominick de mentiroso. Dominick permaneceu imperturbável. Manteve a calma enquanto Watts se enfurecia do outro lado da linha, e sua serenidade acabou levando o cara da fervura para o fogo brando.

Em retrospecto, foi uma manobra tola tentar pôr um microfone dentro do banco naquele último estágio – uma manobra nascida da frustração e do pânico. Havíamos conseguido tirar um dos assaltantes, mas agora perdíamos parte do controle. Assustar o único bandido restante, que poderia ser um cara descontrolado – não sabíamos –, foi uma má ideia.

Quando Dominick começou a trabalhar para acalmar a situação, Chris Watts facilitou as coisas para nós. Ele disse:

– E se eu deixar uma refém sair?

Isso veio como que do nada. Dominick não tinha pensado em perguntar, mas Chris Watts ofereceu uma das funcionárias do caixa como se isso não fosse nada de mais – e para ele, naquele estágio tardio do impasse, acho que não era mesmo. O assaltante talvez imaginasse que uma jogada conciliatória poderia lhe dar tempo para descobrir uma maneira de escapar.

Dominick permaneceu calmo, mas aproveitou a oportunidade. Disse que queria falar com a refém primeiro para ter certeza de que tudo estava bem, então Chris Watts pegou uma das mulheres e a pôs ao telefone. A mulher estava atenta ao que se passava. Sabia que houvera algum tipo de confusão quando Bobby decidiu se entregar, mas, embora estivesse com-

pletamente apavorada, teve a presença de espírito de fazer uma pergunta coerente sobre a porta. Eu me lembro de pensar que isso mostrou enorme autoconfiança – ela estava apavorada, era prisioneira, foi tratada com alguma violência e ainda preservava a sanidade mental. Ela disse:
– Você tem certeza de que tem uma chave da porta da frente?
Dominick respondeu:
– A porta da frente está aberta.
E estava.
No fim das contas, o que aconteceu foi que uma das mulheres saiu, ilesa, e mais ou menos uma hora depois a outra mulher veio, também ilesa.

Estávamos trabalhando para tirar o guarda do banco, mas, pelos relatos das funcionárias, não havia como ter certeza sobre seu estado. Não sabíamos sequer se ele ainda estava vivo. Elas não o viam desde que o assalto fora anunciado naquela manhã. Ele podia ter tido um ataque cardíaco e morrido – não havia como saber.

Mas Chris Watts tinha um último truque na manga. Ele manobrou rápido e, inesperadamente, ofereceu-se para sair. Talvez tenha pensado que poderia nos pegar desprevenidos uma última vez. O estranho em sua súbita aparição foi que ele olhava ao redor, examinando a cena, como se ainda pensasse que havia alguma forma de evitar ser pego. Até o momento em que os policiais o algemaram, seus olhos corriam de um lado para outro, procurando alguma oportunidade. As luzes fortes estavam sobre ele, já rendido, mas em algum lugar no fundo de sua mente maquinadora, fugidia, Chris Watts talvez acreditasse que tinha uma chance.

Foi um dia longo, mas entrou para a história como um sucesso. Ninguém se feriu. Os bandidos estavam sob custódia. E eu saí da experiência humilhado por quanto ainda havia para aprender, mas, ao mesmo tempo, estimulado e inspirado pelo poder visceral da emoção, do diálogo e da caixa de ferramentas em evolução no FBI. Essa caixa continha táticas psicológicas capazes de influenciar e persuadir praticamente qualquer pessoa, em qualquer situação.

Durante as décadas que se seguiram à minha iniciação no mundo das negociações de alto risco, muitas vezes fiquei impressionado com o quanto condutas aparentemente simples podem ser valiosas. A capacidade de entrar na cabeça – e, com o tempo, na pele – do interlocutor depende dessas técnicas e da disposição para mudar a abordagem, de acordo com novas evidências, ao longo do caminho. Quando trabalho com executivos e estudantes para desenvolver essas habilidades, sempre tento reforçar a mensagem de que estar certo não é a chave para uma negociação bem-sucedida – o que faz diferença é ter a mentalidade correta.

COMO CONFRONTAR – E ENCONTRAR O CAMINHO – SEM CONFRONTO

Quando me refiro ao espelhamento como uma espécie de mágica ou um truque da mente Jedi, não estou brincando: essa técnica, de fato, fornece a capacidade de discordar sem ser desagradável.

Para considerar quão útil ele pode ser, pense em um ambiente de trabalho qualquer: invariavelmente, ainda há alguém em uma posição de autoridade que chegou ao cargo empregando uma assertividade agressiva, por vezes valendo-se de intimidação e evocando as suposições verticais de comando e controle da "velha escola", segundo as quais o chefe está sempre certo. E não vamos nos iludir: quaisquer que sejam as regras evoluídas da "nova escola", em qualquer ambiente (de trabalho ou outro), sempre será preciso lidar com pessoas rígidas e de mentalidade antiquada que preferem anuência a colaboração.

Usar uma abordagem de pitbull com outro pitbull geralmente resulta em um cenário caótico, muitos sentimentos feridos e mágoas. Por sorte, há outra saída para esse imbróglio.

Basta seguir estes passos simples:

1. Use a *Voz de Locutor de FM Tarde da Noite*.
2. Comece com "Desculpe...".
3. Espelhe.
4. Permita que o silêncio se instale. Quatro segundos é o tempo mínimo para que o espelho opere sua mágica sobre seu interlocutor.
5. Repita.

Uma de minhas alunas comprovou a eficácia desse processo em seu local de trabalho. Seu chefe era impulsivo e conhecido por suas "passadinhas", uma prática irritante que consistia em aparecer de surpresa no escritório ou na baia de alguém com uma missão "urgente" e mal planejada, que resultava em muito trabalho desnecessário. Tentativas anteriores de questionar a prática haviam criado resistência imediata. Dizer que "há uma maneira melhor" era sempre interpretado por esse chefe como "há uma maneira preguiçosa".

Uma dessas "passadinhas" ocorreu perto do fim de um longo trabalho de consultoria que havia produzido (literalmente) milhares de documentos. O chefe, ainda cético em relação a qualquer coisa "digital", queria a segurança de ter cópias em papel.

Ele passou pela porta da sala da minha aluna e disse:

– Vamos fazer duas cópias de todos os documentos.

– Desculpe, duas cópias? – espelhou ela em resposta, lembrando-se não apenas da *Voz de Locutor*, mas usando um tom questionador ao espelhar. A intenção por trás da maioria dos espelhos deve ser: "Por favor, me ajude a entender." Toda vez que você espelha alguém, ele reformula o que disse, e nunca será exatamente como da primeira vez. Pergunte a alguém "O que você quer dizer com isso?" e é provável que provoque irritação ou uma atitude defensiva. Um espelho, porém, lhe dará a clareza que você busca e, ao mesmo tempo, indicará respeito e preocupação com o que a outra pessoa está dizendo.

– Sim – respondeu o chefe –, uma para nós e outra para o cliente.

– Desculpe, então você está dizendo que o cliente pediu uma cópia e que precisamos de outra para uso interno?

– Na verdade, vou checar com o cliente, eles não pediram nada. Mas eu não abro mão de uma cópia. É assim que eu trabalho.

– Com certeza – respondeu ela. – Obrigada por checar com o cliente. Onde você gostaria de guardar a cópia interna? Não há mais espaço na sala de arquivos.

– Tudo bem. Você pode guardar em qualquer lugar – disse ele, agora ligeiramente perturbado.

– Em qualquer lugar? – espelhou ela outra vez, com uma preocupação calma.

Quando o tom de voz ou a linguagem corporal do outro é incompatível com as palavras, um bom espelho pode ser particularmente útil.

A pergunta levou o chefe a fazer uma longa pausa – algo bastante incomum. Minha aluna esperava, em silêncio.

– Na verdade, você pode pôr no meu escritório – disse ele, com mais tranquilidade do que demonstrara ao longo de toda a conversa. – Vou pedir ao novo assistente para imprimir isso para mim depois que o projeto estiver pronto. Por ora, faça apenas dois backups digitais.

Um dia depois, o chefe lhe enviou um e-mail que dizia apenas: "Dois backups digitais são suficientes."

Não muito tempo depois, recebi um e-mail empolgado dessa aluna: "Fiquei chocada! Adoro espelhos! Me pouparam uma semana de trabalho!"

Você ficará meio constrangido ao tentar o espelhamento pela primeira vez. Essa é a única parte difícil; a técnica exige um pouco de prática. Depois que pegar o jeito, porém, ele se tornará um canivete suíço da negociação, útil em praticamente todos os ambientes profissionais e sociais.

LIÇÕES-CHAVE

A linguagem da negociação é sobretudo uma linguagem de conversa e compreensão: uma maneira de estabelecer relações rapidamente e levar as pessoas a falar e pensar juntas. É por isso que, se você perguntar sobre os maiores negociadores de todos os tempos, tenho uma surpresa: pense em Oprah Winfrey.

Seu estilo merece ser estudado porque Oprah é uma mestra: em cima de um palco, cara a cara com alguém que ela nunca viu, diante de um estúdio lotado por centenas de pessoas e com milhões assistindo em casa, ela enfrenta todos os dias o desafio de persuadir aquela pessoa diante dela – às vezes contra sua vontade ou seus interesses – a falar e falar, até compartilhar seus segredos mais profundos e obscuros, reféns aprisionados em sua mente durante toda a vida.

Observe com mais atenção um relacionamento desse tipo depois de ler este capítulo e de repente você verá um conjunto refinado de habilidades poderosas: um sorriso consciente para aliviar a tensão, o uso de linguagem verbal e não verbal sutil para sinalizar empatia (e, portanto, segurança), uma certa inflexão para baixo na voz, o emprego de tipos específicos de pergunta, evitando outras – toda uma série de competências até então ocultas que se provarão inestimáveis para você depois que aprender a usá-las.

Para relembrar, eis algumas lições-chave deste capítulo:

- Um bom negociador se prepara, ao entrar, para possíveis surpresas. Um grande negociador tem certeza de que encontrará surpresas; seu objetivo é usar suas habilidades para revelá-las.
- Não se prenda a suposições. Encare-as como hipóteses e use a negociação para testá-las com rigor.
- Pessoas que veem a negociação como uma batalha de argumentos ficam sobrecarregadas ouvindo muitas vozes internas. A negociação não é um ato de batalha, mas sim um processo de descoberta. O objetivo é descobrir tantas informações quanto possível.
- Para silenciar as vozes internas, faça com que seu foco único e abrangente seja a outra pessoa e o que ela tem a dizer.
- De-va-gar. Ir rápido demais é um dos erros que todos os negociadores costumam cometer. Se estamos com muita pressa, a pessoa do outro lado pode sentir que não está sendo ouvida. Há risco de minar o entendimento e a confiança que se construiu.
- Ponha um sorriso no rosto. Quando as pessoas se encontram em um estado de espírito positivo, pensam mais depressa e tendem mais facilmente a colaborar e a resolver o problema (em vez de lutar e resistir). A positividade deixa você e seu interlocutor mais ágeis mentalmente.

Existem três tons de voz disponíveis aos negociadores:

1. A *Voz de Locutor de FM Tarde da Noite*. Empregue-a seletivamente para apresentar seu argumento. Use uma inflexão para baixo na voz, mantendo-a calma e lenta. Quando você faz isso da maneira correta, cria uma aura de autoridade e confiança, sem deixar o outro na defensiva.
2. A voz positiva/brincalhona. Deve ser sua voz padrão. É o tom de uma pessoa tranquila, agradável. Sua atitude é leve e encorajadora. O segredo aqui é relaxar e sorrir enquanto se está falando.

3. A voz direta e assertiva. Raramente é usada. Causará problemas e criará resistência.

- Espelhos fazem mágica. Repita as três últimas palavras (ou a palavra crucial entre as três) que alguém acabou de dizer. Tememos o diferente e somos atraídos pelo que é semelhante. O espelhamento é a arte de insinuar semelhança, o que facilita a criação de laços emocionais. Use espelhos nestas situações: para incentivar o outro lado a ter empatia e a construir vínculos com você; para manter a pessoa falando; para ganhar tempo do seu lado e se reorganizar; e para incentivar seu interlocutor a revelar a estratégia dele.

──── CAPÍTULO 3 ────

NÃO SINTA A DOR DELES, ROTULE-A

O ano era 1998 e eu estava de pé em um corredor estreito, diante da porta de um apartamento no 27º andar de um prédio popular no Harlem. Eu era o chefe da Equipe de Negociação de Crises do FBI em Nova York e naquele dia ocupava o posto de principal negociador.

O esquadrão investigativo informara que pelo menos três fugitivos fortemente armados estavam escondidos ali dentro. Vários dias antes, os bandidos haviam usado armas automáticas durante troca de tiros com uma gangue rival. Por isso, a equipe da SWAT do FBI de Nova York estava posicionada atrás de mim e nossos atiradores de elite instalaram-se em telhados próximos com fuzis apontados para as janelas do apartamento.

Em situações tensas como essa, o consenso em uma negociação é manter a frieza. Não ficar emotivo. Até pouco tempo atrás, a maioria dos acadêmicos e pesquisadores ignorava completamente o papel das emoções em uma negociação. Elas eram apenas um obstáculo a um bom resultado, diziam. "Separe as pessoas do problema" era um bordão.

Mas pense o seguinte: como é possível separar as pessoas do problema se as emoções delas *são* o problema? Mais ainda quando se trata de pessoas assustadas com armas na mão. As emoções são um dos principais fatores que arruínam a comunicação. Quando um indivíduo se chateia com outro, a racionalidade sai pela janela.

É por isso que, em vez de negar ou ignorar as emoções, os bons negociadores as identificam e as influenciam. Conseguem rotulá-las com precisão, especialmente as próprias, mas também as dos outros. E, depois que rotulam as emoções, falam sobre elas sem ficar tensos. Para eles, a emoção é uma ferramenta.

Emoções não são obstáculos; são meios.

A relação entre o negociador emocionalmente inteligente e seu interlocutor é, em essência, terapêutica. Reproduz a do psicoterapeuta com um paciente. O psicoterapeuta cutuca e incita para entender os problemas de seu paciente e depois lhe devolve as respostas para fazê-lo ir mais fundo e mudar seu comportamento. É exatamente o que os negociadores fazem.

Chegar a esse nível de inteligência emocional exige abrir os sentidos, falar menos e escutar mais. É possível captar quase tudo de que precisa – e muito mais do que a outra pessoa gostaria que você soubesse – apenas observando e escutando, mantendo os olhos e os ouvidos abertos e a boca fechada.

Pense no sofá do terapeuta ao ler as próximas páginas. Você verá como uma voz suave, uma escuta atenta e a repetição serena das palavras de seu "paciente" pode levar você muito mais longe do que um argumento frio, racional.

Se você perceber as emoções dos outros, tem uma chance de usá-las em seu benefício. Quanto mais você sabe sobre alguém, mais poder tem.

EMPATIA TÁTICA

Tínhamos um grande problema naquele dia no Harlem: nenhum número de telefone disponível. Então, durante seis horas seguidas, com breves pausas em que era substituído por dois agentes do FBI que estavam aprendendo negociação de crises, falei através da porta do apartamento.

Usei a minha *Voz de Locutor de FM Tarde da Noite*.

Não dei ordens nem perguntei o que os fugitivos queriam. Em vez disso, imaginei-me no lugar deles.

– Parece que vocês não querem sair – disse eu repetidamente. – Parece que estão com medo de que, se abrirem a porta, nós entraremos atirando. Parece que vocês não querem voltar para a prisão.

Durante seis horas, não obtivemos nenhuma resposta. Os treinadores do FBI adoraram minha *Voz de Locutor*. Mas será que ela estava funcionando?

E então, quando estávamos quase convencidos de que não havia ninguém ali dentro, um atirador em um prédio próximo informou pelo rádio que havia visto uma das cortinas do apartamento se mover.

A porta da frente do apartamento se abriu lentamente. Surgiu uma mulher com as mãos à frente do corpo.

Continuei falando. Todos os três fugitivos saíram. Nenhum deles disse uma palavra até os algemarmos.

Então fiz a pergunta que mais me incomodou: por que eles saíram depois de seis horas de silêncio? Por que finalmente cederam?

Todos os três me deram a mesma resposta.

– Nós não queríamos ser capturados nem baleados, mas você nos acalmou – disseram. – Acreditamos que você não iria embora, então saímos.

...

Não há nada mais frustrante ou perturbador em qualquer negociação do que a sensação de falar com alguém que não está escutando. Fazer-se de mudo é uma técnica de negociação válida e "Eu não entendo" é uma resposta legítima. No entanto, ignorar a posição da outra parte só faz aumentar a frustração e torna menos provável que ela faça o que você quer.

O oposto disso é a empatia tática.

Em meu curso de negociação, digo aos alunos que empatia é "a capacidade de reconhecer a perspectiva de um interlocutor e a vocalização desse reconhecimento". É uma maneira acadêmica de dizer que empatia é prestar atenção em outro ser humano, perguntar o que está sentindo e assumir o compromisso de entender o mundo dele.

Observe que eu não disse nada sobre concordar com os valores e crenças da outra pessoa nem sobre distribuir abraços. Isso é compaixão. Estou falando de tentar entender uma situação da perspectiva da outra pessoa.

Um passo além disso é empatia tática.

Empatia tática é entender os sentimentos e a mentalidade do outro no momento e também captar o que está *por trás* desses sentimentos; assim será possível ampliar sua influência em todos os momentos seguintes. É depositar nossa atenção tanto nos obstáculos emocionais quanto nos potenciais caminhos para chegar a um acordo.

É inteligência emocional turbinada.

Quando eu era policial em Kansas City, tinha curiosidade em saber como um grupo seleto de policiais veteranos conseguia convencer pessoas furiosas e violentas a encerrar brigas ou largar facas e armas.

Quando eu perguntava como faziam isso, raramente recebia mais do que um gesto de indiferença. Eles não conseguiam definir o que faziam. Hoje sei que a resposta é empatia tática: aqueles homens eram capazes de pensar do ponto de vista da outra pessoa enquanto falavam com ela e rapidamente descobriam o que a motivava.

A maioria de nós entra em um embate verbal com chances mínimas de convencer o outro de qualquer coisa; isso ocorre porque só nos preocupamos com nossos objetivos e nossa perspectiva. Mas os melhores policiais estão sintonizados com a outra parte: o seu público. Eles sabem que, com empatia, conseguem moldar o interlocutor pela abordagem e pela forma de comunicação.

É por isso que, se um agente penitenciário aborda um presidiário esperando resistência, com frequência o presidiário resistirá. No entanto, se o aborda transpirando calma, é muito mais provável que o prisioneiro se comporte de modo pacífico. Parece bruxaria, mas não é. Quando um agente sabe com clareza quem é seu interlocutor, pode se tornar quem precisa ser para lidar com a situação.

Empatia é uma habilidade clássica de comunicação "suave", mas tem uma base física. Quando observamos de perto o rosto, os gestos e o tom de voz de uma pessoa, nosso cérebro começa a se alinhar com o dela em um processo chamado ressonância neural. É ele que nos permite saber mais plenamente o que aquela pessoa pensa e sente.

Em um experimento de exame de cérebros com ressonância magnética,[1] pesquisadores da Universidade de Princeton constataram que a ressonância neural desaparece quando alguém se comunica mal. Os estudiosos conseguiram prever quão bem as pessoas se comunicavam apenas observando quão alinhados seus cérebros estavam. Descobriram ainda que os que prestavam mais atenção – os bons ouvintes – eram capazes de antecipar o que o interlocutor diria.

Para aumentar suas habilidades de ressonância neural, pare um instante agora e pratique. Volte sua atenção para alguém que está falando perto de você ou observe uma pessoa sendo entrevistada na TV. Enquanto ela fala, imagine que você é a pessoa. Visualize a si mesmo na posição que ela descreve e acrescente todos os detalhes que puder, como se estivesse de fato no lugar dela.

Mas atenção: muitos articuladores de acordo clássicos acharão sua abordagem simplista e fraca.

Pergunte à ex-secretária de Estado Hillary Clinton.

Alguns anos atrás, durante um discurso na Universidade de Georgetown, Hillary defendeu a ideia de "mostrar respeito, até mesmo pelo inimigo. Tentar entender e, até onde for psicologicamente possível, ter empatia pela perspectiva e pelo ponto de vista dele".

É fácil imaginar o que aconteceu em seguida: um bando ruidoso de comentaristas e políticos a atacou. Classificaram sua declaração de inútil e ingênua, chegando até a sugerir que ela ingressara na Irmandade Muçulmana. Alguns disseram que Hillary destruíra suas chances em uma corrida presidencial.

O problema por trás de toda essa falação é que ela estava certa.

Política à parte, empatia não é ser simpático ou concordar com o outro lado. É entendê-lo. A empatia nos ajuda a saber em que posição o inimigo está, por que as ações dele fazem sentido (para ele) e o que pode motivá-lo.

Como negociadores, usamos a empatia porque ela funciona. Empatia é o motivo pelo qual os três fugitivos saíram depois de seis horas ouvindo minha *Voz de Locutor Tarde da Noite*. Foi o que me ajudou a ter êxito no que Sun Tzu chamou de "a suprema arte da guerra": subjugar o inimigo sem lutar.

ROTULAGEM

Vamos voltar à porta do apartamento no Harlem por um instante.

Não tínhamos muitos elementos para prosseguir, mas, quando três fugitivos estão encurralados em um apartamento no 27º andar de um prédio no Harlem, mesmo que não digam uma palavra, é fácil saber que estão preocupados com duas coisas: ser mortos e ir para a prisão.

Portanto, durante seis horas seguidas naquele corredor abafado daquele prédio residencial, eu e os dois estudantes de negociação do FBI nos revezamos para falar. Decidimos nos alternar para evitar tropeços verbais e outros erros cometidos por cansaço. E permanecemos o tempo todo enviando mensagens, os três dizendo sempre a mesma coisa.

Agora, preste bem atenção no que dissemos, palavra por palavra:

– Parece que vocês não querem sair. Parece que estão com medo de que, se abrirem a porta, entraremos atirando. Parece que vocês não querem voltar para a prisão.

Empregamos a empatia tática, identificando e verbalizando as emoções características daquela situação. Não apenas nos colocamos no lugar dos fugitivos, mas também reconhecemos seus sentimentos, os transformamos em palavras e então, muito calmamente e de maneira respeitosa, repetimos para eles o que estavam sentindo.

Em uma negociação, isso se chama rotulagem.

Rotulagem é uma maneira de validar a emoção de alguém reconhecendo que ela existe e dando a ela um nome. Isso mostra que você se identifica com o modo como essa pessoa se sente e promove uma aproximação sem que seja preciso perguntar sobre fatores externos que desconhece ("Como está sua família?"). Pense na rotulagem como um atalho para a intimidade, um acesso emocional para poupar tempo.

A rotulagem tem uma vantagem especial quando seu interlocutor está tenso. Expor pensamentos negativos com clareza ("Parece que vocês não querem voltar para a prisão") faz com que eles pareçam menos assustadores.

Em um estudo com imagens cerebrais,[2] o professor de psicologia Matthew Lieberman, da Universidade da Califórnia em Los Angeles (UCLA), constatou que, quando mostramos às pessoas fotos de rostos expressando forte emoção, o cérebro apresenta maior atividade na amígdala, a parte que gera medo. Porém, quando pedimos a elas para rotular a emoção, a atividade se desloca para as áreas que governam o pensamento racional. Em outras palavras, a rotulagem de uma emoção – aplicar palavras racionais ao medo – afeta sua intensidade original.

A rotulagem é uma habilidade simples, versátil, que permite reforçar um bom aspecto da negociação ou dissipar um ponto negativo. Mas tem regras muito específicas no que diz respeito a forma e expressão. Isso a torna mais parecida com uma arte formal, como a caligrafia chinesa, do que propriamente com uma conversa.

Para a maioria das pessoas, é uma das ferramentas de negociação mais complicadas de usar. Antes de experimentá-la pela primeira vez, meus alunos quase sempre me dizem que têm a impressão de que seus interlocutores vão ficar furiosos e gritar: "Não ouse me dizer como eu me sinto!"

Vou lhe contar um segredo: as pessoas nem sequer notam.

O primeiro passo para rotular é detectar o estado emocional do outro. Diante daquela porta no Harlem não podíamos ver os fugitivos, mas na maioria das vezes é possível reunir informações valiosas a partir das palavras, do tom e da linguagem corporal do outro. Chamamos essa tríade de "palavras, música e dança".

O truque para identificar sentimentos é prestar muita atenção às mudanças pelas quais a pessoa passa ao responder a eventos externos. Na maioria das vezes, esses eventos são as palavras que o negociador diz.

Se você diz "Como está sua família?" e os cantos da boca da pessoa se torcem para baixo, mesmo que ela responda que está ótima, é possível deduzir que nem tudo vai bem. Se a voz fica monótona quando um colega é mencionado, talvez haja um problema entre os dois. Quando o seu senhorio mexe os pés inconscientemente se você menciona os vizinhos, fica bem claro que ele não tem uma opinião favorável sobre eles (veremos mais a fundo como identificar e usar essas pistas no Capítulo 9).

Os videntes trabalham colhendo essas pequenas informações. Eles avaliam a linguagem corporal do cliente e fazem algumas perguntas inocentes. Quando "preveem" o futuro, alguns minutos depois, estão apenas dizendo o que a pessoa deseja ouvir com base em pequenos detalhes que identificaram. Vários videntes dariam bons negociadores.

Uma vez identificada a emoção que pretende destacar, o próximo passo é rotulá-la em voz alta. Os rótulos podem ser expressos por meio de afirmações e perguntas; a única diferença reside na forma de terminar a frase, com uma inflexão para baixo ou para cima. Independentemente de como a sentença termine, os rótulos quase sempre começam com as mesmas palavras:

Parece que...

Isso soa como se...

A impressão que fica é que...

Observe que dizemos "Isso soa como se...", e não "Eu estou ouvindo que...". Isso porque a palavra "eu" faz a pessoa se proteger. Dizer "eu" sinaliza que você está mais interessado em si mesmo do que no outro e o faz assumir uma responsabilidade pessoal pelas palavras que virão – e pela ofensa que podem causar.

No entanto, ao expressar um rótulo como uma declaração neutra de compreensão, você incentiva seu interlocutor a ser responsivo. Geralmente ele dá uma resposta mais longa do que apenas "Sim" ou "Não". E, se ele discordar do rótulo, tudo bem. Você sempre pode recuar e dizer "Eu não disse que é isso. Eu só disse que parece".

A última regra da rotulagem é o silêncio. Depois de lançar um rótulo, fique calado e escute. Todos nós temos uma tendência a prolongar o que dissemos, a terminar a frase "Parece que você gosta dessa camisa" com uma pergunta específica, como "Onde você a comprou?". O maior poder de um rótulo é justamente o de convidar a outra pessoa a se revelar.

Faça um intervalo agora e experimente puxar conversa rotulando uma das emoções de outra pessoa, que pode ser o carteiro ou sua filha de 10 anos. Em seguida, fique em silêncio. Deixe o rótulo fazer seu trabalho.

NEUTRALIZE O NEGATIVO, REFORCE O POSITIVO

A rotulagem é uma tática, não uma estratégia, da mesma maneira que uma colher é uma ótima ferramenta para tomar uma sopa, mas não uma receita. O modo como se usa a rotulagem é importante para determinar o seu sucesso. Bem empregada, é como nós, negociadores, identificamos e então, lentamente, alteramos as vozes internas da consciência do nosso interlocutor para algo mais colaborativo e confiante.

Primeiro, falemos um pouco sobre psicologia humana. Em termos básicos, as emoções humanas têm dois níveis: o comportamento "presente" é a parte acima da superfície, que você pode ver e ouvir; abaixo fica o sentimento "subjacente", que motiva o comportamento.

Imagine um avô que está mal-humorado em um jantar festivo da família; o comportamento presente é o mau humor, mas a emoção subjacente é uma sensação triste de solidão por sua família nunca ter tempo para vê-lo.

Ao criar um rótulo, os bons negociadores se dirigem a essas emoções subjacentes. Rotular as negativas as dissipa (ou *neutraliza*, em casos extremos); rotular as positivas as reforça.

Voltaremos ao avô mal-humorado logo mais. Primeiro, porém, quero falar um pouco sobre a raiva.

Como emoção, a raiva raramente é produtiva – para você ou para a pessoa com quem está negociando. Ela libera hormônios do estresse e substâncias neuroquímicas que atrapalham sua capacidade de avaliar situações de maneira correta e de responder a elas. E ainda o cega para o fato de que você está com raiva, o que lhe traz uma falsa sensação de confiança.

Isso não quer dizer que sentimentos negativos devem ser ignorados, o que pode ser igualmente prejudicial. O melhor é cutucá-los para que venham à tona. A rotulagem é uma tática útil para atenuar confrontos em que há raiva, porque faz a pessoa admitir seus sentimentos em vez de continuar a agir por impulso.

...

No começo de minha carreira como negociador de reféns, aprendi como era importante lidar diretamente com a dinâmica negativa, sem temor, mas com deferência.

Foi para consertar uma situação que eu mesmo tinha criado. Eu irritara o principal funcionário do FBI no Canadá ao entrar no país sem antes avisá-lo (para que ele pudesse notificar o Departamento de Estado), um procedimento conhecido como "liberação do país".

Eu sabia que precisava ligar para apaziguá-lo e dar um jeito na situação; se não o fizesse, corria o risco de ser expulso do país. Os caras de cima gostam de se sentir por cima. Não querem ser desrespeitados. Ainda mais quando o escritório que dirigem não é particularmente empolgante.

– Perdoe-me, padre, porque pequei – falei quando ele atendeu.

Houve uma longa pausa do outro lado da linha.

– Quem é? – perguntou ele.

– Perdoe-me, padre, porque pequei – repeti. – Aqui é Chris Voss.

Mais uma vez houve um longo silêncio.

– Seu chefe sabe que você está aqui?

Eu disse que sim e cruzei os dedos. Nesse momento, o funcionário do FBI tinha todo o direito de me mandar sair do Canadá imediatamente. Mas, ao mencionar a dinâmica negativa, eu sabia que dissipara isso tanto quanto possível. Eu tinha uma chance.

– Está bem, você está liberado – disse ele por fim. – Vou cuidar da papelada.

Tente fazer o mesmo da próxima vez que tiver que se desculpar por um erro estúpido. Vá direto ao ponto. O meio mais rápido e mais eficiente de estabelecer uma relação que funcione de imediato é reconhecer o que há de negativo e dissipá-lo. Toda vez que lidava com a família de um refém, eu começava dizendo que sabia que eles estavam assustados. E quando cometo um erro – o que acontece com alguma frequência –, sempre valido a raiva da outra pessoa. Descobri que a frase "Olhe, eu sou um idiota" é uma maneira incrivelmente eficaz de afastar problemas.

Essa abordagem nunca falhou comigo.

...

Vamos voltar ao avô mal-humorado.

Ele está rabugento porque nunca vê a família e se sente abandonado. O mau humor é seu jeito disfuncional de obter atenção.

Como se conserta isso?

Em vez de abordar o comportamento rabugento, reconheça a tristeza dele sem julgá-lo e corte o mal pela raiz.

"Não temos nos visto muito", você poderia dizer. "Parece que você sente que não prestamos muita atenção em você e que só nos vemos uma vez por ano, então, por que você deveria encontrar tempo para nós?"

Percebe como assim você reconhece a situação e rotula a tristeza dele? Aqui recomendo uma breve pausa, deixando-o admitir e apreciar sua tentativa de entender como ele se sente. Em seguida, contorne o problema oferecendo uma solução positiva.

"Para nós é um grande prazer. Queremos ouvir o que você tem a dizer. Queremos valorizar este tempo com você porque nos sentimos distantes da sua vida."

Pesquisas mostram que a melhor maneira de lidar com a negatividade é observá-la sem reação ou julgamento. Depois, rotular de maneira consciente cada sentimento negativo e substituí-lo por pensamentos positivos, compassivos e focados em uma solução.

...

Um de meus alunos na Universidade de Georgetown, um cara chamado TJ, que trabalhava como supervisor dos Washington Redskins, pôs essa lição em prática quando fazia o meu curso sobre negociação.

A economia ia de mal a pior na época e os titulares de ingressos para a temporada dos Redskins estavam debandando para evitar a despesa. Pior, o time tivera um desempenho *terrível* no ano anterior e problemas dos jogadores fora do campo estavam afastando os fãs do estádio.

O diretor financeiro do time andava cada vez mais preocupado – e mal-humorado. Duas semanas antes de a temporada começar ele passou pela mesa de TJ e jogou sobre ela uma pasta cheia de papéis.

– As coisas já foram melhores – disse ele, e saiu.

Dentro havia uma lista de quarenta titulares de ingressos que estavam inadimplentes, um pendrive com o arquivo de uma planilha sobre a situação de cada um e um roteiro a ser seguido por quem fosse ligar para eles.

TJ viu na hora que o roteiro era um desastre. Começava dizendo que tentavam contatá-lo havia meses e que a conta dele aumentara. "Gostaríamos de lhe informar", dizia, "que, para receber seus ingressos para a abertura da próxima temporada contra os New York Giants, você precisará quitar sua dívida integralmente até 10 de setembro".

Era o estilo de comunicação estúpido, agressivo, impessoal e insensível que é padrão na maioria das empresas. Era tudo "eu, eu, eu", sem nenhum reconhecimento da situação do titular de ingressos. Nenhuma empatia. Nenhuma conexão. Apenas "Me dê o dinheiro".

Talvez eu nem precisasse explicar isso, mas o roteiro não funcionou. TJ deixou mensagens; ninguém ligou de volta.

Depois de algumas semanas de aula, TJ reescreveu o roteiro. Não houve grandes mudanças e ele não ofereceu aos fãs nenhum desconto. Meu aluno fez ajustes sutis no texto, envolvendo os fãs, sua situação e seu amor pelo time.

Agora o time era "O SEU Washington Redskins" e o objetivo do telefonema era assegurar que os fãs mais importantes do time – os clientes caloteiros – estivessem presentes na abertura da temporada. "É graças a você que nossos jogadores têm a vantagem de jogar em casa todo domingo, e nós sabemos disso", escreveu TJ. E ele continuava: "Nestes tempos difíceis, entendemos que nossos fãs foram duramente atingidos e estamos aqui para trabalhar juntos." Então pedia aos titulares de ingressos que ligassem de volta para discutir sua "situação individual".

Embora simples, as mudanças que TJ introduziu no roteiro tiveram profunda repercussão emocional entre os titulares de ingressos que estavam inadimplentes. O roteiro mencionava a dívida deles com o time, mas também reconhecia a dívida do time para com eles. Além disso, ao mencionar os tempos econômicos difíceis e o estresse que isso desencadeava, o novo texto anulava a maior dinâmica negativa – a inadimplência – e mostrava que o problema era solucionável.

As mudanças tinham por trás uma complexa compreensão de empatia por parte de TJ. Com o novo roteiro, ele fez acordos financeiros com todos os titulares de ingressos antes do jogo contra os Giants. E a próxima visita do diretor financeiro? Bem, foi muito menos sucinta.

LIBERE O CAMINHO ANTES DE ANUNCIAR O DESTINO

Lembra da amígdala, a parte do cérebro que desencadeia o medo em resposta a ameaças? Bem, quanto mais depressa pudermos frear a reação da amígdala a ameaças reais ou imaginárias, mais rapidamente poderemos eliminar obstáculos e gerar sentimentos de segurança, bem-estar e confiança.

Isso se faz rotulando os medos. Esses rótulos são muito potentes porque expõem os medos à luz do sol, esvaziando o poder deles e mostrando a nosso interlocutor que nós o compreendemos.

Pense naquela situação no Harlem. Eu não disse "Parece que vocês querem que nós os deixemos sair ilesos". Nós todos poderíamos concordar com esse ponto. Mas isso não teria dissipado o medo real dentro do apartamento nem mostrado minha empatia diante da terrível complexidade da situação. Por isso, fui diretamente à amígdala e falei: "Parece que vocês não querem voltar para a prisão."

Depois de rotuladas e escancaradas, as reações negativas na amígdala de seu interlocutor começarão a retroceder. Garanto que você ficará chocado com a rapidez com que sua linguagem transforma preocupação em otimismo. A empatia tem uma enorme capacidade de melhorar o clima.

Nem sempre é possível abrir o caminho com tanta facilidade, portanto não desanime se esse processo parecer lento. A negociação no prédio do Harlem durou seis horas. Muitos de nós temos vários medos que se sobrepõem, como camadas de roupas que protegem do frio, portanto, chegar à segurança leva tempo.

Foi essa a experiência de uma aluna minha que arrecadava fundos para escoteiras e se deparou quase por acidente com os temores de sua interlocutora.

Não estamos falando de alguém que vendia biscoitos feitos pelas escoteiras: minha aluna era experiente em arrecadação de fundos e conseguia, com alguma regularidade, que os doadores assinassem cheques de 1 mil a 25 mil dólares. Ao longo dos anos, ela desenvolvera um sistema muito bem-sucedido de fazer suas "clientes", geralmente mulheres ricas, abrirem o talão de cheques.

Ela convidava uma potencial doadora a visitá-la em seu escritório, servia alguns biscoitos das escoteiras, mostrava um álbum de fotos tocantes e cartas escritas à mão de projetos que correspondiam ao perfil daquela mulher. Quando os olhos da benfeitora se iluminavam, minha aluna recolhia um cheque. Era quase fácil demais.

Um dia, porém, ela encontrou uma doadora irredutível. Quando a mulher se sentou diante dela, minha aluna começou a lhe mostrar os projetos que, segundo suas pesquisas, falariam ao coração daquela pessoa. Mas a mulher se limitava a balançar a cabeça diante de todos os projetos que via.

Minha aluna se viu cada vez mais perplexa diante da mulher que não tinha nenhum interesse em doar, mas conteve a emoção e recorreu a uma lição recente que aprendera em minha aula sobre rotulagem.

– Estou sentindo alguma hesitação de sua parte com esses projetos – disse ela no que esperava ser uma voz calma.

Como se as comportas tivessem se aberto, a mulher exclamou:

– Quero que minha doação apoie diretamente um programa para as escoteiras, e nada mais.

Isso ajudou a direcionar a conversa, mas, mesmo apresentando uma sequência de projetos que pareciam atender ao critério da doadora, tudo que minha aluna recebia ainda era rejeição.

Percebendo a crescente frustração da potencial doadora e querendo encerrar com um tom positivo, o que abriria espaço para que se encontrassem novamente, minha aluna usou outro rótulo:

– Parece que você está de fato entusiasmada com essa doação e deseja encontrar o projeto certo que reflita as oportunidades e as experiências transformadoras que teve como escoteira.

Depois disso, essa mulher "difícil" assinou um cheque sem sequer escolher um projeto específico.

– Você me entende – disse ela ao se levantar para sair. – Eu confio que você encontrará o projeto certo.

O temor de que seu dinheiro fosse mal empregado era a dinâmica presente que o primeiro rótulo revelou. Mas o segundo rótulo trouxe à tona a dinâmica subjacente – aquela mulher tinha ido ao escritório levada por lembranças muito específicas de seu tempo de escoteira e de como isso mudara sua vida.

O obstáculo ali não era encontrar um projeto que combinasse com a mulher. Tampouco que ela fosse uma doadora muito exigente, difícil de agradar. O verdadeiro empecilho era que essa mulher precisava se sentir compreendida; desejava que a pessoa que lidaria com seu dinheiro soubesse por que ela estava naquele escritório e compreendesse as lembranças que motivavam suas ações.

É por isso que os rótulos são tão fortes e tão potencialmente transformadores para o desenvolvimento de qualquer conversa. Escavando o que parece ser uma montanha de minúcias, detalhes e logísticas, os rótulos ajudam a descobrir e identificar a emoção primária que motiva o comportamento de quase todos os seus interlocutores. É essa emoção que, uma vez reconhecida, parece resolver milagrosamente todo o resto.

FAÇA UMA AUDITORIA DE ACUSAÇÃO

No primeiro dia da aula de negociação de cada semestre, realizo com o grupo um exercício introdutório chamado "Sessenta segundos ou ela morre". Faço o papel do sequestrador e um estudante tem um minuto para me convencer a soltar meu refém. É uma maneira de quebrar o gelo e também de avaliar o nível dos alunos, revelando quanto precisam aprender. (Vou contar um segredo: o refém nunca é libertado.)

Às vezes os estudantes fazem tudo direitinho, mas encontrar quem queira participar geralmente é difícil, porque significa ir para a frente da sala e competir com o cara que tem todas as respostas. Se peço um voluntário, meus alunos sentam sobre as mãos e desviam o olhar. Você já passou por isso. Você quase consegue sentir os músculos das costas tensos enquanto pensa: "Ah, por favor, não me chame."

Então eu não convoco ninguém. Em vez disso, digo: "Caso você esteja pensando em se oferecer como voluntário para encenar o papel comigo diante da turma, preciso deixar bem claro: vai ser horrível."

Depois que as risadas diminuem, continuo: "E aquele que se apresentar provavelmente vai aproveitar muito mais do que qualquer outro."

Sempre consigo mais voluntários do que preciso.

Agora, veja o que eu fiz: comecei a conversa rotulando os temores de minha plateia; o que pode ser pior do que "horrível"? Eu os acalmo e espero, deixando a poeira baixar. Com isso, transformo o que parece maluquice em algo menos ameaçador.

...

Todos nós intuitivamente já fizemos algo parecido milhares de vezes. Você começa uma crítica a um amigo dizendo "Eu não quero parecer grosseiro, mas...", esperando assim atenuar o que quer que venha em seguida. Ou diz "Eu não quero parecer um idiota...", esperando que seu interlocutor lhe diga, algumas frases depois, que você não é tão mau assim. O erro pequeno, mas crítico, em uma situação assim é negar o negativo e acabar por validá-lo.

No tribunal, advogados de defesa fazem isso da maneira adequada ao mencionar, na declaração inicial, todas as acusações que pesam sobre seu cliente e todos os pontos fracos do caso. Eles chamam essa técnica de "botar o ferrão para fora".

Quero transformar isso em um processo que, aplicado sistematicamente, pode ser usado para desarmar o interlocutor ao negociar de tudo, desde a hora de seu filho dormir até grandes contratos de negócios.

O primeiro passo, portanto, é listar todas as coisas terríveis que seu interlocutor *poderia* dizer sobre você. Chamo isso de auditoria de acusação.

A ideia de uma auditoria de acusação é algo realmente difícil de aceitar. Sempre que falo sobre isso com meus alunos pela primeira vez, eles dizem: "Ah, meu Deus, não conseguimos fazer isso." Parece superficial e autodepreciativo. Parece que deixaria tudo pior. Mas então eu lembro a eles que foi exatamente o que fiz no primeiro dia de aula, quando rotulei de antemão seus temores em relação ao jogo do refém. E todos admitem que não sabiam.

Como exemplo, usarei a experiência de uma de minhas alunas, Anna. Tenho um orgulho imenso da maneira como ela transformou o que aprendeu em minha aula em 1 milhão de dólares.

Na época, Anna estava representando uma grande empreiteira que trabalha para o governo. Sua firma vencera uma licitação para um contrato considerável fazendo uma parceria com uma empresa menor (vamos chamá-la de ABC Corp.), cujo CEO tinha uma relação próxima com o representante do governo.

Os problemas começaram logo depois de eles ganharem o contrato. Como o relacionamento da ABC com o funcionário havia sido útil para a obtenção do negócio, a ABC sentiu que tinha direito a uma fatia da torta quer cumprisse sua parte no contrato ou não.

E então, embora o contrato previsse e pagasse o trabalho de nove pessoas da ABC, eles retiraram seu apoio. Como a empresa de Anna teve que fazer o trabalho da ABC, a relação entre a ABC e a empresa dela se deteriorou. Houve e-mails insultuosos e reclamações amargas. Com uma margem de lucro já pequena, a empresa de Anna foi forçada a duras negociações para fazer a ABC aceitar uma redução para 5,5 pessoas. As negociações azedaram o relacionamento entre as duas empresas. Os e-mails insultuosos pararam. Na verdade, *todos* os e-mails pararam. E nenhuma comunicação é sempre um mau sinal.

Alguns meses depois dessas conversas desagradáveis, o cliente exigiu uma grande revisão do projeto e a firma de Anna enfrentou a possibilidade de perder muito dinheiro se a ABC não concordasse com novos cortes. Como a ABC não estava cumprindo sua parte no acordo, a empresa de Anna teria fortes bases contratuais para excluí-la completamente do projeto. Mas isso prejudicaria a reputação da empresa de Anna com um cliente muito importante e poderia levar a um litígio por parte da ABC.

Diante desse cenário, Anna marcou um encontro com os dirigentes da ABC em que ela e seus sócios planejavam informar à parceira que seu pagamento seria reduzido para três pessoas. Era uma situação delicada, uma vez que a ABC já estava infeliz desde o primeiro corte. Embora Anna fosse, em geral, uma negociadora agressiva e confiante, as preocupações com a reunião arruinaram seu sono durante semanas. Ela precisava extrair concessões e ao mesmo tempo melhorar a relação. Uma tarefa nada fácil, certo?

Para se preparar, a primeira coisa que Anna fez foi sentar-se com seu parceiro na negociação, Mark, e listar cada ponto negativo que a ABC poderia usar contra eles. A relação azedara muito tempo antes, portanto a lista era enorme. Mas era fácil identificar as acusações mais graves:

"Vocês são a típica empreiteira grande tentando forçar o parceiro pequeno a sair."

"Vocês nos prometeram que teríamos todo esse trabalho e quebraram a promessa."

"Se tivessem nos contado sobre esse problema semanas atrás, nós teríamos nos preparado para enfrentá-lo."

Em seguida, Anna e Mark se revezaram nos papéis dos dois lados, um interpretando a ABC e o outro desarmando essas acusações com rótulos antecipados. Anna treinou para falar lenta e naturalmente: "Vocês vão pensar que somos uma empreiteira importante, grande e má quando terminarmos." "Parece que vocês sentem que esse trabalho foi prometido a vocês desde o começo", disse Mark. Eles praticaram diante de um observador, aprimorando o ritmo, decidindo em que momento rotulariam cada temor e planejando quando incluir pausas significativas. Era um teatro.

Quando chegou o dia do encontro, Anna começou reconhecendo as maiores queixas da ABC.

– Nós entendemos que trouxemos vocês para o projeto com o objetivo de compartilhar a execução desse trabalho – disse ela. – Podem sentir que tratamos vocês de maneira injusta e que desde então o acordo sofreu mudanças significativas. Nós reconhecemos que vocês acreditam que esse trabalho foi prometido a vocês.

Os representantes da ABC receberam essa fala com empática anuência. Anna, então, continuou descrevendo a situação de maneira a incentivar os representantes da ABC a ver as empresas como companheiras atuando em conjunto. Também temperou suas afirmações com perguntas abertas que mostravam que ela estava escutando:

– O que mais vocês acham importante acrescentar a isso?

Ao rotular os temores e pedir contribuições, Anna conseguiu extrair um fato importante sobre os temores da ABC: a empresa esperava que aquele fosse um contrato altamente lucrativo; aos olhos da ABC, a companhia de Anna estava se dando muito bem com o acordo.

Isso forneceu um gancho para Mark entrar na conversa. Ele explicou que as novas exigências do cliente haviam transformado os lucros de sua empresa em perdas, o que significava que ele e Anna precisavam reduzir mais o pagamento da ABC, para três pessoas. Angela, uma das representantes da ABC, bufou.

– Parece que você pensa que somos uma empreiteira importante, grande e má, tentando empurrar para fora do acordo a empresa pequena – disse Anna, antecipando-se à acusação.

– Não, não pensamos isso – disse Angela, condicionada pelo reconhecimento a procurar um denominador comum.

Depois de rotular os pontos negativos e expor as piores acusações, Anna e Mark conseguiram levar a conversa para a questão do contrato. Observe bem o que eles fizeram, porque é brilhante: reconheceram a situação da ABC e simultaneamente transferiram o ônus de oferecer uma solução para a empresa menor.

– Parece que você tem uma ótima compreensão de como o contrato do governo *deveria* funcionar – disse Anna, rotulando a competência de Angela.

– Sim, mas sei que nem sempre é assim – respondeu Angela, orgulhosa por ter sua experiência reconhecida.

Anna perguntou então a Angela como ela alteraria o contrato para que todos saíssemos ganhando, o que pressionou Angela a admitir que ela não via nenhuma maneira de fazer isso sem reduzir o número de trabalhadores da ABC.

Várias semanas depois, o contrato foi modificado para reduzir o pagamento à ABC. Com isso, a empresa de Anna recebeu 1 milhão de dólares e o contrato voltou a ser lucrativo. O que mais surpreendeu Anna, porém, foi a reação de Angela no fim do encontro. Na ocasião, Anna reconheceu que dera más notícias e quão chateada Angela podia estar, mas ouviu dela o seguinte:

– De fato não é uma boa situação, mas apreciamos o fato de vocês reconhecerem o que aconteceu e não sentimos que estão nos tratando mal. E vocês não são a "grande empresa má".

O que Anna achou da forma como tudo se resolveu?

– Caramba, esse troço realmente funciona!

Ela está certa. Como você acabou de ver, a beleza de evidenciar a negatividade é que isso nos leva para uma zona segura de empatia. Cada um de nós tem uma necessidade inerente, humana, de ser compreendido, de se conectar com a pessoa do outro lado da mesa. Isso explica por que, depois de Anna rotular os temores de Angela, a primeira reação de Angela foi acrescentar nuances e detalhes a esses temores. E essas informações deram a Anna o poder de alcançar o que buscava na negociação.

CONSIGA UM LUGAR – E UM UPGRADE – EM UM VOO LOTADO

Até aqui, construímos cada habilidade como se elas fossem instrumentos musicais estanques: primeiro, experimente o espelho saxofone; agora, aqui está o rótulo contrabaixo; por fim, que tal soprar uma nota na trompa do silêncio tático? Em uma negociação real, porém, toda a orquestra toca junta. Portanto, é preciso aprender a regê-la.

Manter todos os instrumentos em ação é de fato complicado para a maioria das pessoas. Parece que o ritmo desanda. Então vou tocar uma música devagar para que você consiga ouvir cada instrumento, nota por nota. Prometo que logo verá como as habilidades que vem construindo interagem, elevando-se, fazendo a base, baixando o tom e pausando em perfeita harmonia.

Eis a situação (a música, se você preferir): meu aluno Ryan B. pegaria um avião de Baltimore para Austin para assinar um grande contrato de consultoria em informática. Durante seis meses, o representante do cliente ficara oscilando entre contratar ou não os serviços da empresa de Ryan, mas um grande colapso no sistema deixou o cara em uma situação difícil com seu CEO. Para transferir a culpa, ele ligou para Ryan com o CEO na linha e, de maneira bastante agressiva, exigiu saber por que Ryan estava demorando tanto para assinar o contrato. Se Ryan não estivesse lá na sexta-feira de manhã, disse ele, o negócio estaria cancelado.

Isso foi em uma quarta-feira. Ryan comprou uma passagem para a manhã seguinte, quinta-feira, mas uma tempestade de raios monstruosa atingiu Baltimore, fechando o aeroporto durante cinco horas. Ficou dolorosamente claro que Ryan não conseguiria fazer a conexão planejada de Dallas para Austin. Pior: quando telefonou para a American Airlines pouco antes de partir, ele descobriu que a conexão havia sido automaticamente remarcada para as 15 horas do dia seguinte, o que punha em risco o contrato.

Quando por fim chegou a Dallas, às 20 horas, Ryan correu para o portão de embarque, onde o último voo do dia da American Airlines decolaria em menos de trinta minutos. Seu objetivo era pegar aquele avião ou, na pior das hipóteses, conseguir um voo para mais cedo no dia seguinte.

À sua frente, no portão, um casal bastante agressivo estava batendo boca com a agente da companhia aérea, que mal olhava para os dois enquanto teclava no computador à sua frente; estava claro que ela fazia um esforço enorme para não responder na mesma moeda. Depois de ela dizer cinco vezes que não poderia fazer nada, o casal furioso finalmente desistiu e foi embora.

Antes de mais nada, observe como Ryan usou aquela conversa exaltada a seu favor. Ser o próximo na fila imediatamente após uma discussão é uma ótima posição para um negociador, porque seu interlocutor está desesperado por uma conexão empática. Sorria e você já representará uma melhora.

– Oi, Wendy. Eu sou Ryan. Parece que eles estavam bem chateados.

Isso rotula o negativo e estabelece um entendimento baseado em empatia. O que, por sua vez, incentiva Wendy a elaborar sobre sua situação, palavras que Ryan, então, espelha para convidá-la a prosseguir.

– Sim. Eles perderam a conexão. Tivemos muitos atrasos por causa do mau tempo.

– O mau tempo?

Depois de Wendy explicar como os atrasos nos voos para a região nordeste do país haviam repercutido em toda a malha aérea, Ryan mais uma vez rotula o ponto negativo e em seguida espelha a resposta dela para incentivá-la a ir mais fundo.

– Parece que o dia foi agitado.

– Foram muitos os "clientes irados", sabe? Quer dizer, eu entendo, embora não goste que gritem comigo. Muita gente está tentando chegar a Austin para o grande jogo.

– O grande jogo?

– O UT vai jogar com o Ole Miss e todos os voos para Austin estão lotados.

– Todos lotados?

Pausa. Até esse ponto, Ryan vem usando rótulos e espelhos para construir uma relação com Wendy. Para ela, porém, deve parecer uma conversa à toa, porque ele não lhe pediu nada. Diferentemente do casal furioso, Ryan reconhece a situação difícil em que ela está. Suas palavras são um pingue-pongue entre "O que é isso?" e "Eu ouço você", ambos convites para que ela elabore seus sentimentos.

Agora que a empatia foi construída, ela deixa escapar uma informação que ele pode usar:

– Sim, o fim de semana inteiro. Mas sabe-se lá quantas pessoas conseguirão embarcar. O mau tempo provavelmente vai alterar a rota de muita gente.

É aí que Ryan enfim entra com uma pergunta. Mas note como ele age: não de modo assertivo nem friamente lógico, mas com empatia e uma rotulagem que reconhece a situação dela e, de modo tácito, põe os dois no mesmo barco.

– Bem, parece que você está lidando muito bem com este dia difícil – diz ele. – Eu também fui afetado pelos atrasos causados pelo clima e perdi minha conexão. Parece que este voo está completamente lotado, mas pelo que você disse, talvez alguém, prejudicado como eu pelo mau tempo, possa perder justamente essa conexão. Há alguma possibilidade de vagar um lugar?

Escute essa frase melódica: rótulo, empatia tática, rótulo. E só então um pedido.

Nesse momento, Wendy não diz nada e começa a digitar em seu computador. Ryan, que não quer forçar a barra, faz silêncio. Depois de trinta segundos, Wendy imprime um cartão de embarque e o entrega a Ryan, explicando que havia alguns lugares que deveriam ter sido preenchidos, porém seus ocupantes chegariam muito depois da partida do voo. Para coroar o sucesso de Ryan, ela o instala em uma poltrona Economy Plus.

E isso em menos de dois minutos!

Da próxima vez que você se vir atrás de um cliente zangado na fila de uma loja de rua ou de um balcão de companhia aérea, aproveite para praticar rótulos e espelhos com a pessoa que o atende. Prometo que ela não gritará "Não tente me controlar!" nem explodirá em chamas – e pode ser que você saia dali com um pouco mais do que esperava.

LIÇÕES-CHAVE

Quando você tentar inserir as ferramentas da empatia tática em sua rotina, recomendo que pense nelas como extensões de contatos humanos naturais, e não como tiques artificiais de conversas.

Em qualquer interação, é agradável sentir que o outro lado está escutando e reconhecendo nossa situação. Quer você esteja negociando um acordo de negócios ou simplesmente conversando com o balconista do açougue do supermercado, criar uma relação empática e incentivar seu interlocutor a dar mais detalhes sobre o que se passa com ele é a base de uma interação humana saudável.

Essas ferramentas, portanto, são as melhores práticas emocionais para curar a inaptidão disseminada que marca nossas conversas mais fundamentais na vida. Elas ajudarão você a se conectar e estabelecer relações mais significativas e calorosas. Se por meio delas você obtiver o que deseja, isso é um bônus; a conexão é o primeiro objetivo.

Com isso em mente, incentivo você a correr o risco de introduzi-las em cada conversa que tiver. No começo, elas parecerão esquisitas e artificiais, mas não desista. Aprender a andar também parecia muito estranho.

Quando incorporar essas técnicas, transformando o artifício da empatia tática em hábito e depois em parte integrante de sua personalidade, tenha em mente estas lições do capítulo que você acabou de ler:

- Imagine-se na situação do seu interlocutor. A beleza da empatia é que ela não exige que você concorde com as ideias da outra pessoa (você pode muito bem achá-las malucas). No entanto, ao reconhecer a situação do outro, você imediatamente transmite a mensagem de que está escutando. E, uma vez que ele saiba que você está escutando, pode lhe dizer algo útil para o desenrolar da negociação.
- Os motivos pelos quais um interlocutor *não* fará um acordo com

você são com frequência mais fortes do que aqueles pelos quais ele o fará. Portanto, concentre-se primeiro em remover as barreiras ao entendimento. Negar obstáculos ou influências negativas dá crédito a ele: exponha-os.

- Faça uma pausa. Depois de rotular uma barreira ou espelhar uma afirmação, espere a poeira baixar. Não se preocupe: a outra parte preencherá o silêncio.
- Rotule os temores de seu interlocutor para dissipar o poder dele. Todos nós queremos falar sobre coisas alegres, mas lembre-se disto: quanto mais rápido você intercepta a ação da amígdala – a parte do cérebro que gera o medo – de seu interlocutor, mais depressa pode gerar sentimentos de segurança, bem-estar e confiança.
- Faça uma lista das piores acusações que a outra parte pode fazer contra você e exponha-as antes que a pessoa possa fazê-lo. Encenar uma auditoria de acusação antecipadamente prepara você para deter dinâmicas negativas antes que elas criem raízes. E, como essas acusações com frequência soam exageradas quando ditas em voz alta, expô-las incentivará a outra pessoa a alegar que exatamente o oposto é verdade.
- Lembre-se de que você está lidando com uma pessoa que quer ser apreciada e compreendida. Portanto, use rótulos para reforçar e incentivar percepções e dinâmicas positivas.

CAPÍTULO 4

TENHA CUIDADO COM O "SIM" E DOMINE O "NÃO"

Vou descrever um cenário que todos nós já experimentamos: você está em casa, na hora do jantar, e o telefone toca. Nenhuma surpresa: é o operador de telemarketing. Ele quer lhe vender assinaturas de revistas, filtros de água, carne argentina congelada – para ser franco, isso não importa, já que o roteiro é sempre o mesmo. Depois de errar seu nome e fazer alguns gracejos forçados, ele lança sua abordagem de venda.

O que vem em seguida é um fluxograma roteirizado para bloquear todas as suas rotas de fuga à medida que conduz você por um caminho cuja única saída é dizer "Sim".

– Você gosta de um bom copo d'água de vez em quando.

– Bem, sim, mas...

– Eu também. E, assim como eu, aposto que você gosta de uma água fresca, limpa, sem nenhum gosto de substância química. Do jeito que a mãe natureza a fez.

– Bem, sim, mas...

Você se pergunta: quem é esse cara com um sorriso falso na voz que se acha capaz de me fazer comprar algo que não quero? Seus músculos se retesam, sua voz torna-se defensiva e seu batimento cardíaco se acelera.

Você se sente uma presa, e é!

A última coisa que você quer é dizer "Sim", mesmo quando essa é a única maneira de responder. "Você bebe água?" Anuência e concessão, mesmo quando se diz a verdade, parecem derrotas. E o "Não"... Bem, o "Não" parece a salvação, como um oásis. Você está tentado a usar a negativa ainda que ela seja descaradamente falsa, só para ouvir o som suave da palavra. "*Não*, eu *não* preciso de água, filtro de carbono ou qualquer outra coisa. *Eu sou um camelo!*"

Agora vamos analisar essa técnica de venda. Ela foi concebida para arrancar um "Sim" a todo custo, como se dizer "Não" fosse a morte. E para muitos de nós é. Atribuímos ao "Não" conotações negativas. Falamos sobre a rejeição contida no "Não", sobre o medo de ouvi-lo. "Não" é a palavra negativa suprema.

Mas o "Sim", com frequência, acaba sendo uma resposta sem sentido que esconde objeções mais profundas (e "Talvez" é ainda pior). Pressionar muito por um "Sim" não necessariamente aproxima o negociador da vitória; apenas irrita o outro lado.

Portanto, se o "Sim" pode ser tão desconfortável e o "Não" um alívio, por que aclamamos o primeiro e demonizamos o segundo?

Nós fazemos o inverso. Para bons negociadores, o "Não" é ouro puro. Uma negativa oferece uma ótima oportunidade para você e a outra parte esclarecerem o que realmente querem – eliminando o que *não* querem. "Não" é uma escolha segura que mantém o status quo; proporciona um oásis de controle temporário.

...

Todos os negociadores precisam enfrentar o "Não" em algum momento de seu treinamento. Quando você perceber a real dinâmica psicológica por trás dele, vai passar a adorar a palavra. Não perdemos o medo de ouvi-la, mas compreendemos seu poder e como é possível construir acordos a partir dela.

"Sim" e "Talvez" raramente têm valor. Já o "Não" sempre altera a conversa.

O "NÃO" DÁ INÍCIO À NEGOCIAÇÃO

Minha fascinação pelo "Não" em todas as suas belas nuances começou com uma conversa que tive alguns meses antes de dar início à minha carreira em negociação.

Meu primeiro posto no FBI foi como membro da equipe da SWAT na Divisão Pittsburgh. Cerca de dois anos depois fui transferido para Nova York e designado para a Força-Tarefa Conjunta Contra o Terrorismo (JTTF, na sigla em inglês). Passávamos nossos dias e nossas noites rastreando suspeitos de terrorismo, investigando células suspeitas e avaliando se ou como eles poderiam atacar. Estávamos desfazendo os nós da raiva humana na maior cidade dos Estados Unidos, tomando decisões de vida ou morte sobre quem era perigoso e quem estava apenas jogando conversa fora. O trabalho me fascinava.

Desde meus primeiros dias no FBI, eu era obcecado por gestão de crises. A urgência da função me cativava. Os riscos eram altos. Vidas pendiam na balança.

O terreno emocional era complexo, movediço e, com frequência, conflituoso. Para obter com êxito a libertação de um refém, o negociador tinha que mergulhar nos motivos, no estado de espírito, na inteligência e nas forças e fragilidades emocionais do captor. O negociador alternava-se como intimidador, conciliador, impositor, salvador, confessor, instigador e pacificador – e esses são apenas alguns dos papéis em jogo.

Eu achava que tinha talento para todos eles.

Algumas semanas depois de chegar a Manhattan, me postei diante da mesa de Amy Bonderow, que dirigia a Equipe de Negociação de Crises do FBI em Nova York. Eu não sabia bulhufas sobre negociação, então optei pela abordagem direta.

– Quero ser negociador de reféns – declarei.

– Todo mundo quer. Você tem algum treinamento? – perguntou ela.

– Não – afirmei.

– Alguma credencial?

– Não – respondi.

– Alguma experiência? – perguntou ela.

– Não – voltei a responder.

– Você tem alguma formação em psicologia, sociologia, *qualquer coisa* relacionada a negociação?

– Não.

– Parece que você mesmo respondeu à sua pergunta – disse ela. – Não. Agora vá embora.

– Embora? – protestei. – Mesmo?

– Sim. Todo mundo quer ser negociador de reféns e você não tem nenhum currículo, experiência ou habilidade para isso. O que você diria se estivesse no meu lugar? Diria "Não".

Fiquei parado diante dela, pensando. Minha carreira em negociação não poderia simplesmente terminar daquele jeito. Afinal, eu tinha encarado terroristas. Não iria embora assim.

– Vamos lá – argumentei. – Tem que haver *alguma coisa* que eu possa fazer.

Amy balançou a cabeça e deu uma daquelas risadas irônicas que significam "Essa pessoa não tem a menor chance".

– Sim, há algo que você pode fazer. Apresente-se como voluntário em uma linha telefônica de atendimento a suicidas. Depois venha falar comigo. Nenhuma garantia, entendeu? – disse ela. – Agora, sério, *vá embora*.

...

Minha conversa com Amy foi o pontapé inicial para eu tomar consciência das sutilezas complexas e ocultas de uma conversa, do poder de certas palavras, das verdades emocionais aparentemente ininteligíveis que, com tanta frequência, escondem-se em diálogos inteligíveis.

Muitos caem na armadilha de levar ao pé da letra o que outras pessoas dizem. Comecei a ver que era fácil entrar no jogo da conversa; difícil mesmo era participar do jogo por trás do jogo, onde residia todo o poder.

Em nossa conversa, percebi como a palavra "Não" – aparentemente tão clara e direta – era complexa. Ao longo dos anos, lembrei-me muitas vezes desse diálogo, repassando o modo como Amy me rejeitou repetidamente. Mas seus "Nãos" foram a porta para o "Sim". Eles deram a ela – e a mim – tempo para centrar-se, fazer ajustes e reavaliar o cenário, criando o ambiente para o único "Sim" que importava.

Enquanto eu servia na JTTF, trabalhei com um tenente da polícia de Nova York chamado Martin. Ele era rígido e, sempre que eu perguntava qualquer coisa, respondia com uma negativa concisa. Depois que passei a conhecê-lo melhor, perguntei por que agia assim.

– Chris – disse ele, com orgulho –, o trabalho de um tenente é dizer "Não".

De início, pensei que esse tipo de resposta automática indicava falta de imaginação. Mas então percebi que eu fazia a mesma coisa com meu filho adolescente; depois de lhe dizer "Não", eu constatava, com frequência, que estava aberto a ouvir o que ele tinha a dizer.

Isso porque, ao me proteger, eu podia relaxar e considerar mais abertamente as possibilidades.

"Não" é o *começo* da negociação, não o *fim*. Fomos condicionados a temer a palavra "Não", mas com frequência ela é mais uma afirmação de *percepção* do que de um *fato*. Raramente significa: "Eu considerei todos os fatos e fiz uma escolha racional." Em vez disso, o "Não" é quase sempre uma decisão, muitas vezes temporária, de manter o status quo. Mudar é assustador, e o "Não" oferece alguma proteção contra esse pavor.

Jim Camp, em seu excelente livro *Start with NO*,[1] aconselha o leitor a dar (empenhar sua palavra) ao adversário permissão para dizer "Não" desde o início de uma negociação. Ele chama isso de "direito a veto". Camp observa que as pessoas lutarão até a morte para preservar o direito de dizer "Não", por isso logo de cara dá a elas esse direito. Assim, o ambiente de negociação se torna mais construtivo e colaborativo de maneira quase imediata.

Quando li o livro de Camp, percebi que, como negociadores de reféns, sabíamos disso havia anos. Tínhamos aprendido que a maneira mais rápida de chegar a um sequestrador era ganhar tempo para fazê-lo falar em vez de "exigir" sua rendição. Exigir que se entregasse, "dizer" a ele para sair, sempre acabava prolongando o impasse e, algumas vezes, até mesmo contribuía para a morte.

No fundo, o que está em jogo aqui é a profunda e universal necessidade humana de autonomia. As pessoas precisam se sentir no controle. Quando você preserva a autonomia delas dando-lhes claramente permissão para dizer "Não" a suas ideias, as emoções se acalmam, a eficácia das decisões aumenta e a outra parte pode avaliar de fato a sua proposta. Isso dá a você tempo para raciocinar ou mudar de posição a fim de convencer seu interlocutor de que a mudança que propõe é mais vantajosa do que o cenário atual.

Grandes negociadores buscam o "Não" porque sabem que, com frequência, é ali que a real negociação começa.

...

Dizer educadamente "Não" a seu oponente (aprofundaremos esse conceito no Capítulo 9), ouvir um "Não" com tranquilidade e informar ao outro lado que tudo bem se disser "Não" são atitudes que têm um impacto positivo sobre qualquer negociação. Na verdade, seu convite para que o outro lado diga "Não" é muito poderoso para derrubar barreiras e permitir uma comunicação benéfica.

Isso significa que você deve se programar para interpretar o "Não" como algo bem diferente de rejeição e responder de acordo. Estes são alguns dos significados alternativos – e muito mais reais – de uma negativa:

- Ainda não estou pronto para concordar;
- Você está me deixando desconfortável;
- Eu não entendo;
- Acho que não posso pagar isso;
- Eu quero outra coisa;
- Eu preciso de mais informações; ou
- Eu quero falar com outra pessoa.

Em seguida, depois de uma pausa, faça perguntas baseadas em soluções ou simplesmente dê rótulos ao efeito delas:
"O que tem aí que não funciona para você?"
"Do que você precisa para que isso funcione?"
"Parece que há alguma coisa aqui que incomoda você."
As pessoas têm necessidade de dizer "Não". Portanto, não fique esperando ouvir isso em algum momento aleatório; faça-as dizer logo.

CONVENÇA NO MUNDO DELES

Eu gostaria de apresentar a você um cara chamado Joe enquanto ele se apronta para iniciar uma negociação. Você já o viu antes. Ele é do tipo preparado; anotou e memorizou todas as estratégias de *Como chegar ao sim*. E está *mais* do que pronto para despejá-las sobre o cara do outro lado da mesa. Joe para um pouco para contemplar seu terno caro no espelho, fantasiando sobre as coisas impressionantes que dirá e sobre os gráficos e tabelas que sustentarão seus argumentos. Está claro que ele vai derrotar seu interlocutor e oponente. Ele é Russell Crowe em *Gladiador*. Ele é O Cara.

Agora me permita revelar um segredo: toda essa preparação não serve para nada. Esse estilo de negociação é todo eu, eu, eu, ego, ego, ego. E, quando as pessoas do outro lado da mesa captarem esses sinais, decidirão que é melhor ignorar esse Super-Homem de maneira educada e até furtiva... dizendo "Sim"!

"O quê?", você diz.

Claro, a palavra que elas dirão ali na hora é "Sim", mas será apenas uma ferramenta para despachar esse cara convencido. Mais tarde elas escaparão pela tangente, alegando mudança de cenário, problemas de orçamento, o clima. Por ora, elas só querem se livrar de Joe, porque ele não as está convencendo de nada; só está convencendo a si próprio.

Vou lhe contar outro segredo. Existem três tipos de "Sim": o Falso, o de Confirmação e o de Compromisso.

O "Sim" Falso é aquele em que seu interlocutor planeja dizer "Não", mas, de duas, uma: ou ele sente que o "Sim" é uma rota de fuga mais fácil, ou só quer manter a conversa dissimuladamente para obter mais informações ou alguma vantagem. O "Sim" de Confirmação em geral é inocente, uma resposta automática a uma pergunta simples; às vezes esconde uma armadilha, mas na maioria das vezes é apenas uma afirmação sem nenhuma promessa de ação. O "Sim" de Compromisso é o acordo real: a concordância verdadeira que leva a uma ação, um "Sim" sobre a mesa que termina com a assinatura de um contrato. O "Sim" de Compromisso é o que se deseja, mas os três tipos são muito semelhantes. Portanto, é preciso aprender a reconhecer qual deles foi usado.

Seres humanos do mundo inteiro aprenderam que um "Sim" de Compromisso é condição para descobrir mais sobre algo importante; sendo assim, tornaram-se mestres em responder com um "Sim" Falso. É o que fazem os interlocutores de Joe: acenam com um "Sim" Falso para poderem ouvir mais.

Quer chamemos isso de "adesão", "engajamento" ou outra coisa, o bom negociador sabe que seu trabalho não é fazer uma grande encenação, mas levar suavemente o interlocutor a descobrir que o objetivo dele coincide com o seu.

Aprendi isso da maneira mais difícil.

Dois meses depois de conversar com Amy, comecei a atender telefonemas da HelpLine, um serviço de ajuda a pessoas em crise fundado por Norman Vincent Peale.

A regra básica era não ficar ao telefone com ninguém por mais de vinte minutos. Se você fizesse seu trabalho direito, esse era o máximo de tempo necessário para a pessoa do outro lado da linha se sentir melhor. Tínhamos um livro grosso listando organizações às quais recorríamos em busca de ajuda. Era uma abordagem paramédica: faça um curativo e mande-a seguir seu caminho.

No entanto, pessoas em crise correspondiam a apenas 40% dos telefonemas que recebíamos. A maioria das ligações era de pessoas altamente disfuncionais que nos procuravam com frequência, vampiros de energia que ninguém mais escutava.

Mantínhamos uma lista daqueles que telefonavam com assiduidade. Quando um deles ligava, a primeira coisa a fazer era checar se ele já havia ligado naquele dia, porque eles só tinham permissão para fazer uma chamada diária. Eles sabiam disso também. Muitas vezes, diziam: "Sim, aqui é o Eddie. Eu ainda não liguei hoje. Pode olhar a lista. Você tem que falar comigo."

Como meu principal objetivo ali era aprender uma habilidade, eu adorava os que viviam ligando. Eles eram problemas, e eu gostava da ideia de que podia resolvê-los. Achava que tinha talento para isso. Eu me sentia um astro.

Quando chegou a hora da minha avaliação de desempenho, a tarefa coube a um supervisor de turno chamado Jim Snyder. Jim era um veterano do serviço e uma pessoa querida; o único problema é que ele era um adepto contumaz das brincadeirinhas. Entendia que a fadiga dos voluntários era o maior problema da linha direta, então dedicava seu tempo a tornar o trabalho divertido. Nos tornamos bons amigos.

Para fazer minha avaliação, Jim esperou que eu atendesse um telefonema e foi para a sala de monitoramento, onde os supervisores podiam escutar nossas conversas. A chamada era de um dos que ligavam com frequência, um motorista de táxi que tinha medo de sair de casa e tempo de sobra para falar sobre isso. Esse vampiro de energia (seu nome era Daryl) iniciou sua novela sobre como iria perder sua casa e a vontade de viver se não conseguisse trabalhar.

– Sério, quando foi a última vez que alguém tentou agredir você na rua? – perguntei.

– Bem, quer dizer, faz muito tempo – disse Daryl.

– Mais ou menos quanto tempo?

– Não consigo me lembrar de uma data, Chris. Talvez um ano, imagino.

– Então é correto dizer que o mundo lá fora não tem sido duro *demais* com você, certo?

– Sim – disse Daryl. – Acho que sim.

Ficamos indo e voltando nisso durante algum tempo, enquanto eu tentava fazê-lo admitir que a maioria de nós tinha um pouco de medo do mundo. Eu estava feliz com as minhas novas habilidades, enquanto escutava Daryl e fazia "Carefronting"*, o nome meio bobo que demos ao ato de responder assertivamente aos que ligavam com frequência ao mesmo tempo que cuidávamos deles.

Estava tudo fluindo bem e nossa interação era ótima. Cheguei a fazer Daryl rir algumas vezes. Quando terminamos, ele estava acuado: não conseguia pensar em nenhuma razão para não sair de casa.

– Obrigado, Chris – disse antes de desligar. – Obrigado por fazer um trabalho tão bom.

Antes de encontrar Jim, eu me inclinei na cadeira e desfrutei aquele elogio. *Quantas pessoas serão capazes de extrair isso de um homem que está sofrendo?*, pensei. Em seguida, levantei-me de um salto e fui para a sala de monitoramento, tão orgulhoso que estava praticamente dando tapinhas nas minhas costas.

Jim me indicou a cadeira à sua frente e me deu seu maior sorriso. Devo ter retribuído com o dobro da voltagem.

– Bem, Chris – disse ele, ainda sorrindo –, essa foi uma das piores ligações que eu já ouvi.

Eu o encarei, de queixo caído.

– Jim, você ouviu Daryl me dando parabéns? – perguntei. – Eu o acalmei, cara. Eu arrasei.

Jim sorriu – eu odiei aquele sorriso na hora – e concordou.

– Esse é um dos maus sinais, porque eles deveriam dar parabéns a si mesmos quando desligam o telefone, e não a você. Isso significa que você exagerou. Se eles pensam que você foi o cara que arrasou, como vão ajudar a si mesmos? Não quero ser rude, mas você foi horrível.

---

* Trocadilho com a palavra *confronting* (confrontar) em que a primeira sílaba é substituída por *care* (cuidar) (N. do T.)

Ao escutar Jim, senti aquela onda de acidez no estômago que vem quando somos forçados a aceitar que o cara que nos ofende está coberto de razão. A resposta de Daryl havia sido uma espécie de "Sim", mas não um autêntico "Sim" de Compromisso. Ele não fizera nenhuma promessa de ação. O objetivo daquele "Sim" era fazer com que eu me sentisse bem o bastante para deixá-lo em paz. Talvez Daryl não soubesse disso, mas foi um "Sim" tão falso quanto possível.

A chamada inteira se tratou de mim e do meu ego, e não daquele que telefonou. Mas a única maneira de levar as pessoas que ligavam a tomar uma atitude era fazer com que se sentissem as donas da conversa, levá-las a acreditar que estavam chegando a essas conclusões, a esses passos necessários, e que a voz do outro lado era apenas um meio para essas realizações.

Usar todas as suas habilidades para criar entendimento, concordância e conexão com um interlocutor é útil, mas no fim das contas essa conexão de nada vale se a outra pessoa não sentir que é igualmente responsável, quando não *a única* responsável, pelo sucesso daquela interação.

Concordei lentamente, sem me defender.

– Uma das piores chamadas? – perguntei a Jim. – Está bem.

Trabalhei duro para me reorientar daquele ponto em diante. Fiz tantas perguntas e li tanto sobre o assunto que logo eu estava lecionando duas aulas para novos voluntários da HelpLine: a aula de abertura, sobre escuta ativa; e aquela sobre Carefronting.

...

Entendi, você diz. Não se trata de mim. Precisamos persuadir pela perspectiva do outro, não pela nossa. Mas como?

Começando por suas necessidades mais básicas.

Em cada negociação, em cada acordo, o resultado vem da decisão de outra pessoa. Lamentavelmente, se acreditamos que podemos controlar ou administrar as decisões dos outros por meio de concessões e lógica, deixamos milhões sobre a mesa. Mas, embora não possamos controlar as decisões dos outros, podemos influenciá-las habitando o mundo deles e vendo e ouvindo exatamente o que querem.

Embora a intensidade possa diferir de pessoa para pessoa, todo ser humano é motivado por dois impulsos primitivos: a necessidade de se sentir seguro e a de se sentir no controle. Se você satisfaz esses impulsos, obtém sucesso.

Como vimos em minha conversa com Daryl, não é possível *convencê-los*, pela lógica, de que estão seguros ou no controle. As necessidades primárias são urgentes e ilógicas, portanto, encurralar seu interlocutor em um canto só irá pressioná-lo a fugir com um "Sim" Falso.

Ser "legal" apelando para a compaixão fingida é, com frequência, uma atitude igualmente malsucedida. Vivemos em uma época que celebra o "ser legal" sob vários nomes. Somos exortados a ser legais e a respeitar os sentimentos das pessoas o tempo todo e em cada situação.

Mas apenas ser legal no contexto da negociação pode ser um tiro pela culatra. O legal, empregado como um ardil, engana e manipula. Quem já não se deu mal em negociações com um vendedor "legal" que o levou para um passeio? Se você entrar na negociação às pressas com seu jeito legal falsificado, seu sorriso afável vai expor suas intenções.

Em vez de entrar com lógica ou sorrisos falsos, portanto, teremos sucesso provocando o "Não". É a palavra que transmite sentimentos de segurança e controle àquele que fala. O "Não" abre as conversas e cria paraísos seguros para chegar ao "Sim" final do Compromisso. Com frequência, um "Sim" precoce é apenas uma evasiva barata, falsa.

...

Cinco meses depois de Amy Bonderow me dispensar, passei pelo escritório dela e lhe disse que tinha trabalhado como voluntário na HelpLine.

– Você foi? – perguntou ela, sorrindo surpresa. – Eu digo a todo mundo para fazer isso. E ninguém faz.

Acontece que Amy iniciara sua carreira em negociação como voluntária no mesmo lugar. Ela começou a mencionar pessoas que agora eram nossos amigos em comum. Rimos ao falar sobre Jim.

Em uma mudança repentina, Amy se calou e me encarou. Fiquei inquieto e ela me testou com a Pausa. Em seguida, sorriu.

– A próxima vaga é sua.

Na época, havia outras cinco pessoas disputando o mesmo lugar, gente com diploma de psicologia, experiência e credenciais. Mas eu estava convocado para o próximo curso de treinamento em negociação de reféns da

Academia do FBI em Quantico, Virgínia, superando todos os outros. Minha carreira como negociador começara oficialmente.

"NÃO" É PROTEÇÃO

Vamos voltar ao operador de telemarketing do começo deste capítulo. A resposta óbvia à pergunta dele – "Você gosta de um bom copo d'água?" – é "Sim". Mas tudo que você deseja é gritar "Não!". Depois de uma pergunta como essa, você sabe que o resto do telefonema será doloroso.

Essa situação, em poucas palavras, torna transparentes as contradições inerentes aos valores que atribuímos a "Sim" e "Não". Sempre que negociamos, não há dúvida de que queremos obter um "Sim". Mas, de maneira equivocada, confundimos o valor positivo daquele "Sim" final com o valor positivo do "Sim" em geral. E, como vemos o "Não" como o oposto do "Sim", supomos que o "Não" é sempre algo ruim.

Nada poderia estar mais longe da verdade. Dizer "Não" dá a quem fala um sentimento de segurança e controle. Quando fazemos uma pergunta que induz uma resposta "Não", nosso interlocutor sente que, por meio da rejeição, provou que está no banco do motorista. Bons negociadores recebem bem – e até incentivam – um sólido "Não" para começar; é um sinal de que a outra parte está envolvida e pensando.

Se você persegue um "Sim" logo de cara, porém, o outro lado se torna defensivo, desconfiado e nervoso. É por isso que digo a meus alunos que, se estão tentando vender alguma coisa, nunca devem começar com: "Você tem alguns minutos para conversar?" Em vez disso, sugiro que perguntem: "Esta é uma hora ruim para conversar?" Nesse caso, ou recebem um "Sim, é uma má hora", seguido de uma sugestão de um bom momento ou de um de pedido para ir embora, ou escutam um "Não, não é" e recebem atenção total.

Como exercício, da próxima vez que você receber uma chamada de um operador de telemarketing, anote as perguntas que ele fizer. Tenho certeza de que você constatará que seu nível de desconforto tem correlação direta com a rapidez com que ele empurra você para o "Sim".

Minha colega Marti Evelsizer foi quem primeiro me abriu os olhos para por que "Não" era melhor que "Sim".

Na época, Marti era Coordenadora de Negociação de Crise do FBI em Pittsburgh. Ela era um dínamo e um gênio da negociação, o que lhe rendia um enorme respeito tanto no FBI quanto junto à polícia local. Mas os seres humanos são invejosos por natureza, e seu supervisor imediato não era uma exceção. O sucesso dela o diminuía, e isso transformou-a em uma ameaça aos olhos dele.

A inveja tomou conta desse supervisor quando a Equipe de Negociação de Reféns do Departamento de Polícia de Pittsburgh pediu a Marti para participar do conselho de seleção de novos candidatos. Escolhê-la, e fazer isso passando por cima de seu chefe, era uma atitude sem precedentes.

Então o chefe decidiu tirá-la de seu cargo. Por "ignorar suas obrigações normais", justificou. Na verdade, era por ser uma ameaça.

Quando Marti se sentou com o supervisor para a conversa oficial da demissão, tinha poucas opções. Ele tinha todo o direito de fazer o que quisesse.

Marti me contou que considerou diversos cenários. Pensou em abordar diretamente a inveja do chefe e dissecá-la, ou explicar que, se ela continuasse realizando um bom trabalho, ele se beneficiaria disso junto ao FBI: "Você não gostaria que seu escritório fosse respeitado pela experiência?"

Porém, quando se sentou diante dele, Marti recorreu a uma pergunta orientada para o "Não". E uma das mais contundentes que já ouvi.

– Você quer que o FBI fique constrangido? – disse ela.

– Não – respondeu ele.

– O que você quer que eu faça? – reagiu ela.

Ele se recostou na cadeira, uma daquelas de couro falso dos anos 1950 que rangem quando se muda de posição. Então, encarou-a por cima dos óculos e em seguida baixou levemente a cabeça. Ele estava no controle.

– Olhe, você pode continuar no seu cargo – disse ele. – Mas volte para lá e não deixe isso interferir em suas obrigações.

Um minuto depois Marti saiu dali com seu cargo intacto.

...

Quando eu soube o que Marti tinha feito, pensei: "Caramba!" Ao forçar um "Não", ela empurrou seu supervisor para uma posição em que ele tomava as decisões. Em seguida, alimentou os sentimentos de segurança e poder dele com uma pergunta que o convidava a definir o que ela deveria fazer.

O importante aqui é que Marti não apenas aceitou o "Não"; ela o buscou e acolheu.

Em uma recente conferência de vendas, perguntei aos participantes qual era a palavra que mais os apavorava. O grupo inteiro gritou "Não!". Para eles – e para quase todo mundo –, "Não" significa o fim da discussão.

Errado.

"Não" não significa fracasso. Usada estrategicamente, é uma resposta que abre caminho. Chegar ao ponto de não mais se apavorar com a palavra "Não" é um momento libertador que todo negociador precisa alcançar. Porque, se seu maior medo é o "Não", você não está em condições de negociar. Você é refém do "Sim". Está algemado. Está acabado.

Portanto, vamos despir o "Não". Ele é uma reafirmação de autonomia. Não é usar ou abusar do poder; não é um ato de rejeição; não é uma manifestação de teimosia; não é o fim da negociação.

Na verdade, o "Não" com frequência abre a discussão. Quanto mais cedo você disser "Não", mais depressa estará disposto a ver opções e oportunidades que até então não eram visíveis. Quase sempre, dizer "Não" impele as pessoas a agir; elas sentem que se protegeram e então veem uma oportunidade de escapar.

Desde que desmistifiquei o "Não" para mim mesmo, descobri um certo fascínio nas ideias, percepções e no repertório que as pessoas constroem em torno dessa palavra de três letras. Para mim, é como assistir a um filme ou a um vídeo de música dos anos 1980 pela enésima vez. Você pode se identificar com a experiência e simultaneamente estar consciente do fato de que a fila andou para todo mundo, incluindo você.

Hoje, treino meus alunos a ver o "Não" como ele é. Em vez de prejudicar a eles ou àqueles com quem negociam, o "Não" protege e beneficia todas as partes em um diálogo. A negativa produz segurança e sentimento de controle. É requisito para um sucesso implementável. É uma pausa, uma cutucada e uma chance para o outro articular o que quer.

Como você pode constatar, o "Não" tem muitas habilidades:

- permite que os verdadeiros problemas venham à tona;

- protege as pessoas de tomarem decisões ineficazes – e permite corrigi-las.
- faz as coisas irem mais devagar para que as pessoas possam aceitar livremente suas decisões e os acordos que fizerem;
- ajuda as pessoas a se sentirem seguras, emocionalmente confortáveis e no controle de suas decisões;
- faz os esforços de todos avançarem.

Um de meus alunos de pós-graduação, um arrecadador de fundos para campanhas políticas chamado Ben Ottenhoff, incorporou essa lição com sucesso. Durante anos, ele usou o tradicional roteiro de "padrão Sim" para levantar fundos para candidatos republicanos ao Congresso.

ARRECADADOR DE FUNDOS: Alô, posso falar com o Sr. Smith?

SR. SMITH: Sim, é ele.

ARRECADADOR DE FUNDOS: Estou ligando do Comitê XYZ e gostaria de lhe fazer algumas perguntas importantes sobre como vê nossa economia hoje. O senhor acredita que a gasolina atualmente está cara demais?

SR. SMITH: Sim, o preço da gasolina subiu muito e isso prejudica minha família.

ARRECADADOR DE FUNDOS: O senhor acredita que os democratas são parte do problema nessa questão do preço alto da gasolina?

SR. SMITH: Sim, o presidente Obama é uma pessoa ruim.

ARRECADADOR DE FUNDOS: O senhor acha que precisamos de uma mudança nas próximas eleições?

SR. SMITH: Sim, acho.

ARRECADADOR DE FUNDOS: O senhor pode fazer parte dessa mudança. Pode me dar o número do seu cartão de crédito?

Ao menos em teoria, as respostas "Sim" construiriam uma reserva de positividade que, ao final do roteiro, resultaria em doações quando estas fossem requisitadas. O problema, na realidade, era que os roteiros de "padrão Sim" vinham dando índices de retorno ruins havia anos. Todos os passos eram "Sim", mas a resposta final era invariavelmente "Não".

Então Ben leu o livro de Jim Camp *Start with NO* em meu curso e começou a se perguntar se o "Não" poderia ser uma ferramenta para impulsionar as doações. Ele sabia que seus colegas no setor de arrecadação dificilmente aceitariam a ideia de oferecer a potenciais doadores uma maneira de desligar o telefone sem ressentimentos. Isso iria contra anos de treinamento. Mas Ben é um cara inteligente, então, em vez de mudar todos os roteiros, ele solicitou que um pequeno grupo de sua base de arrecadadores testasse no mercado um roteiro orientado para o "Não".

ARRECADADOR DE FUNDOS: Alô, posso falar com o Sr. Smith?

SR. SMITH: Sim, é ele.

ARRECADADOR DE FUNDOS: Estou ligando do Comitê XYZ e gostaria de lhe fazer algumas perguntas importantes sobre como vê nossa economia hoje. O senhor acha que, se tudo ficar como está, os Estados Unidos terão melhores dias pela frente?

SR. SMITH: Não, as coisas só vão piorar.

ARRECADADOR DE FUNDOS: O senhor vai ficar sentado vendo o presidente Obama assumir a Casa Branca em novembro sem lutar contra isso?

SR. SMITH: Não, eu vou fazer o que puder para que isso não aconteça.

ARRECADADOR DE FUNDOS: Se o senhor quiser fazer algo hoje para assegurar que isso não aconteça, pode ajudar o Comitê XYZ, que está trabalhando duro pelas pessoas que pensam como o senhor.

...

Você percebe como ele troca claramente o "Sim" pelo "Não" e se oferece para aceitar uma doação se o Sr. Smith *quiser*? Isso põe o Sr. Smith no controle; ele está no comando. E funciona! Em uma virada notável, o roteiro orientado para o "Não" obteve um índice de retorno 23% *maior*.

A única parte triste da história de Ben é que, apesar da imensa melhora nos resultados, ele não conseguiu que todas as pessoas da equipe de arrecadação de fundos acatassem seu roteiro. Isso ia contra a ortodoxia da prática, e arrecadadores de longa data apreciam o falso conforto do "Sim". Os gênios quase sempre passam despercebidos quando dão as caras pela primeira vez, certo?

...

Um gênio da negociação que jamais passaria despercebido é Mark Cuban, o bilionário proprietário do time de basquete Dallas Mavericks. É dele uma das melhores frases sobre negociação, que sempre cito para meus alunos: "Todo 'Não' me aproxima mais de um 'Sim'." Mas então lembro a eles que extrair esses "Nãos" no caminho para o "Sim" nem sempre é fácil.

Há uma grande diferença entre fazer seu interlocutor sentir que há espaço para o "Não" e realmente levá-lo à negativa. Às vezes, se você fala com alguém que não está escutando, a única maneira de abrir a cabeça desse interlocutor é antagonizá-lo para ele dizer "Não".

Uma ótima maneira de fazer isso é rotular de maneira equivocada uma emoção ou um desejo da outra parte. É possível expressar algo que você sabe que está totalmente errado, como "Parece que você está muito ansioso para sair de seu emprego" quando é óbvio que a pessoa quer ficar. Isso a força a escutar e abre espaço para que corrija você dizendo: "Não, não é isso. É assim."

Outra maneira de forçar o "Não" em uma negociação é perguntar à outra parte o que ela *não* quer. Experimente uma frase assim: "Vamos falar sobre aquilo para o qual você diria 'Não.'" Nesse caso, as pessoas se sentem confortáveis para dizer "Não" porque parece autoproteção. Depois que você as induz ao "Não", elas ficam muito mais abertas a novas opções e ideias.

...

O "Não" – ou a ausência dele – também serve como uma advertência, um canário em uma mina de carvão. Se, apesar de todos os seus esforços, a outra parte não disser "Não", você está lidando com uma pessoa indecisa, confusa ou que esconde alguma coisa. Em casos assim é preciso encerrar a negociação e se retirar.

Pense nisso da seguinte maneira: nenhum "Não" significa avanço zero.

A MÁGICA DO E-MAIL: COMO NUNCA MAIS SER IGNORADO

Não há nada mais irritante do que ser ignorado. Ser rejeitado é ruim, mas não obter nenhuma resposta é o que há de pior. Faz você se sentir invisível e desperdiça seu tempo. Todos nós já passamos por isso: você envia um e-mail para alguém com quem está tentando fazer negócio e é ignorado. Então manda outro e-mail educado e nenhuma resposta de novo. Então o que faz?

Provoca um "Não" com este e-mail de uma frase:

Você desistiu do projeto?

O ponto central é que esse e-mail de uma só frase contém a melhor das perguntas orientadas para o "Não" e joga com a aversão humana natural de seu interlocutor à perda. A resposta "Não" que o e-mail exige oferece à outra parte o sentimento de segurança e a ilusão de controle; ao mesmo tempo, incentiva-a a definir sua posição e explicá-la a você.

Igualmente importante, essa frase traz a ameaça implícita de que você se afastará, porém em seus termos. Para impedir que isso aconteça – ou seja, reduzir as perdas e provar seu poder –, a tendência natural do outro é responder de imediato e discordar. *Não, nossas prioridades não mudaram. Nós só estamos atolados e...*

Se você é pai ou mãe, já usa essa técnica instintivamente. O que você faz quando seus filhos não querem sair de casa/do parque/do shopping? Você diz "Está bem. Estou indo" e começa a se afastar. Suponho que em bem mais da metade das vezes eles gritam "Não, espera!" e correm para alcançar você. Ninguém gosta de ser abandonado.

Sei que pode parecer uma maneira ríspida de se dirigir a alguém em um ambiente de negócios, mas é preciso superar essa impressão. Não é rude e, embora seja direta, conta com a segurança do "Não". Ignorar você é que é rude. Posso lhe dizer que usei isso com êxito não apenas na América do Norte, mas com pessoas de diferentes culturas (árabes e chineses) famosas por nunca dizerem "Não".

LIÇÕES-CHAVE

Usar as ferramentas deste capítulo na vida diária é difícil porque elas se chocam com uma das fórmulas mais populares de convívio em sociedade: "Seja legal".

Transformamos o "ser legal" em uma maneira de lubrificar as engrenagens sociais, mas com frequência isso se mostra uma armadilha. Somos educados e não discordamos para atravessar a existência diária com o menor grau possível de atrito. Mas, empregado assim, o "ser legal" se esvazia de significado. Um sorriso e um cumprimento tanto podem significar "Me tira daqui!" quanto "Prazer em conhecê-lo".

Isso é a morte para um bom negociador, que adquire seu poder compreendendo a situação do interlocutor e arrancando informações sobre os desejos e as necessidades dele. Para fornecer esses dados, a outra parte precisa se sentir segura e no controle. E, embora possa parecer contraditório, a maneira de chegar lá é levando a outra parte a discordar, a traçar seus limites, a explicitar seus desejos a partir do que ela *não quer*.

Quando puser em uso os métodos deste capítulo, procure pensar neles como a anti-"armadilha do ser legal". Não por serem indelicados, mas por serem autênticos. O desencadeamento do "Não" remove a falsidade plástica do "Sim" e leva você ao que realmente está em jogo. Ao longo do caminho, tenha em mente estas lições poderosas:

- Rompa o hábito de tentar levar as pessoas a dizer "Sim". Ser pressionadas para o "Sim" as coloca na defensiva. Nossa paixão pela afirmativa nos cega para a atitude defensiva que adotamos quando alguém está nos pressionando a dizer "Sim".
- "Não" não é um fracasso. Aprendemos que "Não" é o anti-"Sim" e, portanto, uma palavra a ser evitada a todo custo. Mas com frequência ele significa apenas "Espere" ou "Eu não estou confortável com isso". Aprenda a ouvi-lo com calma. Ele não é o fim da negociação, mas o começo.
- "Sim" é o objetivo final de uma negociação, mas não o tenha como meta logo de cara. Pedir um "Sim" a alguém rápido demais em uma conversa – "O senhor gosta de beber água, Sr. Smith?" – faz com

que o outro levante a guarda e decida que você não é um interlocutor confiável.
- Dizer "Não" traz segurança e sensação de controle a quem o diz, portanto, não tenha medo de provocá-lo. Ao afirmar o que não quer, o interlocutor define seu espaço e ganha confiança e conforto para escutar você. É por isso que "Esta é uma hora ruim para falar?" é sempre melhor do que "Você tem alguns minutos para falar?".
- Às vezes, a única maneira de fazer seu interlocutor escutar e envolvê-lo na conversa é forçando-o a dizer um "Não". Faça isso rotulando errado, e de maneira intencional, uma emoção ou um desejo. Também vale formular uma frase ridícula – como "Parece que você quer que esse projeto fracasse" – que só pode ser respondida negativamente.
- Negocie no mundo deles. Persuasão não consiste em ser claro, suave ou contundente; consiste em convencer a outra parte de que a solução que você quer partiu dela. Portanto, não busque a vitória com lógica ou força bruta. Faça perguntas que abram caminhos para os seus objetivos. *Não* é de você que *se trata*.
- Se um potencial parceiro de negócios está ignorando você, contate-o com uma pergunta clara e concisa orientada para o "Não". Essa pergunta deve sugerir que você está pronto para cair fora. "Você desistiu do projeto?" faz maravilhas.

CAPÍTULO 5

DESENCADEIE AS DUAS PALAVRAS QUE TRANSFORMAM IMEDIATAMENTE QUALQUER NEGOCIAÇÃO

Em agosto de 2000, o grupo militante islâmico Abu Sayyaf, que atua no sul das Filipinas, anunciou que havia capturado um agente da CIA. Para os rebeldes, a verdade não era algo tão valioso ou que valesse a pena ser divulgado.

O Abu Sayyaf sequestrara Jeffrey Schilling, um americano de 24 anos que passara perto da base dos terroristas na ilha de Jolo. Nativo da Califórnia, Schilling se tornou um refém com a cabeça a prêmio por 10 milhões de dólares.

Na época eu era Agente Supervisor Especial (SSA, na sigla em inglês) designado para a Unidade de Negociação de Crise (CNU, na sigla em inglês), de elite, do FBI. A CNU é algo como as forças especiais de negociação. Está vinculada à Equipe de Resgate de Reféns (HRT, na sigla em inglês) do FBI. São os melhores dos melhores.

A CNU está sediada na Academia do FBI em Quantico, Virgínia, e acabou vindo a ser conhecida por uma única palavra, "Quantico". Com ou sem razão, Quantico desenvolveu a reputação de ser um dos centros de conhecimento – se não *o* centro – para as polícias. Quando uma negociação desanda e os negociadores envolvidos são orientados a ouvir o que "Quantico" tem a dizer, é para a CNU que eles ligam.

A CNU desenvolveu uma cartilha poderosa para o mundo de alto risco onde se inserem as negociações de crise, o Modelo de Escada de Mudança Comportamental (BCSM, na sigla em inglês). Esse modelo propõe cinco estágios – escuta ativa, empatia, entendimento, influência e mudança comportamental – que conduzem qualquer negociador da fase da escuta até a de influência no comportamento.

As origens do modelo remontam ao grande psicólogo americano Carl Rogers. Ele propôs que uma mudança real só pode ocorrer quando o terapeuta aceita o paciente como ele é – uma abordagem conhecida como consideração positiva incondicional. Porém, a maioria de nós, segundo Rogers, supõe que o amor, a admiração e a aprovação dependem de dizer e fazer as coisas que as pessoas (inicialmente, nossos pais) consideram corretas. Ou seja, como, para muitos de nós, o respeito positivo que experimentamos é condicional, desenvolvemos o hábito de esconder quem realmente somos e o que de fato pensamos, calibrando nossas palavras para obter aprovação, mas revelando pouco.

É por isso que tão poucas interações sociais levam a uma mudança efetiva de comportamento. Imagine o típico paciente com doença arterial coronariana que está se recuperando de uma cirurgia de peito aberto. O médico diz a ele:

– Essa cirurgia não é uma cura. A única maneira de prolongar sua vida é adotar as seguintes mudanças de comportamento...

O paciente, grato, responde:

– Sim, sim, sim, é claro, doutor! Esta é a minha segunda chance. Eu vou mudar!

E ele muda? Estudos sucessivos têm mostrado que não: dois anos depois da operação, mais de 90% dos pacientes não alteraram nada em seu estilo de vida.

Embora os riscos de uma negociação de rotina com seu filho, chefe ou cliente em geral não sejam tão altos quanto os de uma negociação envolvendo reféns (ou um grave problema de saúde), o ambiente psicológico necessário para obter não apenas uma anuência temporária, mas uma mudança interna real é o mesmo.

Quando um negociador tem êxito em levar alguém para a Escada de Mudança Comportamental, conquistando a cada estágio mais confiança e mais conexão, haverá um momento de avanço em que a consideração positiva incondicional se estabelece e ele começa a exercer influência.

Depois de anos aprimorando o conjunto de táticas que compõem o BCSM, posso ensinar qualquer pessoa a chegar a esse momento. Mas como os cardiologistas sabem muito bem, assim como legiões de graduados de escolas de administração que leram o mais famoso livro de negociação do mundo, *Como chegar ao sim*, é muito provável que, mesmo depois de ouvir o "Sim", você ainda não tenha chegado lá.

Como você logo aprenderá, as duas palavras mais doces de qualquer negociação são "Está certo".

CRIE UMA EPIFANIA SUTIL

Eu era 100% qualificado para lidar com o caso Schilling. Passara algum tempo nas Filipinas e tinha uma experiência extensa em terrorismo desde os tempos em que atuara na Força-Tarefa Conjunta contra o Terrorismo (JTTF) em Nova York.

Alguns dias depois da captura, eu e meu parceiro Chuck Regini embarcamos para Manila a fim de dirigir as negociações. Juntamente com Jim Nixon, o mais alto funcionário do FBI em Manila, nós nos reunimos com militares filipinos das mais altas patentes. Eles permitiram que conduzíssemos as negociações e começamos a trabalhar. Um de nós cuidaria da estratégia de comunicação para o FBI e, consequentemente, para o governo dos Estados Unidos. Essa função coube a mim. Com o apoio dos colegas, meu trabalho era elaborar a estratégia, obter sua aprovação e implementá-la.

Como resultado do caso Schilling, eu me tornaria o principal negociador de sequestros internacionais do FBI.

...

Nosso principal adversário era Abu Sabaya, o líder rebelde que negociava pessoalmente o resgate de Schilling. Sabaya era um veterano do movimento rebelde com um passado violento, um matador sociopata terrorista que parecia saído diretamente das telas de cinema. Colecionava estupros, assassinatos e decapitações. Gostava de registrar seus feitos sangrentos em vídeos e enviá-los para a mídia filipina.

Sabaya usava óculos escuros, uma bandana, camiseta preta e calças com estampa de camuflagem. Achava que isso fazia dele uma figura mais vistosa. Procure qualquer foto de terroristas do Abu Sayyaf nessa época; haverá sempre um de óculos escuros. É Sabaya.

Ele adorava, adorava, adorava a mídia. Mantinha à mão os números dos telefones de vários repórteres filipinos. Eles lhe faziam perguntas em tagalo, sua língua nativa. Sabaya respondia em inglês porque queria que o mundo ouvisse sua voz na CNN. "Deveriam fazer um filme sobre mim", dizia aos jornalistas.

Aos meus olhos, Sabaya era um homem de negócios de sangue-frio com um ego do tamanho do Texas. Um verdadeiro tubarão. Ele sabia que estava jogando com uma mercadoria, e Jeffrey Schilling era um item de valor. Quanto poderia obter por seu refém? Ele descobriria, e eu pretendia que aquela fosse uma surpresa desagradável. Como agente do FBI, meus objetivos eram libertar o refém e levar o criminoso à justiça.

Um aspecto crucial de qualquer negociação é descobrir como seu adversário chegou à posição atual. Sabaya lançou o valor de 10 milhões de dólares baseado em um cálculo de negócios.

Primeiro, os Estados Unidos estavam oferecendo 5 milhões de dólares por informações que levassem à prisão dos fugitivos remanescentes do atentado ao World Trade Center em 1993. Sabaya raciocinou que, já que os Estados Unidos pagariam 5 milhões para pôr as mãos em alguém de quem *não* gostavam, dariam muito mais por um cidadão americano.

Segundo, uma facção rival do Abu Sayyaf divulgara ter recebido 20 milhões de dólares por seis prisioneiros da Europa Ocidental. O homem forte da Líbia, Muammar Kadafi, fizera o pagamento a título de "ajuda para o desenvolvimento". Parte significativa do resgate fora paga em notas falsas, uma oportunidade para Kadafi constranger governos ocidentais e, ao mesmo tempo, financiar grupos com os quais simpatizava. Tenho certeza de que ele riu desse episódio até o dia de sua morte.

De todo modo, havia um preço sobre a mesa. Sabaya fez os cálculos e achou que Schilling valia 10 milhões de dólares. O problema é que Jeff Schilling vinha de uma família de classe operária. Sua mãe podia conseguir

10 mil dólares, talvez. Os Estados Unidos não estavam dispostos a pagar um dólar sequer. Porém autorizaríamos um pagamento desde que isso se convertesse em uma armadilha para capturar Sabaya.

Se conseguíssemos atraí-lo para uma situação de barganha com oferta e contraoferta, tínhamos um sistema que sempre funcionava. Poderíamos levá-lo até onde queríamos, libertar o refém e capturá-lo.

...

Durante meses Sabaya se recusou a ceder. Ele argumentava que os muçulmanos nas Filipinas haviam sofrido 500 anos de opressão, desde que missionários espanhóis haviam trazido o catolicismo para o país, no século XVI. Citou atrocidades contra seus antepassados islâmicos. O Abu Sayyaf queria estabelecer um Estado islâmico no sul das Filipinas. Houve violações de direitos de pesca. O que você imaginar, ele pensou e usou.

Sabaya queria 10 milhões de dólares por danos de guerra – não como resgate, mas por danos de guerra. Ele permaneceu firme em sua exigência e recusou-se a entrar no sistema de oferta e contraoferta que queríamos usar contra ele.

E de vez em quando soltava notícias de que estava torturando Jeff Schilling.

Sabaya negociava diretamente com Benjie, um militar filipino. Eles falavam em tagalo, nós analisávamos transcrições traduzidas para o inglês e as usávamos para aconselhar Benjie. Eu circulava dentro e fora de Manila e supervisionava as conversas e a estratégia. Instruí Benjie a perguntar o que Schilling tinha a ver com 500 anos de hostilidades entre muçulmanos e filipinos. Ele disse a Sabaya que 10 milhões de dólares não eram uma opção.

Independentemente da abordagem que usássemos para "ponderar" com Sabaya que Schilling não tinha nada ver com os "danos de guerra", esta caía em ouvidos moucos.

Nosso primeiro "Está certo" veio quando eu estava negociando com Benjie. Ele era um verdadeiro patriota e herói filipino. Liderava a Força de Ação Especial da Polícia Nacional Filipina e participara de combates armados. Em muitas ocasiões, Benjie e seus homens haviam cumprido missões de resgate para salvar reféns, e tinham ótimos antecedentes. Seus homens eram temidos, e com razão: eles raramente levavam algemas.

Benjie queria adotar uma linha dura com Sabaya, falando com ele em termos diretos e firmes. Nós queríamos envolver Sabaya em um diálogo para descobrir o que o motivava a agir daquela maneira. Queríamos estabelecer um entendimento com o adversário. Para Benjie, isso era repugnante.

Benjie nos disse que precisava de uma pausa. Vínhamos trabalhando com ele 24 horas por dia, sete dias por semana, havia várias semanas. Ele queria passar um tempo com a família nas montanhas ao norte de Manila. Concordamos, desde que pudéssemos acompanhá-lo e passar várias horas de sábado e domingo trabalhando em uma estratégia de negociação.

Naquele sábado à noite nos sentamos na biblioteca da residência de verão do embaixador americano para trabalhar na estratégia. Enquanto eu explicava a Benjie o valor de estabelecer uma relação baseada em cooperação, mesmo com um adversário perigoso como Sabaya, era visível a contrariedade em seu rosto. Percebi que precisava negociar com Benjie.

– Você odeia Sabaya, não é? – perguntei, empregando um rótulo.

Benjie descarregou sua raiva em mim.

– Óbvio! – disse ele. – Ele mata e estupra. Uma vez, entrou na nossa frequência de rádio quando estávamos atacando sua posição e disse: "Esses morteiros são música para meus ouvidos." Nesse dia, falando no nosso rádio, ele comemorou dizendo que estava em pé sobre o corpo de um dos meus homens.

Essa explosão de Benjie foi o equivalente a um "Está certo". Enquanto ele reconhecia sua raiva, observei-o controlá-la e se acalmar. Até aquele momento, Benjie se revelara um negociador muito bom; a partir dali, porém, tornou-se um astro. Desabrochou.

Essa "negociação" entre mim e Benjie não foi diferente de outras entre colegas que discordam sobre uma estratégia. Antes de convencê-los do que você está tentando realizar, é preciso dizer algo que os leve a admitir: "Está certo."

O avanço para o "Está certo" geralmente não acontece no início de uma negociação. Quando ocorre, é invisível para o interlocutor; ele aceita o que você disse. Para esse interlocutor, é uma epifania sutil.

DESENCADEIE UM "ESTÁ CERTO" FAZENDO UM RESUMO

Depois de meses de negociação, Sabaya ainda se recusava a ceder. Decidi que era hora de apertar o botão de reiniciar.

Benjie se tornara tão bom em estender as conversas que quase podíamos "ouvir" Sabaya andando de um lado para outro durante uma hora antes de telefonar para Benjie buscando maneiras de conseguir o que queria. Ele ligava e dizia: "Me fale sim ou não! Só sim ou não!"

Tínhamos que acabar com aquela conversa absurda de Sabaya sobre danos de guerra. Independentemente do tipo de questionamento, lógica ou raciocínio que tentávamos, ele não cedia. As ameaças contra Schilling iam e vinham. Nós o acalmávamos todas as vezes.

Decidi que para sair dessa fase precisávamos reposicionar Sabaya com suas próprias palavras, de um modo que dissolvesse as barreiras. Precisávamos fazê-lo dizer "Está certo". Na época, eu não sabia exatamente que tipo de avanço isso nos daria. Só sabia que precisávamos confiar no processo.

Escrevi um documento de duas páginas que instruía Benjie a mudar o curso da negociação. Usaríamos quase todas as táticas do arsenal de escuta ativa.

1. Pausas eficazes. O silêncio é poderoso. Dissemos a Benjie para usá-lo como ênfase, para incentivar Sabaya a continuar falando até finalmente drenar as emoções do diálogo, como se limpássemos um pântano.
2. Encorajamento mínimo. Além do silêncio, nós o instruímos a usar frases simples, como "Sim", "Está bem", "A-hã" ou "Entendo", para transmitir de maneira eficaz que Benjie estava prestando atenção total em Sabaya e em tudo que ele dizia.
3. Espelhamento. Em vez de discutir com Sabaya e tentar afastar Schilling da ideia de "danos de guerra", Benjie escutaria e repetiria o que o sequestrador dissesse.
4. Rótulos. Benjie deveria dar um nome aos sentimentos de Sabaya e se identificar com o modo como ele se sentia. "Tudo isso parece tão tragicamente injusto. Agora eu entendo por que você parece ter tanta raiva."
5. Paráfrases. Benjie deveria repetir o que Sabaya dissesse a ele, mas com suas próprias palavras. Isso, dissemos a ele, mostraria a Sabaya de ma-

neira contundente que ele de fato o entendia e não apenas repetia suas preocupações.

6. Resumo. Um bom resumo é uma combinação de rearticular o significado do que foi dito e reconhecer as emoções relacionadas a esse significado (paráfrase + rótulo = resumo). Dissemos a Benjie que ele precisava escutar e repetir "o mundo de acordo com Abu Sabaya". Precisava resumir de maneira total e completa todos os absurdos que Sabaya havia inventado sobre danos de guerra, direitos de pesca e 500 anos de opressão. Depois que ele fizesse isso de maneira total e completa, a única resposta possível para Sabaya – e para qualquer pessoa que enfrentasse um bom resumo – seria um "Está certo".

...

Dois dias depois, Sabaya ligou para Benjie. Sabaya falou. Benjie escutou. Quando foi sua vez de falar, seguiu meu roteiro: compadeceu-se da situação difícil do grupo rebelde. Espelhamento, encorajamento, rotulagem: cada tática funcionou perfeita e cumulativamente para amaciar Sabaya e começar a mudar sua perspectiva. Por fim, Benjie repetiu com as próprias palavras a versão da história de Sabaya e as emoções desencadeadas por aquela versão.

Sabaya ficou em silêncio por quase um minuto. Por fim, falou:

– Está certo.

Encerramos a ligação.

A exigência sobre os "danos de guerra" desapareceu.

A partir daquele momento, Sabaya não mencionou mais o dinheiro. Não pediu nem mais um centavo para libertar Jeffrey Schilling. Acabou ficando tão cansado desse caso e de manter preso o jovem californiano que baixou a guarda. Schilling escapou do acampamento e comandos filipinos invadiram a área e o resgataram. Ele retornou em segurança para sua família na Califórnia.

Duas semanas depois de Jeff Schilling escapar, Sabaya telefonou para Benjie:

– Você já foi promovido? – perguntou. – Se não, deveria ter sido.

– Por quê? – perguntou Benjie.

– Eu pretendia machucar Jeffrey – disse Sabaya. – Não sei o você fez para me impedir, mas, seja lá o que foi, funcionou.

Em junho de 2002, Sabaya foi morto em uma troca de tiros com unidades militares filipinas.

...

No calor das negociações pela vida de um homem, não avaliei o valor destas duas palavras: "Está certo." Mas, quando estudei as transcrições e reconstituí a trajetória das negociações, percebi que Sabaya mudara o curso ao pronunciá-las. Benjie usara algumas técnicas fundamentais que havíamos desenvolvido ao longo de muitos anos. Ele refletira a visão de Sabaya. Recuara de um confronto. Permitira a Sabaya falar livremente e esgotar sua versão dos eventos.

"Está certo" sinalizou que as negociações podiam sair daquele impasse e prosseguir. Rompeu uma barreira que impedia o progresso. Criou um momento de compreensão de nosso adversário em que ele de fato concordou com um argumento sem sentir que estava cedendo.

Foi uma vitória furtiva.

...

Quando seus oponentes dizem "Está certo", eles sentem ter avaliado o que você disse e declarado que era a coisa certa de livre e espontânea vontade. Eles aceitam.

"Está certo" nos permitiu mudar o rumo da conversa e desviar Sabaya da intenção de ferir Schilling. Deu aos comandos filipinos tempo para montar uma operação de resgate.

Em negociações de reféns, nunca tentávamos obter um "Sim" como ponto final. Sabíamos que "Sim" não era nada sem "Como". E, ao aplicarmos táticas para a libertação de reféns no mundo dos negócios, vimos como "Está certo" com frequência nos levava aos melhores resultados.

"ESTÁ CERTO" É ÓTIMO, MAS "VOCÊ ESTÁ CERTO" NÃO MUDA NADA

Direcionar para o "Está certo" é uma estratégia vencedora em todas as negociações. Mas ouvir "Você está certo" é um desastre.

Um bom exemplo é a trajetória de meu filho Brandon como jogador de futebol americano. Durante todo o ensino médio, ele jogara nas linhas ofensiva e defensiva. Com 1,88 metro e 113 quilos, ele era formidável. Adorava derrubar no chão cada adversário.

Como eu tinha jogado como quarterback, não gostava muito da natureza simplória de um atacante. Os atacantes são como cabras montesas: abaixam a cabeça e arremetem. Isso os faz felizes.

Na escola secundária St. Thomas More, em Connecticut, o treinador de Brandon colocou-o na posição de linebacker. Sua função de repente deixou de ser bater em tudo que via; agora, ele deveria evitar jogadores que tentassem bloqueá-lo – esquivar-se deles – e pegar a bola. Mas Brandon continuou a confrontar adversários que tentavam impedi-lo de chegar ao jogador que tinha a bola. O treinador implorava para que ele evitasse os bloqueadores, mas Brandon não conseguia mudar. Ele adorava bater. Derrubar adversários era um motivo de orgulho.

O treinador e eu não desistíamos de explicar isso a ele. E todas as vezes recebíamos a pior resposta possível: "*Você* está certo." Em teoria, Brandon concordava, mas a conclusão não era dele. Então logo voltava ao comportamento anterior: esmagava bloqueadores e não fazia a jogada.

Por que "Você está certo" é a pior resposta?

Considere o seguinte: sempre que alguém o está importunando, não desiste e não escuta nada do que você fala, qual é o melhor jeito de fazê-lo calar a boca e ir embora? Dizer: "Você está certo."

Funciona todas as vezes. Diga às pessoas "Você está certo" e elas põem um sorriso bonito no rosto e o deixam em paz por pelo menos 24 horas. Mas você não concordou com a posição delas. Apenas usou "Você está certo" para encerrar a conversa importuna.

Eu estava na mesma situação com Brandon. Ele não me ouvia nem aceitava meus conselhos. O que eu poderia dizer para chegar àquele menino? Como poderia ajudar Brandon a mudar de atitude?

Lembrei-me de Benjie e Sabaya e tive uma conversa com Brandon antes de um jogo crucial. Vasculhei minha mente em busca de uma maneira de ouvir dele as duas palavras fundamentais: "Está certo."

– Você parece pensar que se esquivar de um bloqueio é coisa de fracote – falei. – Acha que é covardia desviar de alguém que está tentando atingir você.

Brandon me encarou e fez uma pausa.

– Está certo – disse ele.

Com essas palavras, Brandon enxergou o que o estava freando. Depois que entendeu por que tentava derrubar cada bloqueador, ele mudou. Começou a evitar bloqueios e se tornou um linebacker excepcionalmente bom.

Com Brandon em campo fazendo tackles e brilhando como linebacker, a St. Thomas More School venceu todos os jogos.

USANDO "ESTÁ CERTO" PARA FECHAR UMA VENDA

Chegar ao "Está certo" ajudou uma de minhas alunas em seu trabalho como representante de vendas de uma grande empresa farmacêutica.

Ela estava tentando vender um novo produto a um médico que usava um medicamento semelhante. No território dela, ele era o maior usuário desse tipo de medicamento. A venda era crucial para o sucesso da minha aluna.

Nos primeiros encontros, o médico rejeitou o produto. Disse que não era superior ao que já estava usando. Não foi amistoso. Não quis nem ouvir o ponto de vista dela. Quando ela apresentava os atributos positivos do produto, ele a interrompia e os derrubava.

Ao preparar sua abordagem de venda, ela investigou tudo que era possível sobre o médico. Soube que ele tinha paixão por tratar seus pacientes. Cada um era especial aos seus olhos. Melhorar a sensação de calma e paz dos pacientes era o resultado mais importante para ele. Como ela poderia fazer com que essa compreensão sobre as necessidades, os desejos e as paixões do médico trabalhasse a seu favor?

Na visita seguinte, o médico perguntou sobre quais medicamentos ela queria falar. Em vez de apregoar os benefícios do novo produto, ela falou sobre a prática dele.

– Doutor – disse ela –, da última vez que estive aqui falamos sobre seus pacientes com essa doença. Eu me lembro de pensar que o senhor parecia ter paixão por tratá-los. Também percebi que trabalha duro para elaborar o tratamento específico para cada paciente.

Ele olhou-a nos olhos como se a estivesse vendo pela primeira vez.

– Está certo – disse ele. – Eu de fato me sinto como se estivesse tratando uma epidemia que os outros médicos ainda não detectaram. Isso significa que muitos pacientes não estão recebendo o tratamento adequado.

Ela mencionou a compreensão profunda que ele parecia ter sobre como tratar esses pacientes, especialmente porque alguns não respondiam a medicamentos convencionais. Os dois falaram sobre desafios específicos que ele enfrentava. O médico deu exemplos.

Quando ele terminou, minha aluna resumiu o que ele dissera, com ênfase na complexidade e nos problemas dos tratamentos.

– O senhor parece ajustar tratamentos e medicações específicos para cada paciente – disse ela.

– Está certo – respondeu ele.

Era o avanço que ela buscava. O médico vinha sendo cético e frio. Mas, quando ela reconheceu sua paixão pelos pacientes – usando o resumo –, os muros caíram. Ele baixou a guarda e minha aluna conseguiu ganhar sua confiança. Em vez de abordar a venda de seu produto, ela o deixou descrever seus tratamentos e procedimentos. Com isso, aprendeu como seus medicamentos se encaixariam na prática daquele médico. Então parafraseou o que ele dizia sobre os desafios de sua prática e os devolveu a ele.

Quando o médico sinalizou sua confiança e seu entendimento, ela pôde divulgar os atributos de seu produto e descrever com precisão como este o ajudaria a alcançar os resultados que ele desejava para seus pacientes. Ele escutou atentamente.

– Isso pode ser perfeito para tratar um paciente que não foi beneficiado pelo medicamento que receitei – admitiu ele. – Vou experimentar o seu.

Ela fechou a venda.

USANDO "ESTÁ CERTO" PARA O SUCESSO NA CARREIRA

Um de meus alunos coreanos chegou ao "Está certo" ao negociar um novo trabalho com seu ex-chefe.

Ao retornar para Seul depois de obter um MBA, ele queria trabalhar na divisão de eletrônicos de consumo da empresa, e não na seção de semicondutores, onde fora alocado. Ele era especialista em recursos humanos.

Seguindo as regras da empresa, acreditava que tinha que permanecer no departamento do qual tinha se licenciado, a não ser que *também* pudesse obter a aprovação do ex-chefe. Ele recebera duas ofertas de trabalho da divisão de produtos de consumo. Dos Estados Unidos, ligou para o ex-chefe.

– Você deveria rejeitar essa oferta e encontrar seu lugar aqui na divisão de semicondutores – foi a resposta.

Meu aluno desligou o telefone chateado. Se quisesse avançar na empresa, tinha que obedecer ao ex-superior. Ele rejeitou as duas ofertas e se preparou para retornar à seção de semicondutores.

Então decidiu entrar em contato com um amigo que era gerente sênior no departamento de recursos humanos para verificar os regulamentos da empresa. Descobriu que não havia regra alguma sobre permanecer na divisão original, mas que precisaria da aprovação do ex-chefe para trocar de setor.

Ele telefonou de novo para o ex-chefe. Dessa vez, fez perguntas para induzi-lo a se revelar.

– Há algum motivo para você querer que eu vá para o departamento de semicondutores? – perguntou.

– É a melhor posição para você – disse o ex-chefe.

– A melhor posição? – ecoou ele. – Parece que não há nenhum regulamento dizendo que eu tenho que continuar na divisão de semicondutores.

– Hum – disse o ex-chefe. – Acho que não há.

– Então me diga, por favor, o que fez você decidir que devo permanecer no setor de semicondutores – pediu ele.

O ex-chefe explicou que precisava de alguém ali para ajudá-lo a criar uma rede de comunicação entre as divisões de semicondutores e de produtos de consumo.

– Então parece que você poderia aprovar minha nova posição independentemente da divisão, desde que eu esteja na sede e possa ajudar você a se comunicar melhor com os principais gerentes.

– Está certo – disse ele. – Devo admitir que preciso de sua ajuda nisso.

Meu aluno percebeu um avanço. Não apenas fizera o ex-chefe pronunciar aquelas doces palavras – "Está certo" – como ele revelara o verdadeiro motivo: precisava de um aliado na sede.

– Você precisa de alguma outra ajuda? – perguntou.

– Vou lhe contar tudo – respondeu o ex-chefe.

Meu aluno ficou sabendo que a meta de seu ex-superior era ser promovido a vice-presidente em dois anos. Ele queria desesperadamente assumir esse cargo. Precisava de alguém na sede para defendê-lo junto ao CEO da empresa.

– Eu ajudaria você de qualquer forma – disse meu aluno. – Mas poderia colaborar com a rede e também falar com o CEO a seu favor mesmo que estivesse na divisão de produtos de consumo, certo?

– Está certo – disse ele. – Se você receber uma oferta da unidade de produtos de consumo, terá a minha aprovação.

Pimba! Ao fazer as perguntas que levaram o ex-chefe ao "Está certo", meu aluno alcançou seu objetivo. Ele também levou o chefe a revelar dois "Cisnes Negros", a dinâmica de avanço subjacente e não mencionada em uma negociação (que exploraremos em mais detalhes no Capítulo 10):

- O chefe precisava de alguém na sede para ajudá-lo a criar uma rede de comunicação.
- O chefe queria ser promovido e precisava de alguém para falar a seu favor junto ao CEO.

Meu aluno conseguiu o trabalho que desejava na divisão de eletrônicos de consumo. E tem falado a favor do ex-chefe.

"Fiquei impressionado", escreveu-me em um e-mail. "Nesta cultura não é realmente possível saber o que um superior está pensando."

...

Tenho muitas oportunidades de viajar pelo país e falar com líderes do mundo dos negócios, seja em palestras formais, seja em sessões privadas de aconselhamento. Entretenho as pessoas com histórias de guerra e então descrevo algumas habilidades básicas de negociação. Sempre compartilho algumas técnicas. Chegar ao "Está certo" é essencial.

Depois de uma palestra em Los Angeles, uma das espectadoras, Emily, enviou-me um e-mail:

Oi, Chris, preciso lhe contar que experimentei a técnica do "Está certo" em uma negociação de preço com um novo cliente em potencial. E consegui o que queria. Estou muito animada!

Antes, eu provavelmente teria optado pelo caminho do "meio" (metade entre minha oferta original e a contraproposta inicial dele). Em vez disso, acho que avaliei da maneira correta as motivações do cliente e apresentei a afirmação ideal para obter um "Está certo" (na cabeça dele). Então ele propôs a solução que eu queria e perguntou se eu concordava! É claro que concordei.

Obrigada!

Emily

E eu pensei comigo mesmo: está certo.

LIÇÕES-CHAVE

"Dormir na mesma cama e ter sonhos diferentes" é uma antiga expressão chinesa que descreve a intimidade de uma parceria (seja em um casamento, seja em um negócio) sem a comunicação necessária para sustentá-la.

Essa é uma receita para casamentos e negociações ruins.

Quando cada parte tem o próprio conjunto de objetivos, metas e motivações, os "Sim" e os "Você está certo", que agem como vernizes sociais lançados de maneira rápida e furiosa no início de qualquer interação, passam longe de substituir um real entendimento entre você e seu parceiro.

O poder de chegar a esse entendimento, e não a um simples "Sim", é revelador na arte da negociação. No momento em que você convence alguém de que entende verdadeiramente seus sonhos e sentimentos (o mundo que ele habita), a mudança mental e comportamental se torna possível e é firmada a base para um avanço.

Use estas lições para construir essa base:

- Estabeleça uma consideração positiva incondicional para abrir a porta e mudar pensamentos e comportamentos. Os humanos têm um impulso inato para atitudes socialmente construtivas. Quanto mais a

pessoa se sente compreendida, e positivamente afirmada nesse entendimento, mais provável se torna que esse impulso para um comportamento construtivo tome conta dela.
- "Está certo" é melhor do que "Sim". Esforce-se para obtê-lo. Alcançar o "Está certo" em uma negociação produz avanços.
- Use um resumo para desencadear um "Está certo". Para construir um bom resumo, use um rótulo combinado com paráfrases. Identifique, rearticule e afirme emocionalmente "o mundo de acordo com...".

CAPÍTULO 6

INCLINE A REALIDADE DELES

Em uma manhã de segunda-feira, na capital do Haiti, Porto Príncipe, o escritório do FBI recebeu um telefonema do sobrinho de uma proeminente figura política haitiana. Ele falava tão rápido que precisou repetir a história três vezes até eu entender. Por fim, captei o básico: sequestradores haviam arrancado sua tia do carro e exigiam 150 mil dólares de resgate.

– Você nos dá o dinheiro – disseram-lhe os sequestradores – ou sua tia morre.

No rastro caótico e sem lei da rebelião de 2004 que derrubou o presidente Jean-Bertrand Aristide, o Haiti superou a Colômbia como capital do sequestro das Américas. Na verdade, com oito a dez pessoas capturadas todos os dias no país caribenho de 8 milhões de habitantes, o Haiti adquiriu a fama duvidosa de ter o maior índice de sequestros do mundo.

Durante essa onda violenta de raptos e ameaças de morte, eu era o principal negociador de sequestros internacionais do FBI. E nunca havia visto nada assim. Relatos sobre ataques cada vez mais ousados em Porto Príncipe pareciam chegar ao escritório a cada hora: 14 estudantes capturados em um ônibus escolar; o missionário americano Phillip Snyder baleado em uma emboscada e arrastado juntamente com um menino haitiano que ele estava levando para Michigan para uma cirurgia no olho; políticos proeminentes e homens de negócios haitianos arrancados de suas casas em plena luz do dia. Ninguém era poupado.

A maioria dos sequestros acontecia da mesma maneira: sequestradores usando máscaras de esqui cercavam uma casa ou um carro, forçavam a entrada com uma arma e agarravam uma vítima vulnerável – geralmente uma mulher, criança ou pessoa idosa.

No começo, havia a possibilidade de os sequestros serem conduzidos por gangues alinhadas politicamente com o intuito de desestabilizar o novo presidente do Haiti. Com o tempo, essa crença revelou-se equivocada. Criminosos haitianos são famosos por empregar meios brutais para fins políticos, mas, no caso daqueles sequestros, quase sempre se tratava de dinheiro.

Mais adiante explicarei como juntamos as peças para descobrir quem eram os criminosos e o que eles realmente queriam – informações valiosas na hora de negociar com essas gangues e desestabilizá-las. Mas primeiro quero discutir a característica crucial das negociações de alto risco envolvendo vida e morte: ou seja, como não sabemos nada no começo.

Naquela segunda-feira, quando o sobrinho recebeu o telefonema dos sequestradores, ficou tão assustado que só conseguiu pensar em uma coisa: honrar o resgate. Sua reação faz sentido: quando você recebe uma ligação de criminosos brutais dizendo que matarão sua tia se você não pagar um resgate imediatamente, parece impossível encontrar uma margem de manobra. Então você entrega o dinheiro e eles soltam seu parente, certo?

Errado. Sempre há uma margem de manobra. A negociação nunca é uma fórmula linear: some X com Y para obter Z. Todos nós temos pontos cegos irracionais, necessidades ocultas e percepções pouco desenvolvidas.

Depois que você entende o mundo subterrâneo das necessidades e dos pensamentos não ditos, descobre um universo de variáveis que podem ser empregadas para mudar as exigências e expectativas de seu interlocutor. Desde manipular o medo que acomete muitas pessoas diante de prazos finais e o poder misterioso de números ímpares até a nossa relação mal compreendida com a retidão, há sempre maneiras de inclinar a realidade de seu interlocutor para que se adapte àquilo que, no fim das contas, queremos dar a ele, e não ao que ele inicialmente pensa que merece.

NÃO FAÇA CONCESSÕES

Voltemos à exigência de um resgate de 150 mil dólares. Sempre nos ensinaram a procurar uma solução em que as duas partes saiam ganhando, a acomodar, a ser razoáveis. Mas o que significa as duas partes saírem ganhando aqui? Qual é a concessão? Segundo a lógica de negociação tradicional incutida em nós desde pequenos, do tipo que exalta concessões, seria o seguinte: "Vamos rachar o prejuízo e oferecer a eles 75 mil dólares. Assim todo mundo fica feliz."

Não. De jeito nenhum. A mentalidade de os dois saírem ganhando, apregoada por tantos especialistas em negociação, em geral é ineficaz e, com frequência, desastrosa. Na melhor das hipóteses, não satisfaz nenhum dos lados. E, se você a emprega com um interlocutor que acredita na tese do ganha-perde, prepare-se para ser enganado.

É claro que, conforme observamos antes, é preciso manter uma abordagem cooperativa, de construção de entendimento, empática, do tipo que cria uma dinâmica capaz de aceitar acordos. Mas sem ingenuidade. Porque a concessão – "dividir a diferença" – pode levar a resultados terríveis. Concessão com frequência significa um "acordo ruim", e um tema-chave que abordaremos neste capítulo é este: "Prefira não fazer nenhum acordo a fazer um acordo ruim."

Mesmo em um sequestro?

Sim. Um acordo ruim em um sequestro é aquele em que alguém paga e ninguém é libertado.

Para explicar meu argumento sobre os riscos das concessões, vou dar um exemplo. Uma mulher quer que seu marido use sapatos pretos com o terno. Mas o marido não quer; ele prefere sapatos marrons. Então o que fazem? Ambos cedem e ficam na metade do caminho. E, como você adivinhou, ele calça o sapato preto em um pé e o marrom no outro. É esse o melhor resultado? Não! Na verdade, esse é o *pior* resultado possível. Qualquer um dos outros dois resultados – usar sapatos pretos ou marrons – seria melhor.

Da próxima vez que você quiser fazer uma concessão, lembre-se dos sapatos que não combinam.

Então, por que somos tão obcecados pela noção de concessão se ela quase sempre produz resultados ruins?

O verdadeiro problema da concessão é que ela ganhou o status de grande conceito em relacionamentos, política e tudo mais. A concessão, assim nos dizem, é um bem moral sagrado.

Relembre a situação: nenhum resgate é justo e o sobrinho não quer pagar nada. Então, por que ele vai oferecer 75 mil dólares, muito menos que 150 mil dólares? O pedido de 150 mil não é válido. Qualquer que seja a concessão, o resultado é grotescamente ruim para o sobrinho.

Vou dar o nome certo à concessão: é uma bobagem. Não fazemos concessões porque é certo; fazemos porque é fácil e porque livra a nossa cara. Ao fazê-las, podemos dizer que pelo menos conseguimos metade do bolo. Reduzindo à essência, fazemos concessões para nos colocarmos a salvo. A maioria das pessoas em uma negociação é movida pelo medo ou pelo desejo de evitar a dor. Poucas perseguem objetivos reais.

Portanto, não se acomode e – eis uma regra simples – *nunca divida a diferença*. Soluções criativas quase sempre são precedidas de algum grau de risco, aborrecimento, confusão e conflito. Acomodação e concessão não produzem nada disso. Você tem que fazer o mais difícil. É nessa zona que estão os grandes acordos. E é isso que os grandes negociadores fazem.

PRAZOS FINAIS: FAÇA DO TEMPO SEU ALIADO

O tempo é uma das variáveis mais cruciais em qualquer negociação. A simples passagem dele e a proximidade de seu primo mais astuto, o prazo final, são a alavanca que empurra cada acordo rumo a uma conclusão.

Quer seu prazo final seja real e absoluto, quer simplesmente seja uma linha riscada na areia, ele pode levar você a acreditar que fazer um acordo agora é mais importante do que fazer um bom acordo. Em geral, prazos finais induzem as pessoas a dizer e fazer coisas impulsivas que vão contra seus interesses. Todos nós temos uma tendência natural a correr quando o tempo começa a se esgotar.

Bons negociadores obrigam-se a resistir a esse senso de urgência e a tirar o melhor partido dele. Não é tão fácil. Pergunte a si mesmo: por que um prazo final desencadeia tanta pressão e ansiedade? A resposta: por causa das consequências; da percepção da perda que sofreremos ("O acordo não será feito!", grita nossa mente, vislumbrando algum cenário futuro imaginário) se nenhuma solução for alcançada até um certo momento.

Quando você permite que a variável do tempo atraia esse pensamento, torna-se refém, criando um ambiente de comportamentos reativos e escolhas ruins. É a senha para seu interlocutor reagir e deixar que o prazo final imaginário – e a sua reação a este – faça todo o trabalho por ele.

Sim, eu usei a palavra "imaginário". Em todos os meus anos de atuação no setor privado, fiz questão de perguntar a cada empreendedor e executivo com quem trabalhei se, ao longo de sua carreira, ele já fora testemunha ou participara de uma negociação em que a perda de um prazo final teve repercussões negativas. Entre centenas de clientes, só um único e solitário cavalheiro refletiu seriamente sobre a pergunta e respondeu que sim. Os prazos finais com frequência são arbitrários, quase sempre flexíveis e dificilmente produzem as consequências que tememos.

Eles são o bicho-papão da negociação, quase sempre um produto da nossa imaginação que nos perturba sem um bom motivo. O mantra que ensinamos aos nossos clientes é: "Melhor nenhum acordo do que um acordo ruim." Se incorporam verdadeiramente esse mantra e começam a acreditar que dispõem de todo o tempo de que precisam para conduzir a negociação direito, a paciência desses clientes se torna uma arma formidável.

...

Algumas semanas depois do início da onda de sequestros no Haiti, começamos a observar dois padrões. Primeiro, as segundas-feiras pareciam ser especialmente movimentadas, como se os sequestradores tivessem uma ética de trabalho entranhada e quisessem adiantar o serviço da semana. E, segundo, os criminosos ficavam cada vez mais ansiosos para receber o resgate à medida que o fim de semana se aproximava.

De início, isso não fazia nenhum sentido. Porém, escutando com atenção os sequestradores e interrogando os reféns que resgatávamos, descobrimos algo que deveria ser óbvio: não havia nenhuma motivação política por trás desses crimes. Aqueles caras eram criminosos comuns que queriam "receber" na sexta-feira para festejar no fim de semana.

Depois que entendemos o padrão e o prazo final autoimposto pelos sequestradores, tínhamos duas informações-chave que mudaram totalmente a vantagem para o nosso lado.

Primeiro, se aumentássemos a pressão, desacelerando as negociações até quinta ou sexta-feira, poderíamos conseguir o melhor acordo. Segundo, como ninguém precisava de nada próximo de 150 mil dólares para ter um bom fim de semana no Haiti, oferecer muito menos como resgate já seria satisfatório.

Quanto nos aproximaríamos do prazo final autoimposto por eles dependeria do nível das ameaças. "Dê o dinheiro ou sua tia morre" é uma ameaça de estágio inicial, já que não define o tempo. Em qualquer tipo de negociação, uma escalada de ameaças específicas indica maior risco de consequências reais em um tempo especificado real. Para medir o nível de uma ameaça em particular, prestaríamos atenção em quantas das quatro perguntas – O quê? Quem? Quando? Como? – eram feitas. Quando produzem ameaças, as pessoas criam, de modo consciente ou não, ambiguidades e brechas que pretendem explorar. Como as brechas começavam a se fechar à medida que a semana avançava, e isso ocorreu repetidamente, de maneiras semelhantes, em diferentes sequestros, o padrão veio à tona.

Tendo essa informação, passei a considerar os sequestros como eventos ordenados, com duração de quatro dias. Isso não era de grande ajuda para as vítimas, mas certamente tornou os sequestros mais previsíveis – e muito mais baratos – para as famílias.

Você pode se beneficiar dos prazos finais em outras circunstâncias que não as negociações de reféns. Negociantes de carros tendem a oferecer um preço melhor perto do fim do mês, quando seu desempenho é avaliado. Vendedores corporativos trabalham com uma base quadrimestral e estão mais vulneráveis quando o quarto mês se aproxima do fim.

Saber como os negociadores usam os prazos finais de seus interlocutores para obter vantagem parece indicar que é melhor manter o seu próprio prazo final em segredo. E é esse o conselho que você receberá da maioria dos especialistas em negociação da velha guarda.

Em seu best-seller de 1980, *Você pode negociar tudo!*,[1] Herb Cohen conta como fechou seu primeiro grande negócio.

A empresa tinha enviado Cohen ao Japão para negociar com um fornecedor. Quando ele chegou, seus interlocutores lhe perguntaram quanto tempo ele ficaria e ele disse uma semana. Durante os sete dias seguintes, seus anfitriões trataram de entretê-lo com festas, passeios e excursões – tudo menos negociação. Na verdade, os interlocutores de Cohen só iniciaram as conversas sérias quando ele estava prestes a partir. Os dois lados acertaram os detalhes finais do acordo no carro a caminho do aeroporto.

Cohen desembarcou nos Estados Unidos com uma profunda sensação de que o haviam feito de bobo e de que cedera demais sob a pressão do prazo final. Será que, analisando o que ocorrera e se pudesse voltar no tempo, ele revelaria seu prazo final? Não, diz Cohen, porque isso deu a seus interlocutores uma ferramenta que ele não tinha: "Eles sabiam meu prazo final, mas eu não sabia o deles."

Essa mentalidade está em toda parte hoje em dia. A maioria dos negociadores segue o conselho de Cohen e esconde sua data-limite por acreditar que revelá-la é uma fraqueza estratégica. Além do mais, essa é uma regra fácil de seguir.

Pois vou contar um segredinho: Cohen e o rebanho de "especialistas" em negociação que o segue estão errados. Os prazos finais valem para os dois lados. Cohen pode muito bem ter ficado nervoso com o que seu chefe diria se ele voltasse de mãos abanando. Porém, é igualmente verdade que seus interlocutores teriam se frustrado se ele tivesse ido embora sem terem fechado um acordo. Esta é a chave: quando a negociação termina para um lado, termina para o outro também.

Na realidade, Don A. Moore, professor da Haas School of Business, da Universidade da Califórnia em Berkeley, afirma que esconder um prazo final põe o negociador na pior posição possível. Em sua pesquisa, ele verificou que ocultar a data-limite aumenta drasticamente o risco de um impasse. Isso porque ter um prazo final pressiona você a acelerar suas concessões, mas o outro lado, pensando que tem tempo, continuará exigindo mais.

Imagine se os donos da NBA (Associação Nacional de Basquete americana) estabelecessem um prazo final de locaute durante as negociações de contratos sem comunicá-lo ao sindicato dos jogadores. Eles fariam mais e mais concessões à medida que a data-limite se aproximasse, incitando o sindicato a continuar com as negociações além do prazo final secreto.

Nesse sentido, esconder um prazo final significa negociar consigo mesmo, e você sempre perde quando faz isso.

Moore descobriu que negociadores que informam seu prazo final aos interlocutores conseguem acordos melhores. Isso é verdade. Primeiro, revelando seu limite você reduz o risco de impasse. E segundo, quando um oponente conhece o seu prazo final, ele chega mais depressa ao real momento de fazer acordos e concessões.

Tenho um último argumento para apresentar antes de prosseguirmos: os prazos finais raramente são inflexíveis. O mais importante é se engajar no processo e perceber quanto tempo ele levará. Pode ser que você perceba que tem mais a conquistar do que o tempo lhe permitirá.

NÃO EXISTE ISSO DE "JUSTO"

Na terceira semana do meu curso de negociação, proponho o meu tipo de jogo favorito, ou seja, aquele que mostra aos alunos o quanto eles não entendem a si mesmos (eu sei, sou cruel).

Chama-se o Jogo do Ultimato e funciona assim: os estudantes se dividem em duplas formadas por um "proponente" e um "aceitante". Dou 10 dólares a cada proponente e ele tem que oferecer ao aceitante um determinado valor. Se o aceitante concorda, recebe o que lhe é oferecido e o proponente fica com o restante. Se o aceitante recusa a oferta, nenhum dos dois recebe nada e os 10 dólares voltam para mim.

Se eles "vencem" e ficam com o dinheiro ou "perdem" e têm que devolvê-lo é irrelevante (exceto para o meu bolso). O importante é a oferta que fazem. Nesse experimento, o que mais surpreende é o seguinte: quase sem exceção, independentemente da opção, eles se veem em minoria. Não importa se escolhem 6/4 dólares, 5/5, 7/3, 8/2, etc., os estudantes olham em volta e ficam sempre chocados ao constatar que nenhuma divisão foi mais bem escolhida do que outra. Em algo tão simples quanto dividir 10 dólares "encontrados", não há nenhum consenso sobre o que constitui uma divisão "justa" ou "racional".

Na sequência, eu me coloco diante da turma e apresento um argumento que eles não gostam de ouvir: a linha de pensamento que todos os estudantes seguiram foi 100% irracional e emocional.

– O quê? – dizem eles. – Eu tomei uma decisão racional.

Então explico por que eles estão errados. Primeiro, como todos poderiam estar usando a razão se houve tantas ofertas diferentes? Essa é a questão: eles não usaram; supuseram que o outro cara raciocinaria como eles.

– Se você faz uma negociação pensando que a outra pessoa raciocina como você, você está errado – digo. – Isso não é empatia. Isso é projeção.

Vou além: por que, pergunto, nenhum dos proponentes oferece 1 dólar, que é a melhor oferta racional para eles e, logicamente, irrecusável para o aceitante? E se eles ofereceram e foi rejeitado (isso acontece), por que o aceitante recusou?

– Qualquer pessoa que fez outra oferta que não de 1 dólar fez uma escolha emocional – digo. – Quanto a vocês, aceitantes que recusaram 1 dólar, desde quando não receber nada é melhor do que receber 1 dólar? Será que as regras das finanças mudaram de repente?

Isso abala a visão de meus alunos sobre eles próprios como agentes racionais. Nenhum de nós é. Somos todos irracionais, todos emocionais. A emoção é um elemento necessário para tomar decisões que nós ignoramos por nossa conta e risco. Perceber isso afeta duramente as pessoas.

Em *O erro de Descartes: Emoção, razão e o cérebro humano*,[2] o neurocientista António Damásio explica uma descoberta revolucionária que fez. Estudando pessoas com danos na parte do cérebro onde as emoções são geradas, ele constatou que todas tinham uma característica peculiar em comum: não conseguiam tomar decisões. Elas podiam descrever o que deveriam realizar em termos lógicos, mas achavam impossível fazer até mesmo a escolha mais simples.

Em outras palavras, embora possamos usar a lógica para delinear uma decisão, a *tomada* de decisão em si é governada pela emoção.

A PALAVRA COM J: POR QUE ELA É TÃO POTENTE E QUANDO E COMO USÁ-LA

A palavra de maior poder em negociações é "Justo". Como seres humanos, somos fortemente influenciados por quão respeitados nos sentimos. As pessoas cumprem acordos quando percebem que são tratadas com justiça e partem para o ataque na situação oposta.

Uma década de estudos com imagens cerebrais mostrou que a atividade neural humana, em particular no córtex insular, regulador das emoções, reflete o grau de injustiça em interações sociais. Mesmo primatas não humanos são programados para rejeitar a injustiça. Em um estudo famoso, dois macacos-capuchinhos foram levados a realizar a mesma tarefa, mas um recebeu uvas como recompensa e o outro recebeu pepinos. Em resposta a essa injustiça tão flagrante, o macaco alimentado com pepinos surtou.

No Jogo do Ultimato, anos de experiência mostram que a maioria dos aceitantes invariavelmente rejeita qualquer oferta inferior à metade do dinheiro do proponente. Quando se chega a um quarto do dinheiro do proponente é melhor esquecer o assunto, pois os aceitantes se sentem insultados. A maioria das pessoas faz uma escolha irracional. Deixam os dólares escorrerem entre seus dedos em vez de aceitarem uma oferta irrisória, porque o valor emocional negativo da injustiça pesa mais do que o valor racional positivo do dinheiro.

A reação irracional à injustiça se estende até aos acordos econômicos sérios.

Você se lembra do excelente trabalho de Robin Williams como a voz do gênio no filme *Aladdin*, da Disney? Quando recebeu o convite, ele disse que queria deixar algo maravilhoso para seus filhos; então topou fazer a voz por um cachê barato, de 75 mil dólares, bem abaixo de seu valor habitual de 8 milhões de dólares. Mas então algo aconteceu: o filme se tornou um enorme sucesso, arrecadando 504 milhões de dólares nas bilheterias.

Robin Williams ficou furioso.

Agora analise a situação com o Jogo do Ultimato em mente. Williams não ficou zangado por causa do dinheiro; foi a percepção da injustiça que o enfureceu. Ele só reclamou do contrato depois que *Aladdin* se tornou um grande sucesso. Então o ator e seu agente fizeram um escarcéu, reclamando de terem sido explorados.

Para sorte de Williams, a Disney quis manter seu astro feliz. Depois de começar evocando o óbvio – que ele assinara alegremente o acordo –, a Disney fez o gesto dramático de enviar ao ator uma pintura de Picasso avaliada em 1 milhão de dólares.

O Irã não teve tanta sorte.

Em anos recentes, esse país suportou sanções que lhe custaram mais de 100 bilhões de dólares em investimentos estrangeiros e dividendos de petróleo por defender um programa nuclear de enriquecimento de urânio que supre apenas 2% de suas necessidades de energia. Em outras palavras, assim como os estudantes que não aceitam 1 dólar porque a oferta lhes parece ofensiva, o Irã prejudicou suas principais fontes de renda – petróleo e gás – para perseguir um projeto de energia com resultados medíocres.

Por quê? De novo, por justiça.

Para o Irã, não é justo que potências globais – que juntas têm milhares e milhares de armas nucleares – decidam se o país pode ou não usar energia nuclear. E por que, questiona o Irã, o país é considerado um pária ao enriquecer urânio se a Índia e o Paquistão – que adquiriram armas nucleares clandestinamente – são aceitos como membros da comunidade internacional?

Em uma entrevista na TV, o ex-negociador nuclear iraniano Seyed Hossein Mousavian descreveu a situação de maneira precisa.

– Para os iranianos, a questão nuclear hoje não é nuclear – disse ele. – É defender sua integridade [como] entidade independente contra a pressão do resto do mundo.

Mesmo aqueles que não confiam no Irã têm que admitir que suas manobras são uma prova bastante clara de que a rejeição a uma injustiça percebida, mesmo a um custo substancial, é uma forte motivação.

...

Quando você entende como a dinâmica da "injustiça" pode ser confusa, emocional e destrutiva, começa a ver por que "Justo" é uma palavra com tremendo poder, e que é preciso usá-la com cuidado.

Na verdade, há três maneiras de arremessar uma "bomba J", mas apenas uma delas é positiva.

O uso mais comum é uma manobra defensiva que evoca os golpes do judô ao desestabilizar o outro lado. Em geral, essa manipulação assume a forma de algo na linha de "Nós só queremos o que é justo".

Relembre a última vez em que alguém fez essa acusação implícita de injustiça a você. Admita que isso imediatamente desencadeou sentimentos de defesa e desconforto. Esses sentimentos quase sempre são subconscientes e com frequência levam a uma concessão irracional.

Alguns anos atrás, uma amiga minha estava vendendo sua casa em Boston. O mercado estava quebrado. A oferta que ela recebeu era muito mais baixa do que o esperado – representava uma perda grande – e, frustrada, ela lançou esta bomba J sobre o potencial comprador:

– Nós só queremos o que é justo.

Atingido emocionalmente pela acusação implícita, o cara aumentou a oferta na hora.

Em uma situação assim, quem está do outro lado deve perceber que a intenção do interlocutor não é necessariamente meter a mão em seu bolso; assim como minha amiga, ele pode apenas estar oprimido pelas circunstâncias. A melhor resposta (válida para ambos os lados) é respirar fundo e reprimir o desejo de ceder. Então diga: "Está bem, peço desculpas. Vamos parar tudo e voltar até o ponto em que eu comecei a tratar você de maneira injusta. Então consertaremos isso."

O segundo uso da bomba J é mais abominável. Neste, seu interlocutor basicamente acusará você de ser estúpido ou desonesto dizendo: "Nós fizemos uma oferta justa a você." Isso é uma terrível agulhada cujo intuito é desviar sua atenção e manipulá-lo para você ceder.

Sempre que alguém tenta isso comigo, eu me lembro do último locaute da Liga Nacional de Futebol Americano (NFL, na sigla em inglês).

Quando as negociações estavam quase no fim, a Associação de Jogadores da NFL (NFLPA, na sigla em inglês) disse que, antes de chegar a um acordo final, queria que os proprietários dos times abrissem seus livros contábeis. A resposta dos proprietários?

"Fizemos uma oferta justa aos jogadores."

Observe a genialidade maquiavélica disso: em vez de abrir os livros ou se recusar a fazê-lo, os proprietários mudaram o foco para a suposta falta de compreensão de justiça por parte da NFLPA.

Se você se vir nessa situação, a melhor reação é simplesmente espelhar o "J" que acabaram de jogar em você. "Justa?", você responderia, com uma pausa para dar à palavra o poder de fazer com eles o que eles pretendiam fazer com você. Em seguida, recorra a um rótulo: "Parece que vocês estão prontos para fornecer provas que sustentem essa afirmação." Há aí uma alusão clara a abrir os livros; ou, alternativamente, a entregar informações que contradigam a alegação de justiça ou deem a você mais dados do que tinha antes com que trabalhar. Você desarma o ataque de imediato.

O último uso da palavra com J é o meu favorito porque é positivo e construtivo. Ele prepara o cenário para uma negociação honesta e empática.

Eis como faço. No início de uma negociação, digo: "Quero que você sinta que está tendo um tratamento justo o tempo todo. Portanto, por favor, me interrompa a qualquer momento se achar que estou sendo injusto e cuidaremos disso."

Essa é uma declaração simples e clara e me credencia como um negociador honesto. Com ela, informo às pessoas que não há problema em usar essa palavra comigo, desde que honestamente. Como negociador, você deve se empenhar para conquistar a reputação de ser justo. Sua reputação precede você. Deixe que isso ocorra de modo a pavimentar o sucesso.

COMO DESCOBRIR OS MECANISMOS EMOCIONAIS POR TRÁS DO QUE A OUTRA PARTE VALORIZA

Alguns anos atrás, deparei-me com o livro *How to Become a Rainmaker*[3] e gosto de relê-lo de vez em quando para refrescar minha percepção sobre os mecanismos emocionais que alimentam as decisões. O livro cumpre muito bem o papel de explicar o trabalho de vendas não como uma argumentação racional, mas de enquadramento emocional.

Se você consegue levar a outra parte a revelar seus problemas, dores e objetivos inalcançados – se consegue chegar ao que as pessoas estão *realmente* comprando –, então pode vender a elas uma visão desses problemas que faz da sua proposta a solução perfeita.

Examine isso a partir do nível mais básico. O que uma boa babá de fato vende? Não é exatamente cuidar da criança, mas garantir aos pais uma noite bem dormida. E um vendedor de aquecedores? Ambientes aconchegantes para os momentos em família. Um instalador de trancas? Sensação de segurança.

Conheça os mecanismos emocionais e você poderá enquadrar os benefícios de qualquer acordo em uma língua que encontrará ressonância no outro.

INCLINE A REALIDADE DELES

Imagine uma mesma pessoa, mude uma ou duas variáveis e você verá que 100 dólares podem ser uma vitória gloriosa ou um insulto terrível. Reconhecer esse fenômeno permite a você inclinar a realidade do insulto para a vitória.

Vou dar um exemplo. Tenho uma caneca de café vermelha e branca com a bandeira da Suíça. Inteirinha, mas usada. Quanto você pagaria por ela, com toda a honestidade?

Provavelmente você diria algo como 3,50 dólares.

Digamos agora que a caneca é sua. Você vai vendê-la a mim. Então me diga: quanto ela vale?

Provavelmente você dirá algo entre 5 e 7 dólares.

Nos dois casos, a caneca era exatamente a mesma. Tudo que eu fiz foi mudar o dono. Com isso, o valor passou a ser outro.

Ou imagine que eu lhe ofereça 20 dólares para dar uma saidinha de três minutos e me trazer uma xícara de café. Você vai pensar consigo mesmo que 20 dólares em três minutos correspondem a 400 dólares em uma hora. Ficará animado.

E se você descobrir que, ao provocar sua saidinha, eu ganhei 1 milhão de dólares? Você irá do êxtase de ganhar 400 dólares em uma hora à raiva por ter sido explorado.

O valor dos 20 dólares, assim como o da caneca de café, não mudou. Mas sua perspectiva, sim. Dependendo de como apresento os 20 dólares, posso deixar você feliz ou chateado.

Digo isso não para expor como nossas decisões são tomadas de maneira emocional e irracional. Isso já vimos. Refiro-me ao fato de que, embora nossas decisões possam ser em grande parte irracionais, isso não significa que não haja padrões consistentes, princípios e regras por trás das nossas atitudes. E, quando você identifica esses padrões mentais, começa a ver maneiras de influenciá-los.

A melhor teoria para descrever os princípios de nossas decisões irracionais é a *Teoria da Perspectiva*, criada em 1979 pelos psicólogos Daniel Kahneman e Amos Tversky. Ela descreve como as pessoas fazem suas escolhas quando estão em jogo opções que envolvem risco, como em uma negociação. Segundo essa teoria, somos atraídos pelo que é seguro em detrimento do que é provável, mesmo quando a probabilidade é uma escolha melhor. Isso é chamado de *Efeito Certeza*. E correremos riscos maiores para evitar perdas do que para alcançar ganhos. Isso é chamado de *Aversão à Perda*.

É por isso que pessoas que estatisticamente não têm nenhuma necessidade de fazer um seguro compram uma apólice. Ou considere isto: em geral, uma pessoa informada de que tem 95% de chance de receber 10 mil dólares ou 100% de chance de receber 9.499 dólares evitará o risco e fará a escolha 100% segura. A mesma pessoa, sabendo que tem 95% de chance de perder 10 mil dólares ou 100% de chance de perder 9.499 dólares fará a escolha oposta, de 95%, para evitar a perda. A chance de perda nos incita mais ao risco do que a possibilidade de um ganho de igual valor.

Nas próximas páginas, explicarei algumas táticas da teoria da perspectiva que você pode usar em seu benefício. Mas primeiro guarde esta lição crucial sobre aversão à perda: em uma negociação difícil, não basta mostrar à outra parte que você pode dar o que ela quer.

Para obter uma vantagem real, é preciso convencê-la de que ela perderá algo concreto se o acordo fracassar.

1. ANCORE AS EMOÇÕES DELES.

Para inclinar a realidade do seu interlocutor, comece gerando empatia. O primeiro passo é uma auditoria de acusação que reconheça todos os temores dele. Ancorando as emoções dele em uma preparação para o pior cenário, você inflama a aversão dele à perda, fazendo-o agarrar rapidamente a oportunidade de evitá-la.

Em meu primeiro projeto de consultoria depois de deixar o FBI, tive a honra de treinar a equipe nacional de negociação de reféns dos Emirados Árabes Unidos. Infelizmente, o prestígio da missão foi reduzido durante o projeto por problemas com o contratante principal (eu era um subcontratante). A situação deteriorou-se tanto que eu teria que voltar aos contratados que tinha levado para o projeto, e que normalmente recebiam 2 mil dólares por dia, e lhes dizer que durante vários meses eu só poderia oferecer 500 dólares.

Eu sabia exatamente o que eles fariam se eu fosse tão direto: ririam de mim e me mandariam embora da cidade. Então liguei para cada um e os atingi no estômago com uma auditoria de acusação.

– Tenho uma proposta péssima para você – dizia eu, fazendo uma pausa até me pedirem para continuar. – Quando desligarmos o telefone, você vai pensar que sou um péssimo homem de negócios. Vai pensar que não consigo fazer um orçamento ou um plano. Vai pensar que Chris Voss é um grande falastrão. Seu primeiro grande projeto fora do FBI e ele estraga tudo. Ele não sabe dirigir uma operação. E pode até ter mentido.

Então, depois de ancorar as emoções do outro em um campo minado de expectativas baixas, eu jogava com a aversão dele à perda.

– Ainda assim, eu queria oferecer essa oportunidade para você antes de levá-la para outra pessoa – continuava.

De repente, o telefonema não era sobre uma redução de 2 mil para 500 dólares, mas sobre como não perder quinhentos dólares para outra pessoa.

Os dois aceitaram o acordo. Nenhuma contraoferta, nenhuma reclamação. Mas pense comigo: se eu não tivesse ancorado baixo suas emoções, a percepção dos 500 dólares teria sido totalmente diferente. Se eu apenas ligasse e dissesse "Posso lhe pagar 500 dólares por dia, o que você acha?", eles tomariam isso como um insulto e desligariam o telefone na minha cara.

2. DEIXE O OUTRO FALAR PRIMEIRO... NA MAIORIA DAS VEZES.

Ficou claro que há grandes benefícios em ancorar as emoções quando se trata de inclinar a realidade de seu interlocutor. Mas falar primeiro não é necessariamente a melhor conduta em se tratando de negociar preços.

Quando o célebre diretor de cinema Billy Wilder se encontrou com o autor de romances policiais Raymond Chandler para contratá-lo para escrever o clássico *Pacto de sangue*, de 1944, Chandler era novato em Hollywood. Mas chegou pronto para negociar e no encontro com Wilder e o produtor do filme fez a primeira oferta de salário: exigiu sem rodeios 150 dólares por semana e avisou a Wilder que poderia demorar três semanas para terminar o projeto.

Wilder e o produtor mal conseguiram conter o riso, porque planejavam pagar a Chandler 750 dólares por semana e sabiam que roteiros de cinema demoravam meses para ficar prontos. Para sorte de Chandler, Wilder e o produtor valorizavam sua relação com ele, então se apiedaram do novato e chamaram um agente para representá-lo nas negociações.

De maneira semelhante, tive um aluno chamado Jerry que implodiu sua negociação salarial falando primeiro (devo dizer que isso aconteceu antes de ele ser meu aluno).

Na entrevista para trabalhar em uma firma de finanças em Nova York ele pediu 110 mil dólares por ano. Chegou a esse número porque representava um aumento de 30% em relação ao que ganhava no trabalho anterior. Só depois de começar ele percebeu que a empresa oferecera 125 mil dólares a todos os outros iniciantes do programa.

É por isso que lhe recomendo que deixe o outro lado ancorar as negociações monetárias.

A real questão é que nenhum dos lados tem informações precisas quando senta para negociar. Com frequência, isso significa que você não sabe o suficiente para iniciar a conversa de maneira confiante. Isso é ainda mais verdadeiro se você não sabe o valor de mercado do que está comprando ou vendendo, como Jerry ou Chandler.

Ao deixar o outro ancorar, você também se abre para a sorte: passei por muitas negociações em que a primeira oferta da outra parte era mais alta do que o número *final* que eu tinha em mente. Se eu tivesse falado primeiro, eles teriam concordado e eu ficaria ou com a maldição de vendedor, ou com o remorso de comprador – aquela sensação ruim de ter pagado demais ou vendido por pouco.

Dito isso, você precisa ter cuidado quando deixa o outro ancorar. Precisa se preparar psicologicamente para resistir à primeira oferta. Se o cara é um profissional, um tubarão, ele atirará uma âncora extrema para inclinar a *sua* realidade. Então, quando voltar com uma oferta absurda, esta parecerá razoável, assim como um iPhone usado "em oferta" por 400 dólares, caro, porém parece acessível quando sabemos que o preço original era de 600 dólares.

A tendência a ser ancorado por números extremos é uma peculiaridade psicológica conhecida como efeito "âncora e ajuste". Pesquisadores descobriram que tendemos a fazer ajustes a partir de nossos primeiros pontos de referência. Por exemplo, diante da conta $8 \times 7 \times 6 \times 5 \times 4 \times 3 \times 2 \times 1$, a maioria das pessoas estima que o resultado é maior do que a mesma sequência na ordem inversa. Isso ocorre porque focamos nos primeiros números e extrapolamos.

Isso não quer dizer "Nunca comece". Regras assim são fáceis de lembrar, mas, como a maioria das abordagens simplistas, nem sempre são um bom conselho. Se você está lidando com um interlocutor principiante, pode sentir-se tentado a agir como um tubarão e jogar uma âncora extrema. Ou, se de fato conhece o mercado e está diante de um profissional igualmente informado, pode oferecer um número só para agilizar a negociação.

Eis meu conselho pessoal sobre a decisão de ser ou não um tubarão que devora um interlocutor principiante: sua reputação precede você. Conheço CEOs cuja reputação era de sempre derrotar feio seus interlocutores e consequentemente ninguém mais queria negociar com eles.

3. ESTABELEÇA UMA FAIXA.

Embora falar primeiro raramente ajude, há uma maneira de *parecer* que você está fazendo uma oferta quando, no processo, está inclinando a realidade do outro: aludir a uma faixa de variação.

O que quero dizer com isso? Diante de um pedido para dizer seus termos ou seu preço, reaja relembrando um acordo semelhante que estabeleça sua "estimativa" (naturalmente, o melhor que você deseja deve estar dentro ou abaixo dessa faixa). Em vez de dizer "Meu valor é de 110 mil dólares", Jerry poderia ter dito: "Em empresas de primeira linha, como a X Corp., as pessoas nessa função recebem entre 130 mil e 170 mil dólares."

Isso expressa seu argumento sem pôr a outra parte em uma posição defensiva e leva-a a cogitar patamares mais altos. Pesquisas mostram que quem ouve âncoras extremas inconscientemente ajusta suas expectativas na direção do número inicial. Muitos até vão direto ao valor-limite. Se Jerry tivesse lançado essa faixa, a firma provavelmente teria lhe oferecido 130 mil dólares, porque pareceria muito barato em comparação com os 170 mil.

Em um estudo recente,[4] psicólogos da Columbia Business School constataram que candidatos a empregos que mencionaram uma faixa de valor receberam, em geral, salários significativamente maiores do que aqueles que tinham apenas um número, em especial se o número mais baixo da faixa era o que eles de fato queriam.

Entenda uma coisa: se você mencionar uma faixa (e é uma boa ideia fazer isso), provavelmente vão lhe oferecer o número mais baixo.

4. RECORRA A TERMOS NÃO MONETÁRIOS.

As pessoas ficam obcecadas pelo "Quanto?". Mas não utilize os números isoladamente. Isso leva à barganha, uma série de posições rígidas definidas por visões emocionais de justiça e orgulho. A negociação é uma dinâmica mais complexa e sutil do que isso.

Uma das maneiras mais fáceis de inclinar a realidade de seu interlocutor para coincidir com o seu ponto de vista é recorrer a termos não monetários. Depois de ancorá-los alto, você pode fazer sua oferta soar razoável oferecendo coisas que não são importantes para você, mas que poderiam ser para ele. Ou, se a oferta dele é baixa, você pode pedir coisas que importam mais para você do que para ele. Como isso às vezes é difícil, costumamos lançar exemplos para dar início ao processo de proposição de ideias.

Não muito tempo atrás, fiz um treinamento para a Associação de Advogados de Memphis. Normalmente, para o treinamento que eles desejavam, eu cobraria 25 mil dólares por dia. Eles vieram com uma oferta muito mais baixa, que recusei. Ofereceram-me então uma reportagem de capa sobre mim na revista da associação. Para mim, estar na capa de uma revista que ia para sabe-se lá quantos dos maiores advogados do país era uma propaganda inestimável. (Além do que, minha mãe ficou muito orgulhosa!)

Haveria algo na capa de qualquer modo, então isso tinha custo zero para eles, e eu lhes dei um grande desconto em meus honorários. Sempre uso essa história como exemplo de negociação em que dou um preço. Quero estimular em meu interlocutor uma proposição de ideias. Talvez ele venha com "joias" monetárias valiosas que podem ser baratas para ele, mas valiosas para mim.

5. QUANDO FALAR EM NÚMEROS, USE OS ÍMPARES.

Todo número tem um significado psicológico que vai além de seu valor. E não estou falando sobre quanto você adora o 17 porque acha que é seu número de sorte. O que quero dizer é que, em uma negociação, alguns números parecem mais inalteráveis do que outros.

O principal para se lembrar é que os números que terminam em 0 dão a impressão inevitável de que estão ocupando o espaço temporariamente; representam um cálculo aproximado que você poderia ser levado a baixar com facilidade. Mas qualquer coisa menos redonda – digamos, 37.263 dólares – parecerá um número a que você chegou como resultado de profunda reflexão. Para seu interlocutor, esses números evocam seriedade e imutabilidade, portanto, use-os para fortalecer suas ofertas.

6. SURPREENDA COM UM PRESENTE.

Você pode criar um ambiente de generosidade com seu interlocutor fincando uma âncora extrema e, em seguida, depois da primeira rejeição inevitável, oferecendo-lhe um presente surpresa sem qualquer relação com o que estão negociando.

Gestos conciliatórios inesperados como esse são muito eficazes porque introduzem a dinâmica da reciprocidade; a outra parte se sente compelida a responder à sua generosidade de maneira equivalente. Pode aumentar subitamente a oferta ou procurará retribuir sua gentileza no futuro. As pessoas se sentem obrigadas a pagar dívidas de gentileza.

Tenho um exemplo da política internacional. Em 1977, o presidente egípcio Anwar Sadat alavancou as negociações para um tratado de paz entre Egito e Israel fazendo um pronunciamento surpresa ao Knesset, o parlamento israelense. Foi um gesto generoso que não envolveu nenhuma concessão efetiva, mas que significou um grande passo em direção à paz.

...

Voltando ao Haiti, algumas horas depois de os sequestradores levarem sua tia, o sobrinho do político estava ao telefone comigo.

Sua família não conseguiria levantar 150 mil dólares, ele me disse, mas poderia pagar algo entre 50 mil e 85 mil dólares. Porém, como eu sabia que o dinheiro era apenas para a festa do fim de semana, minha meta era bem mais baixa: 5 mil dólares. Nós não iríamos fazer concessões; era uma questão de orgulho profissional.

Eu o aconselhei a começar ancorando a conversa na ideia de que ele não tinha o dinheiro. No entanto, deveria fazer isso sem dizer "Não", para não ferir diretamente o orgulho deles.

– Mas como eu faço isso? – perguntou ele no telefonema seguinte.

O sequestrador fez outra ameaça genérica contra a tia e mais uma vez exigiu o dinheiro.

Sugeri ao sobrinho que questionasse sutilmente o senso de justiça do sequestrador.

– Desculpe – disse ele ao sequestrador –, mas por que devemos pagar se você vai machucá-la?

Isso trouxe à tona a morte da tia, o que os sequestradores mais queriam evitar. Eles precisavam mantê-la ilesa se quisessem receber o dinheiro do resgate. Estavam negociando uma mercadoria, afinal de contas.

Note que até esse momento o sobrinho não tinha falado em valores. Esse jogo de atrito finalmente levou os sequestradores a dar um número primeiro. Sem nenhuma pressão, baixaram para 50 mil dólares.

Como a realidade dos sequestradores fora inclinada para um número menor, meus colegas e eu dissemos ao sobrinho para manter a posição.

Pedimos a ele para perguntar: "Como vou conseguir esse dinheiro?"

De novo, o sequestrador diminuiu sua exigência para 25 mil dólares.

Agora que vislumbrávamos uma saída, pedimos ao sobrinho para fazer sua primeira oferta, uma âncora extrema, baixa, de 3 mil dólares.

Houve silêncio do outro lado da linha e o sobrinho começou a suar profusamente, mas dissemos a ele para se manter firme. Isso sempre acontecia no momento em que a realidade econômica do sequestrador sofria um ajuste brutal.

Quando falou novamente, o sequestrador parecia em estado de choque. Mas ele prosseguiu. Sua oferta seguinte caiu para 10 mil dólares. Então pedimos ao sobrinho para propor um número estranho, que parecia provir de um cálculo profundo sobre quanto valia a vida de sua tia: 4.751 dólares.

O novo preço do sequestrador foi de 7.500 dólares. Em resposta, pedimos ao sobrinho para dizer "espontaneamente" que lhe daria seu novo aparelho de CD estéreo portátil ao mesmo tempo que insistia nos 4.751 dólares. Os sequestradores, que não queriam o aparelho de som, sentiram que não havia mais dinheiro e aceitaram a oferta.

Seis horas depois, a família pagou aquela quantia e a tia voltou para casa a salvo.

COMO NEGOCIAR UM SALÁRIO MELHOR

Um dos fatores que mais pesa nos rankings das escolas de administração é o patamar de remuneração de seus ex-alunos. Então digo a cada turma de MBA para a qual leciono que meu primeiro objetivo é melhorar a classificação da escola deles ensinando como negociar um salário melhor.

Divido o processo em três etapas que combinam as dinâmicas deste capítulo de maneira não apenas a melhorar o seu salário, mas a convencer seu chefe a lutar por mais dinheiro para você.

SEJA AGRADAVELMENTE PERSISTENTE SE O ASSUNTO NÃO FOR SALÁRIO

A persistência agradável é um tipo de ancoragem emocional que cria empatia aos olhos do chefe e constrói o ambiente psicológico propício para uma discussão construtiva. E quanto mais você insiste nos termos não salariais, maior é a probabilidade de ouvir propostas em outras áreas. Se o chefe não pode atender a um pedido que não tem nada a ver com salário, talvez até reaja oferecendo mais dinheiro, como fizeram com uma ex-aluna minha, americana nascida na França. Sempre com um grande sorriso, ela pediu de maneira persistente uma semana extra de férias. Disse que era "francesa" e que era isso que os franceses faziam. A empresa onde ela trabalhava estava com as mãos atadas na questão das férias, mas, como a funcionária era encantadora e introduzira a variável não monetária na noção de seu valor, o chefe reagiu aumentando seu salário.

SALÁRIO SEM METAS É ROLETA RUSSA

Depois de negociar um salário, informe-se sobre o que é ter sucesso na sua posição – bem como sobre o que precisa fazer para conseguir o aumento seguinte. Isso é significativo para você e não custa nada para seu chefe, mais ou menos como aconteceu com a associação de advogados ao me dar uma reportagem de capa na revista. Assim você pode planejar o próximo aumento e, uma vez que esteja claro o que é sucesso e contando com a supervisão do seu chefe, prepare-se para o próximo passo...

DESPERTE O INTERESSE DO CHEFE POR SEU SUCESSO E GANHE UM MENTOR NÃO OFICIAL

Lembra a ideia de calcular o que o outro lado está *realmente* comprando?

Bem, quando você estiver vendendo a si mesmo a um gerente, venda-se como mais do que apenas mão de obra para um trabalho; venda-se – e a seu sucesso – como uma maneira de o gerente validar a própria inteligência e transmiti-la para o restante da empresa. Certifique-se de que saiba que você será um argumento de carne e osso atestando a importância dele e da empresa. Depois que você tiver inclinado a realidade do chefe para considerar você como um embaixador dele, acredite: ele terá interesse em seu sucesso.

Pergunte: "O que é preciso para ser bem-sucedido aqui?"

Repare, por favor, que essa pergunta é semelhante às sugeridas por muitos centros de aconselhamento em carreiras de MBA, mas não *exatamente* igual. E as palavras exatas dessa pergunta é que são fundamentais.

Alunos dos meus cursos de MBA que fizeram essa pergunta em entrevistas de emprego provocaram uma reação curiosa em seus entrevistadores. Eles se inclinaram para a frente e disseram: "Ninguém nunca nos perguntou isso antes." Os entrevistadores, então, deram respostas ótimas e detalhadas.

A questão-chave aqui é a seguinte: se uma pessoa lhe dá uma orientação, ela o observará para conferir se você segue seus conselhos. Terá um interesse pessoal no seu sucesso. Você acaba de recrutar seu primeiro mentor não oficial.

...

Para mostrar como essa estratégia pode ser levada a cabo quase à perfeição, não consigo pensar em nenhum exemplo melhor do que o de meu ex-aluno de MBA Angel Prado.

Quando estava terminando o MBA, Angel foi até seu chefe e começou a assentar as bases para seu trabalho pós-MBA (a empresa estava pagando o curso). Durante o último semestre, ele lançou uma âncora não específica – uma espécie de faixa: sugeriu ao chefe que depois de formado, e já que a empresa não precisaria mais desembolsar o dinheiro de seu MBA (em torno de 31 mil dólares por ano), esse valor deveria ser incorporado ao seu salário.

O chefe não assumiu nenhum compromisso, mas Angel foi agradavelmente persistente em relação a isso, consolidando a ideia como uma âncora na mente do chefe.

Após a formatura, Angel e seu chefe tiveram uma conversa importante. De maneira assertiva e calma, meu ex-aluno levantou uma questão não financeira para afastar o foco do "Quanto?": ele pediu um novo cargo.

O chefe prontamente concordou que um novo cargo era certo após a conclusão do MBA de Angel.

Nesse momento, Angel e seu gerente definiram quais seriam suas funções e responsabilidades na nova posição, estabelecendo, assim, uma medida de sucesso. Então Angel respirou fundo e fez uma pausa para que seu chefe fosse o primeiro a lançar um número. Demorou, mas ele fez a proposta. Curiosamente, o número mostrou que os esforços iniciais de Angel para ancorar sua ideia haviam funcionado: o chefe propôs acrescentar 31 mil dólares ao seu salário-base, um aumento de quase 50%.

Mas Angel não era um negociador principiante, não depois de assistir às minhas aulas. Em vez de rebater e ficar preso ao "Quanto?", ele continuou falando, rotulando as emoções do chefe e demonstrando empatia diante da situação dele (na época, a empresa passava por negociações difíceis com seus investidores).

Em seguida, Angel pediu educadamente um momento para se afastar e imprimir a descrição do trabalho acordado. Essa pausa criou uma dinâmica de urgência pré-prazo final em seu chefe, o que Angel explorou ao retornar com o papel impresso. No final, ele acrescentara a remuneração desejada: "de 134.500 a 143 mil dólares".

Nessa pequena jogada, Angel entrelaçou várias lições apresentadas neste capítulo. Os números ímpares deram ao salário pedido o peso de um cálculo refletido. Os valores eram altos também, explorando a tendência natural do chefe a acatar o limite de preço diante de uma âncora extrema. E havia uma faixa, o que fez Angel parecer menos agressivo; além disso, o menor valor da faixa tornava-se razoável quando comparado ao maior.

A linguagem corporal do chefe – sobrancelhas erguidas – informou que ele estava surpreso com o pedido de remuneração. Mas a jogada surtiu o efeito desejado: depois de alguns comentários sobre a descrição do cargo, ele ofereceu 120 mil.

Angel não disse "Sim" nem "Não" e continuou falando e criando empatia. Então, no meio de uma frase, aparentemente do nada, o chefe lançou o valor de 127 mil. Estava claro que ele estava negociando consigo mesmo, então Angel esperou. Por fim, o chefe disse que concordava com os 134.500 dólares e que começaria a pagar esse salário dentro de três meses, após a aprovação do conselho de diretores.

Como a cereja do bolo, Angel investiu no uso positivo da palavra "Justo" ("É justo", disse ele), e em seguida vendeu seu aumento ao chefe como um casamento no qual o chefe seria o mentor.

– Estou pedindo a promoção a você, e não ao conselho, e tudo que preciso é que você concorde com isso – disse ele.

E como o chefe de Angel respondeu a seu novo embaixador?

– Vou lutar para conseguir esse salário.

Portanto, faça como Angel e receba o aumento que deseja!

LIÇÕES-CHAVE

Comparadas às ferramentas discutidas nos capítulos anteriores, as técnicas apresentadas aqui parecem concretas e fáceis de usar. Mas muita gente se esquiva delas por parecerem manipuladoras. Afinal, algo que inclina a realidade de seu interlocutor deve ser enganação, certo?

Em resposta, tenho a dizer que essas ferramentas são usadas por todos os melhores negociadores porque elas simplesmente reconhecem a psique humana como ela é. Somos animais emocionais e irracionais, porém, essas características se manifestam de maneiras previsíveis e obedecem a um padrão. Usar esse conhecimento é apenas ser racional.

Ao utilizar essas ferramentas em sua vida diária, lembre-se de seguir estas lições poderosas:

- Todas as negociações são definidas por uma rede de necessidades e desejos subterrâneos. Não se deixe enganar pelo que há na superfície. Se você sabe que os sequestradores haitianos só querem dinheiro para as noitadas do fim de semana, é capaz de se preparar muito melhor para negociar.

- Rachar o prejuízo é calçar um sapato preto e outro marrom, portanto, não faça concessões. Aceitar a metade quase sempre produz acordos ruins para ambos os lados.
- A proximidade de prazos finais incita as pessoas a acelerar o processo de negociação e a tomar atitudes impulsivas que vão contra seus interesses.
- A palavra com J – "Justo" – é um termo emocional que as pessoas em geral exploram para pôr o outro lado na defensiva e obter concessões. Quando seu interlocutor lançar a bomba J, não se deixe levar a uma concessão; peça a ele para explicar de que forma você o está tratando injustamente.
- Você pode inclinar a realidade de seu interlocutor ancorando o ponto de partida dele na negociação. Antes de fazer uma oferta, ancore-o emocionalmente dizendo como será ruim. Quando chegar aos números, lance uma âncora extrema para que sua oferta "real" pareça razoável ou use uma faixa de valores para parecer menos agressivo. O valor real de qualquer coisa depende do ponto de vista de quem vê.
- As pessoas assumem mais riscos para evitar uma perda do que para ter um ganho. Certifique-se de que seu interlocutor veja que há algo a perder se não agir.

CAPÍTULO 7

CRIE A ILUSÃO DE CONTROLE

Um mês depois de terminar meu trabalho no caso de Jeffrey Schilling, em maio de 2001, recebi ordens do escritório central para voltar a Manila. Os mesmos bandidos que haviam levado Schilling – um grupo brutal de islamistas radicais chamado Abu Sayyaf – tinham invadido o resort de mergulho privado Dos Palmas e feito vinte reféns, incluindo três americanos: Martin e Gracia Burnham, um casal de missionários de Wichita, Kansas, e Guillermo Sobero, diretor de uma companhia de produtos impermeáveis na Califórnia.

Dos Palmas foi um pesadelo para o negociador desde o início. Um dia depois dos sequestros, a presidente filipina recém-eleita, Gloria Macapagal-Arroyo, criou a dinâmica mais agressiva e não construtiva possível ao declarar em público "guerra total" ao Abu Sayyaf.

Não é exatamente um discurso empático, certo?

A coisa ficou muito pior.

O Exército filipino e os fuzileiros navais americanos travaram uma disputa territorial no meio das negociações, enfurecendo os sequestradores com várias incursões malfeitas. Como havia reféns americanos envolvidos, a CIA, o FBI e a inteligência militar dos Estados Unidos foram chamados, e também brigamos entre nós. Ao final, os sequestradores haviam estuprado e matado vários reféns, houve o 11 de Setembro e o Abu Sayyaf foi associado à Al-Qaeda.

Quando a crise foi encerrada, com uma orgia de tiros, em junho de 2002, Dos Palmas se tornara oficialmente o maior fracasso de minha vida profissional. Chamar aquilo de desastre seria gentil, se é que você me entende.

Mas fracassos plantam as sementes de sucessos futuros, e nosso fracasso nas Filipinas não foi exceção.

Se a calamidade em Dos Palmas me ensinou alguma coisa, foi que todos nós ainda estávamos sofrendo sob a noção de que a negociação era uma luta física com o objetivo de exaurir o oponente até a submissão, esperar o melhor e nunca desistir.

Como minha decepção com Dos Palmas me obrigou a um acerto de contas com nossas técnicas fracassadas, examinei a fundo as mais novas teorias de negociação – algumas ótimas, outras completamente desatinadas. Então me deparei com um caso em Pittsburgh que mudou para sempre o meu olhar sobre a dinâmica interpessoal das conversas em uma negociação.

A partir das cinzas de Dos Palmas, aprendemos uma lição que mudaria o modo de o FBI negociar sequestros. Aprendemos que negociação era persuadir, não submeter; cooptar, não derrotar. Mais importante, aprendemos que uma negociação bem-sucedida levava seu interlocutor a fazer o trabalho por você e a sugerir ele próprio a solução para o impasse. Isso envolvia dar a ele a ilusão de controle, enquanto você, na verdade, era quem definia o rumo da conversa.

Chamei a ferramenta que desenvolvemos de "pergunta calibrada" ou "aberta". O que ela faz é remover a agressividade dos diálogos reconhecendo o outro lado de maneira aberta, sem resistência. Isso permite introduzir ideias e pedidos sem parecer insistente. Permite cutucar.

Explicarei em detalhes mais adiante, mas por ora basta dizer que é tão simples quanto suprimir a hostilidade da afirmação "Você não pode ir embora" e transformá-la em uma pergunta:

"O que você espera alcançar indo embora?"

NÃO TENTE NEGOCIAR NO MEIO DE UM TIROTEIO

No momento em cheguei a Manila para o sequestro em Dos Palmas, fui enviado para a região de Mindanao, onde as forças filipinas estavam despejando balas e foguetes no complexo hospitalar onde o pessoal do Abu Sayyaf e os reféns estavam encurralados.

Aquele não era o lugar para um negociador, porque é impossível iniciar um diálogo no meio de um tiroteio. Então as coisas pioraram: quando acordei, na manhã seguinte, soube que durante a noite os sequestradores haviam reunido os reféns e fugido.

A "fuga" foi o primeiro sinal de que aquela operação seria um desastre e de que as forças filipinas não eram um parceiro confiável.

Em interrogatórios depois do episódio, soubemos que, durante um cessar-fogo, um militar recolhera uma maleta dos criminosos no hospital. Não muito tempo depois disso, todos os soldados posicionados na parte de trás do hospital foram convocados para uma "reunião". Coincidência ou não, os bandidos escolheram esse momento para escapar.

Duas semanas depois, no Dia da Independência das Filipinas, a situação definitivamente saiu do controle. Abu Sabaya (lembra-se dele?) anunciou que iria decapitar "um dos brancos" se o governo não suspendesse a caçada humana até o meio-dia. Sabíamos que isso significava um dos americanos e previmos que seria Guillermo Sobero.

Na ocasião, não tínhamos nenhum contato direto com os sequestradores. Nossos parceiros nas forças filipinas haviam designado um intermediário que sempre "esquecia" de nos informar sobre suas conversas telefônicas com os sequestradores (ele também "esquecia" de gravar essas ligações). Tudo que podíamos fazer era enviar mensagens de texto nos oferecendo para marcar uma hora para conversar.

O que acabou acontecendo foi que, pouco antes do prazo final de meio-dia, Sabaya e um membro do gabinete presidencial filipino tiveram uma conversa em um programa de entrevistas no rádio e o governo cedeu à exigência de Sabaya de nomear um senador malásio como negociador. Em troca, Sabaya concordou em não matar um refém.

Mas era tarde demais para desfazer essa atmosfera de confronto, desconfiança e mentiras. Naquela tarde, os reféns ouviram Sabaya gritar ao telefone: "Mas isso era parte do acordo! Isso era parte do acordo!" Logo depois, o Abu Sayyaf decapitou Guillermo Sobero e, como se não bastasse, capturou mais 15 reféns.

Nenhuma peça importante dessa negociação estava sob nosso controle. Acrescente-se a isso o fato de os Estados Unidos estarem bastante desinteressados, apesar do assassinato de Sobero, e então voltei para Washington. Parecia haver pouco que eu pudesse fazer.

E aí o 11 de Setembro mudou tudo.

Antes um grupo terrorista menor, o Abu Sayyaf foi de repente associado à Al-Qaeda. E então uma repórter da TV filipina chamada Arlyn dela Cruz entrou no acampamento do Abu Sayyaf e gravou um vídeo em que Sabaya insultava os missionários americanos Martin e Gracia Burnham, tão emaciados que pareciam sobreviventes de um campo de concentração. O vídeo chegou à mídia americana como um estrondo. De repente, o caso se tornou prioridade do governo dos Estados Unidos.

HÁ SEMPRE UMA EQUIPE DO OUTRO LADO

O FBI me mandou de volta. Agora, meu trabalho era assegurar um acordo. Tudo ganhou enorme importância. Alguns de meus contatos relataram que o diretor do FBI, Robert Mueller, estava informando pessoalmente ao presidente George W. Bush toda manhã o que fazíamos. Quando o diretor Mueller apareceu na embaixada dos Estados Unidos em Manila e fui apresentado a ele, uma expressão de reconhecimento surgiu em seu rosto. Foi um momento muito gratificante.

Mas nem todo o apoio do mundo funciona quando o time do outro lado é disfuncional. Se seus esforços de negociação não chegam à equipe por trás do seu interlocutor, você tem um acordo baseado em "esperança" – e esperança não é uma estratégia.

Uma das coisas que não avaliei bem na época foi que houve uma mudança de negociador entre os sequestradores. Sabaya fora substituído.

Em um sequestro anterior, meu chefe, Gary Noesner, havia me alertado sobre um ponto importante: uma mudança desse porte do outro lado quase sempre sinalizava que os sequestradores pretendiam assumir uma linha mais dura. Na época, não percebi o que isso significava: Sabaya assumiria o papel de romper o acordo se não estivesse mais à frente.

Nossa nova estratégia foi comprar a libertação dos Burnham. Embora oficialmente os Estados Unidos não paguem resgates, um doador dispôs-se a pagar 300 mil dólares. O novo negociador do Abu Sayyaf concordou com a libertação.

A entrega do resgate foi um desastre. Os sequestradores decidiram que não libertariam os Burnham, ou melhor, Sabaya, que era fisicamente responsável pelos reféns, recusou-se a soltá-los. Ele fizera um acordo paralelo – o que não sabíamos – e este fracassara. O novo negociador, agora constrangido e de péssimo humor, protegeu-se alegando que faltavam 600 dólares no pagamento. Ficamos confusos – "Seiscentos dólares? Vocês não vão liberar os reféns por causa de 600 dólares?" – e tentamos argumentar que, se estava faltando dinheiro, o entregador devia ter roubado uma parte. Mas não tínhamos construído uma dinâmica de confiança e cooperação que pudesse nos apoiar. Os 300 mil dólares já tinham sido entregues e estávamos de volta às mensagens de texto raramente respondidas.

O desastre em câmera lenta culminou dois meses depois com um "resgate" fracassado. Uma equipe de Scout Rangers filipinos que caminhava na floresta deparou com o acampamento do Abu Sayyaf, ou pelo menos foi o que disseram. Mais tarde, soubemos que outra agência do governo lhes dera a pista. Essa outra agência do governo não nos dissera a localização porque... porque... por quê? Isso é algo que nunca entenderei.

Os Scout Rangers formaram uma linha ao longo de uma fileira de árvores acima do acampamento e abriram fogo indiscriminadamente. Gracia e Martin estavam cochilando em suas redes quando começou a chover bala. Ambos saíram das redes e rolaram morro abaixo tentando se proteger. Mas, quando uma saraivada de balas dos Rangers os atingiu, Gracia sentiu algo queimar a coxa direita. Em seguida, viu que Martin cambaleava.

Minutos depois, após a fuga dos últimos rebeldes, o esquadrão filipino tentou tranquilizar Gracia dizendo que seu marido estava bem, mas ela balançou a cabeça; após um ano em cativeiro, não tinha tempo para fantasias. Gracia sabia que Martin havia morrido, e estava certa: ele fora atingido no peito três vezes por fogo "amigo".

No fim, a suposta missão de resgate matou dois dos três reféns ali naquele dia (uma enfermeira filipina chamada Ediborah Yap também morreu); o peixe grande – Sabaya – escapou e viveu mais alguns meses. Do começo ao fim, a missão de 13 meses foi um completo fracasso, um desperdício de pessoal e dinheiro. Quando me sentei no escuro em casa, alguns dias depois, desanimado e exausto, eu sabia que algo tinha que mudar. Não podíamos deixar que isso acontecesse de novo.

A morte dos reféns significava que teríamos que encontrar uma nova maneira de negociar, comunicar, escutar e falar, tanto com nossos inimigos como com nossos amigos. Não para melhorar a comunicação, no entanto.

Não. Tínhamos que fazer isso para *vencer*.

EVITE UM CONFRONTO

Meu retorno aos Estados Unidos foi um momento de muita reflexão. Questionei parte do que fazíamos no FBI. Cheguei a duvidar de nossa eficácia. Se o que sabíamos não era suficiente, tínhamos que melhorar.

O verdadeiro empurrão veio quando eu, já nos Estados Unidos, estava analisando dados sobre o caso, muitos dos quais não chegaram a nós em campo, no calor das negociações. Em meio a pilhas de informações havia um fato que me deixou absolutamente perplexo.

A voz de Martin Burnham tinha sido ouvida por acaso em um telefonema para *alguém*. "Como assim?", me perguntei. O que, em nome de Deus, nosso refém estava fazendo falando ao telefone sem que soubéssemos? E com quem ele estava falando? Existe apenas um motivo para um refém ter acesso a um telefone: fornecer prova de vida. Alguém mais estava tentando resgatar os Burnham.

Descobriu-se que alguém a serviço de um político filipino corrupto vinha fazendo uma negociação paralela para libertar os Burnham. O objetivo dele era se destacar aos olhos da presidente Arroyo.

Mas não foi tanto esse cara agindo pelas nossas costas que me incomodou. Como já ficou bem claro, havia um monte de coisas acontecendo às escondidas. O que realmente me chateou foi que esse otário, que não era um negociador de reféns treinado pelo FBI, conseguira algo que eu não fora capaz de obter.

Ele conseguira falar com Martin Burnham ao telefone. De graça.

O êxito desse político corrupto onde havíamos falhado era uma espécie de metáfora para tudo que havia de errado com nossa mentalidade unidimensional.

Além de nossos problemas com as forças filipinas, o grande motivo pelo qual não tivemos nenhuma influência efetiva sobre os sequestradores e reféns foi a nossa mentalidade olho por olho. Nessa visão de mundo, se ligássemos para os bandidos, estaríamos pedindo alguma coisa, e, se eles nos entregassem o que pedíamos, teríamos que dar algo em troca. E então, como tínhamos certeza de que os Burnham estavam vivos, nunca nos preocuparíamos em ligar e pedir uma prova de vida. Temíamos o peso da dívida.

Se fizéssemos um "pedido" e eles concordassem, ficaríamos "devendo". Não pagar uma dívida era arriscar-se a uma acusação de má-fé na negociação, e agir de má-fé em sequestros leva à morte de pessoas.

É claro que não pedimos aos sequestradores para falar diretamente com o refém porque sabíamos que eles diriam "Não" e temíamos ficar constrangidos.

Esse temor era um grande defeito em nossa mentalidade de negociação. Há algumas informações que você só consegue por meio de interações diretas e prolongadas com seu interlocutor.

Também precisávamos de novas maneiras de obter elementos sem precisar pedir. Era necessário refinar um "pedido" com algo mais sofisticado do que perguntas fechadas cujas respostas eram "Sim" ou "Não".

Foi quando percebi que o que vínhamos fazendo não era comunicação: era flexão verbal. Queríamos que eles vissem as coisas pelo nosso ponto de vista e eles queriam que as víssemos do deles. Se você permite que essa dinâmica se instale no mundo real, a negociação é rompida e as tensões explodem. Esse etos permeava tudo que o FBI estava fazendo. Tudo era confronto. E isso não funcionava.

Nossa abordagem a perguntas de prova de vida incorporava todos esses problemas.

Na época, obtínhamos a prova de que nossos reféns estavam vivos por meio de perguntas cujas respostas só eles poderiam saber. Questões no estilo segurança de computador, como "Qual é o nome do primeiro cachorro de Martin?" ou "Qual é o segundo nome do pai de Martin?".

No entanto, esse tipo de pergunta tinha muitas falhas. Em primeiro lugar, tornara-se mais ou menos uma marca registrada das polícias no mundo dos sequestros. Quando uma família começa a fazer uma pergunta desse tipo, é quase certo que há policiais na retaguarda. E isso deixa os sequestradores muito nervosos.

Além desse foco de tensão, há o problema real de que responder a perguntas assim exigia pouco esforço, se é que exigia algum. Os bandidos obtêm a resposta e a dão a você na hora, porque é fácil demais. Pá, pá, pá! É tudo tão rápido que você não ganha nenhuma vantagem tática, nenhuma informação útil, nenhum esforço da outra parte em direção a um objetivo útil para você. E toda negociação, quando bem-feita, deve reunir informações que confiram a seu interlocutor um resultado que trabalhe a seu favor.

O pior de tudo é que os bandidos sabem que lhe deram algo – uma prova de vida – que desencadeia toda uma genética de reciprocidade humana. Quer gostemos de reconhecer isso ou não, uma regra universal da natureza humana, em todas as culturas, é que, quando alguém lhe dá algo, espera receber algo em troca. Você não receberá mais nada enquanto não retribuir.

Não queríamos desencadear toda essa história de reciprocidade justamente porque não queríamos dar nada. Então, o que aconteceu? Todas as nossas conversas se transformaram em confrontos estáticos entre duas partes que queriam extrair algo uma da outra, mas não queriam dar nada em troca. Não nos comunicávamos, por orgulho e medo.

Foi por isso que fracassamos, enquanto bobalhões como esse político filipino entraram de qualquer maneira e conseguiram aquilo de que precisávamos tão desesperadamente. Ou seja, comunicação sem reciprocidade. Perguntei a mim mesmo: "Como diabos *nós* podemos fazer isso?"

SUSPENDA A DESCRENÇA

Enquanto eu estava queimando os miolos para entender como esse político barato conseguira pôr Martin Burnham no telefone e nós não, o FBI de Pittsburgh apareceu com um caso de sequestro.

Meu parceiro Chuck me trouxe as fitas de gravação do caso porque achou divertido. Era o seguinte: um traficante de drogas de Pittsburgh sequestrara a namorada de outro traficante de Pittsburgh e, sabe-se lá por que motivo, o traficante que era a vítima recorreu ao FBI para pedir ajuda. Ir ao FBI parecia algo meio contrário aos interesses desse cara, sendo ele um traficante e tudo mais, mas ele decidiu agir assim porque, não importa quem você seja, quando precisa de ajuda recorre ao FBI, certo?

Nas fitas, nossos negociadores de reféns estão passeando com esse traficante enquanto ele negocia com o outro. Normalmente, orientaríamos o cara a fazer uma pergunta de prova de vida irretocável, como: "Qual era o nome do ursinho de pelúcia da namorada quando ela era pequena?" Mas naquele momento o traficante ainda não havia sido preparado para fazer a pergunta "correta". Então, no meio da conversa com o sequestrador, ele soltou esta:

– Ei, cara, como vou saber se ela está bem?

E a coisa mais engraçada aconteceu. O sequestrador ficou em silêncio durante dez segundos. Estava completamente desconcertado. Em seguida, ele disse, em um tom de voz muito menos agressivo:

– Bem, eu ponho ela ao telefone.

Fiquei perplexo porque aquele traficante sem nenhum treinamento conseguiu uma vitória fenomenal na negociação. Levar o sequestrador a se *oferecer* para pôr a vítima ao telefone é algo incrível.

Foi quando tive meu momento de revelação e percebi que essa era a técnica que eu procurava. Em vez de fazer uma pergunta fechada com uma única resposta correta, ele enunciara uma pergunta aberta, mas calibrada, que forçou o outro cara a fazer uma pausa e pensar sobre como resolver *o* problema. Pensei comigo mesmo que aquilo era perfeito! Uma pergunta natural e normal, não um pedido. Foi uma pergunta "Como?", e "Como?" engaja porque pede ajuda.

O melhor de tudo é que ele não fica devendo nada ao sequestrador. O cara é que se oferece para pôr a garota ao telefone: ele pensa que é uma ideia dele. O sequestrador acredita que está no controle. E o segredo de obter a vantagem em uma negociação é dar ao outro lado a ilusão de controle.

A genialidade dessa técnica foi bem explicada pelo psicólogo Kevin Dutton em seu livro *Split-Second Persuasion*.[1] Ele fala sobre o que chama de "descrença", uma resistência ativa ao que o outro lado está dizendo, uma completa rejeição. Geralmente é o ponto de partida de uma negociação.

Se você nunca sai dessa dinâmica, acaba gerando confrontos, em que cada lado tenta impor seu ponto de vista. Temos então dois cabeças-duras batendo um contra o outro, como em Dos Palmas. Mas, se você consegue fazer o outro lado renunciar à descrença, pode levá-lo aos poucos para o *seu* ponto de vista com a energia *dele*, da mesma forma que a pergunta do traficante levou o sequestrador a se oferecer para fazer o que o traficante queria. Não se trata de persuasão direta; em vez disso, você "transporta" o interlocutor para suas ideias. Como diz o ditado, a melhor maneira de andar a cavalo é ir na mesma direção que ele.

Nosso trabalho como agentes de persuasão é mais fácil do que pensamos. Não se trata de fazer os outros acreditarem no que dizemos, e sim levá-los a parar de desacreditar. Quando alcançamos isso, metade do jogo está ganha. "A descrença é o atrito que mantém a persuasão sob controle", diz Dutton. "Sem ela, não haveria limites."

Dar a seu interlocutor a ilusão de controle fazendo perguntas calibradas – pedindo ajuda – é uma das ferramentas mais potentes para suspender a descrença. Não muito tempo atrás, li no *The New York Times*[2] um artigo escrito por um estudante de medicina que se viu diante de um paciente que tinha arrancado o tubo intravenoso, feito a mala e se preparava para ir embora do hospital. Tudo isso porque o resultado de sua biópsia estava muito atrasado e ele se cansara de esperar.

Foi quando um médico experiente chegou. Depois de oferecer calmamente um copo de água ao paciente e perguntar-lhe se poderiam conversar por um minuto, ele disse que entendia a insatisfação do paciente e prometeu ligar para o laboratório para saber por que o resultado estava demorando tanto.

Mas foi a atitude seguinte do médico que, de fato, suspendeu a descrença do paciente: ele fez uma pergunta calibrada – o que havia de tão importante para ele querer sair? E então, quando o paciente disse que tinha coisas para fazer, o médico se ofereceu para pô-lo em contato com serviços que poderiam ajudá-lo a resolver esses assuntos. E pronto, ele se dispôs a ficar.

O que há de tão potente na técnica do médico experiente é que ele encarou o que era um confronto – "Vou sair" versus "Você não pode sair" – e fez perguntas que levaram o paciente a resolver o impasse... da maneira que o médico quis.

Ainda era uma queda de braço, é claro, mas o médico retirou de cena a confrontação e a bravata, dando ao paciente a ilusão de controle. Como disse certa vez um antigo editor do *Washington Post*, Robert Estabrook:

"Aquele que aprendeu a discordar sem ser desagradável descobriu o segredo mais valioso da negociação."

Essa mesma técnica para suspender a descrença, usada com sequestradores e pacientes em fuga, funciona para qualquer coisa, até mesmo para negociar preços. Quando entra em uma loja, em vez de informar ao atendente o que "precisa", você pode descrever o que está procurando e pedir sugestões.

Depois de escolher o que quer, em vez de fazer uma oferta direta, experimente apenas dizer que o preço é um pouco maior do que você pode pagar. Então peça ajuda com uma das melhores perguntas calibradas de todos os tempos: "Como devo fazer isso?" O ponto fundamental dessa abordagem é que você está de fato pedindo ajuda, e o que diz deve transmitir esse apelo. Com um esquema de negociação assim, em vez de intimidar o atendente, você estará pedindo um conselho a ele e lhe dando a ilusão de controle.

Conduzir a conversa dessa maneira, uma vez que já se esteja engajado em um diálogo, é uma técnica de negociação muito poderosa para transformar confrontos diretos em sessões conjuntas de resolução de problemas. E perguntas calibradas são a melhor ferramenta.

CALIBRE SUAS PERGUNTAS

Alguns anos atrás, dei consultoria para uma cliente dona de uma pequena firma de relações públicas que atendia uma corporação. A grande empresa estava com problemas de caixa e, à medida que o tempo passava, devia cada vez mais dinheiro à minha cliente. Os funcionários com quem ela interagia acenavam com novos negócios em breve, indicando que ela receberia muito dinheiro se continuasse trabalhando sem cobrar assertivamente o que lhe deviam. Ela se sentia em uma armadilha.

Meu conselho foi simples: eu disse a ela para convocar uma reunião na qual resumiria a situação e em seguida perguntaria: "Como devo fazer isso?"

Ela balançou a cabeça. De jeito nenhum. A ideia de formular essa pergunta a deixou apavorada.

– Se eles me disserem o que fazer, aí mesmo é que estou em uma armadilha! – foi sua reação.

Para ela, essa pergunta tinha outra interpretação: "Vocês estão me dando um calote e não podemos continuar assim." Poderia ser o primeiro passo para sua dispensa do trabalho como consultora.

Expliquei a ela que essa consequência, embora real, estava na cabeça dela. O cliente ouviria as palavras, e não a consequência, desde que ela se mantivesse calma e evitasse fazer com que a pergunta soasse como uma acusação ou ameaça. Se ela permanecesse tranquila, eles ouviriam isso como um problema a ser resolvido.

Ela não acreditou muito em mim. Repassamos o roteiro várias vezes, mas minha cliente ainda se mostrava temerosa. Alguns dias depois, ela me telefonou, exultante. Uma pessoa da empresa telefonara para fazer outro pedido e ela finalmente tivera coragem para resumir a situação e perguntar: "Como devo fazer isso?"

Sabe o que aconteceu? A resposta que ela recebeu foi: "Você está certa, você não pode e eu peço desculpas." O cliente explicou que eles estavam passando por problemas internos. Pouco depois ela foi procurada por alguém da contabilidade que lhe disse que receberia o pagamento em 48 horas. E assim foi.

Agora, pense no mecanismo que a pergunta da minha cliente desencadeou: sem acusá-los de nada, a questão forçou a grande empresa a entender seu problema e oferecer a solução que ela queria. É exatamente para isso que servem as perguntas abertas que são calibradas para um efeito específico.

Assim como as palavras e frases que atuam como "amortecedores" – "Talvez", "Pode ser", "Eu acho" e "Parece" –, a pergunta aberta calibrada remove a agressão de uma afirmação de confronto ou de um pedido fechado que, feita de outra forma, poderia irritar o interlocutor. O que a faz funcionar é o fato de estar sujeita a uma interpretação por parte do interlocutor em vez de ser rigidamente definida. A pergunta calibrada permite introduzir ideias e pedidos sem que isso soe arrogante ou impositivo.

Essa é a diferença entre "Vocês estão me deixando sem dinheiro e isso não pode continuar assim" e "Como devo fazer isso?".

A real beleza das perguntas calibradas é esta: diferentemente das afirmações, elas não oferecem nenhum alvo de ataque; têm o poder de instruir seu interlocutor sobre qual é o problema em vez de causar conflito *dizendo a ele* qual é o problema.

Mas as perguntas calibradas não se resumem a pedidos aleatórios. Elas têm uma direção: uma vez que você descobre o rumo que quer dar à conversa, precisa criar as perguntas que facilitarão que ela siga nessa direção e, ao mesmo tempo, deixarão o outro pensar que levá-lo até lá foi escolha dele.

É por isso que me refiro a essas perguntas como *calibradas*. Você deve calibrá-las com cuidado, assim como ajusta a mira de uma arma ou uma balança, para atingir um problema específico.

A boa notícia é que há regras para isso.

Primeiro, as perguntas calibradas evitam verbos ou palavras como "pode", "é", "são" e "será". Essas expressões compõem perguntas fechadas que podem ser respondidas com um simples "Sim" ou "Não". Em vez disso, começam com uma lista de palavras que os jornalistas aprendem a formular na faculdade: "Quem", "O que", "Quando", "Onde", "Por que" e "Como". Essas palavras induzem o interlocutor a pensar e em seguida a falar pelos cotovelos.

Mas vou reduzir a lista: é melhor começar com "O que", "Como" e, às vezes, "Por que". Nada mais. Com frequência, "Quem", "Quando" e "Onde" só farão seu interlocutor compartilhar um fato sem pensar. E "Por que" pode ser um tiro que sai pela culatra. Independentemente do idioma, "Por que" contém uma acusação. São raros os momentos em que isso é vantajoso para você.

A única situação em que é possível usar "Por que" com êxito é quando a defesa criada sustenta a mudança que você está tentando promover. "Por que você mudaria a maneira como sempre fez as coisas e tentaria minha abordagem?" é um exemplo. "Por que sua empresa mudaria seu antigo fornecedor e escolheria a nossa firma?" é outro. Como sempre, é fundamental um tom de voz respeitoso e cortês.

Do contrário, trate o "Por que" como uma boca de fogão quente – não toque nele.

Ter apenas duas palavras para começar não parece ser muita munição, mas confie em mim: "O que" e "Como" podem calibrar quase qualquer pergunta. "Isso parece algo de que você gostaria?" pode se transformar em "Como isso lhe parece?" ou "O que funciona para você aqui?". Você pode até perguntar "O que não funciona para você aqui?" e provavelmente obterá alguma informação útil.

Mesmo algo duro como "Por que você fez isso?" pode ser calibrado para "O que o levou a fazer isso?", o que remove a emoção e torna a pergunta menos acusatória.

Use perguntas calibradas cedo e com frequência; algumas estarão presentes logo no início de quase todas as negociações que fizer. "Qual é o maior desafio que você enfrenta?" é uma dessas perguntas. Isso leva o outro lado a informar a você algo sobre ele, o que é fundamental para qualquer negociação. Afinal, todas as negociações são um processo de coleta de informações.

Eis algumas ótimas perguntas "reserva" que uso em quase todas as negociações, dependendo da situação:

- O que é importante para você aqui?
- Como posso ajudar a tornar isso melhor para nós?
- Como você gostaria que eu procedesse?
- O que foi que nos trouxe a essa situação?
- Como podemos resolver esse problema?
- Qual é o objetivo? / O que estamos tentando alcançar aqui?
- Como devo fazer isso?

Nas entrelinhas de qualquer boa pergunta calibrada está a informação de que você quer o mesmo que o outro, mas precisa da inteligência dele para resolver o problema. Isso agrada a interlocutores muito agressivos ou autocentrados.

Você não apenas pediu ajuda implicitamente – desencadeando boa-vontade e induzindo o outro a baixar a guarda – como ainda criou uma situação em que seu interlocutor, antes recalcitrante, está agora usando os próprios recursos mentais e emocionais para superar os *seus* desafios. Esse é o primeiro passo para a outra parte internalizar o seu caminho – e os obstáculos deste – como dela. E isso a estimula a buscar uma solução.

A *sua* solução.

Relembre como o médico usou perguntas calibradas para convencer o paciente a ficar no hospital. Como essa história mostrou, a chave para fazer as pessoas verem as coisas do seu ponto de vista não é o confronto ("Você não pode sair"), mas o reconhecimento aberto das ideias delas ("Eu entendo por que você está irritado") e a indução para que resolvam o problema ("O que você espera fazer ao sair?").

Como eu disse antes, o segredo para obter vantagem em uma negociação é dar ao outro lado a ilusão de controle. É por isso que as perguntas calibradas são engenhosas: elas fazem o seu interlocutor sentir que está no comando, mas na verdade é você que está enquadrando a conversa. A outra parte não tem a menor ideia de como está sendo coagida por suas perguntas.

Certa vez, eu estava negociando minha participação em um programa executivo em Harvard com um de meus chefes no FBI. Ele já aprovara as despesas da viagem, mas um dia antes da partida me chamou ao seu escritório e começou a questionar o porquê da viagem.

Eu o conhecia bem o bastante para saber que ele estava tentando me mostrar quem mandava ali. Então, depois de falarmos um pouco, perguntei:

– Quando você aprovou essa viagem, o que tinha em mente?

Ele relaxou visivelmente enquanto se recostava na cadeira e juntava as pontas dos dedos da mão. Quase sempre, essa é a linguagem corporal de alguém que se sente superior e no comando.

– Vamos fazer assim – disse ele. – Quando você voltar, compartilhe as informações com seus colegas.

Aquela pergunta, calibrada para reconhecer seu poder e estimulá-lo a se explicar, deu ao meu chefe a ilusão de controle.

E deu a mim exatamente o que eu queria.

COMO *NÃO* SER PAGO

Vamos fazer uma pausa aqui por um instante, porque há uma coisa de importância vital que você precisa lembrar ao iniciar uma negociação com sua lista de perguntas calibradas. Tudo isso é ótimo, mas há um porém: sem autocontrole e equilíbrio emocional, não funciona.

Quando estou treinando novos negociadores, falo antes de mais nada sobre a importância fundamental do autocontrole. Se você não consegue controlar suas emoções, como espera influenciar as emoções do outro?

Para mostrar o que quero dizer, vou contar uma história.

Não muito tempo atrás, uma estrategista de marketing autônoma me procurou com um problema. Um de seus clientes contratara um novo CEO, um mão de vaca empenhado em reduzir custos fazendo tudo que pudesse fora do país, com mão de obra barata. Ele era também um chauvinista que não gostava do estilo assertivo dessa estrategista.

Logo de cara, minha cliente e o CEO começaram a se atacar em teleconferências, daquela maneira passivo-agressiva tão presente nas corporações norte-americanas. Algumas semanas depois, minha cliente decidiu dar um basta. Cobrou do CEO pelo último trabalho que fizera (aproximadamente 7 mil dólares) e, de maneira educada, disse que o esquema não estava funcionando. O CEO respondeu que aquela conta estava alta demais; ele pagaria a metade e os dois conversariam sobre o restante.

Depois disso, ele parou de atender os telefonemas dela.

A dinâmica subjacente era que esse cara não queria ser questionado por ninguém, principalmente por uma mulher. Então eu e ela desenvolvemos uma estratégia para mostrar ao CEO que ela entendia onde havia errado e reconhecia o poder dele, mas, ao mesmo tempo, direcionava a energia dele para a resolução do problema dela.

O roteiro que criamos incluiu todas as melhores práticas de negociação sobre as quais você leu até agora. Aqui estão:

1. Para retomar o contato, uma pergunta por e-mail orientada para o "Não": "Você desistiu de resolver isso amigavelmente?"
2. Uma afirmação para a qual a única resposta possível era "Está certo", de modo a produzir uma dinâmica de acordo: "Parece que você acha que minha conta não se justifica."
3. Perguntas calibradas sobre o problema para fazê-lo revelar o que pensava: "Como essa conta viola o nosso acordo?"
4. Mais perguntas orientadas para o "Não" a fim de remover barreiras invisíveis: "Você está dizendo que eu enganei você?"; "Você está dizendo que eu não fiz o que você pediu?"; "Você está dizendo que eu descumpri o nosso acordo?" ou "Você está dizendo que eu falhei com você?".
5. Rotular e espelhar a essência das respostas dele se estas não fossem aceitáveis, de tal modo que ele tivesse que reconsiderá-las: "Parece que

você acha que meu trabalho ficou abaixo da média" ou "Meu trabalho ficou abaixo da média?".
6. Uma pergunta calibrada em resposta a qualquer oferta que não fosse o pagamento total, para levá-lo a oferecer uma solução: "Como devo aceitar isso?"
7. Se nada disso levasse a uma oferta de pagamento completo, um rótulo que elogiasse o senso de controle e o poder dele: "Parece que você é o tipo de pessoa que se orgulha do modo como faz negócios, com motivos para isso, e que tem um talento especial não apenas para expandir os negócios, mas também para conduzir o barco com mais eficiência."
8. Uma longa pausa e em seguida mais uma pergunta orientada para o "Não": "Você quer ser conhecido como alguém que não cumpre seus acordos?"

Minha longa experiência em negociação me informa que roteiros como esse têm um índice de sucesso de 90%. Quer dizer, se o negociador permanecer calmo e racional. E esse é um grande *se*.

Nesse caso, ela não permaneceu.

O primeiro passo – o e-mail mágico – funcionou melhor do que ela imaginava e o CEO ligou dez minutos depois, surpreendendo-a. Quase imediatamente a raiva dela aumentou ao ouvir a voz arrogante dele. Seu único desejo era mostrar que ele estava errado e impor sua vontade. E assim a conversa se transformou em um confronto que não levou a lugar algum.

Ela não conseguiu nem a metade.

Com isso em mente, quero terminar este capítulo com alguns conselhos sobre maneiras de preservar a racionalidade em uma negociação. Mesmo com todas as melhores técnicas e estratégias, você precisará controlar suas emoções se quiser ter alguma esperança de sucesso.

A primeira e mais básica regra para manter a serenidade é morder a língua. Não literalmente, é claro, mas você terá que se afastar de reações automáticas e exaltadas. Faça uma pausa. Pense. Deixe a raiva se dissipar. Isso permitirá que você organize seus pensamentos e seja mais circunspecto no que diz. Também reduzirá sua chance de dizer mais do que deseja.

Os japoneses encontraram uma boa solução para isso. Ao negociar com um estrangeiro, uma prática comum do homem de negócios japonês é usar um tradutor mesmo quando ele entende perfeitamente o que o outro lado está dizendo. Isso porque expressar-se com o auxílio de um tradutor dá a ele tempo de refletir e preparar suas respostas.

Outra regra simples é não contra-atacar quando você é verbalmente atacado. Nesse momento, desarme seu interlocutor fazendo uma pergunta calibrada. Da próxima vez que um garçom ou um vendedor tentar envolvê-lo em um confronto, experimente isso. Garanto que a conversa ganhará outro rumo.

A questão básica aqui é esta: quando as pessoas sentem que não estão no controle, adotam o que os psicólogos chamam de mentalidade de refém. Quer dizer, em momentos de conflito elas reagem à própria falta de poder fechando-se em uma postura defensiva ou partindo para o ataque.

Do ponto de vista neurológico, em situações assim o mecanismo de fugir ou lutar no cérebro reptiliano ou as emoções no sistema límbico se sobrepõem à parte racional da nossa mente, o neocórtex, levando-nos a uma reação exagerada instintiva e impulsiva.

Em uma negociação, como aquela entre minha cliente e o CEO, isso sempre produz um resultado negativo. Portanto, temos que treinar nosso neocórtex a sobrepujar as emoções dessas outras partes do cérebro.

Isso significa morder a língua e aprender a mudar o nosso estado para algo mais positivo. Combater a mentalidade de refém em seu interlocutor fazendo uma pergunta ou mesmo oferecendo desculpas ("Você está certo. Isso foi um pouco duro").

Se fosse possível monitorar o ritmo cardíaco de um sequestrador durante uma negociação, constataríamos que ao ouvir cada pergunta calibrada e pedido de desculpas haveria desacelerações no ritmo cardíaco dele. É assim que se chega a uma dinâmica em que as soluções aparecem.

LIÇÕES-CHAVE

Quem controla uma conversa? Aquele que escuta ou aquele que fala?

O que escuta, é claro.

Quem fala está revelando informações, enquanto quem escuta, se for bem treinado, está direcionando a conversa para alcançar os próprios objetivos; canalizando a energia daquele que fala para os próprios fins.

Quando você tentar aplicar as habilidades deste capítulo à sua vida diária, lembre-se de que são ferramentas daquele que escuta. O objetivo delas não é forçar seu oponente à submissão; servem para usar o poder do interlocutor para chegar ao seu objetivo. São o judô daquele que escuta.

Então, ao pôr em prática o judô do ouvinte, lembre-se das seguintes lições poderosas:

- Não tente forçar seu oponente a admitir que você está certo. A confrontação agressiva é inimiga da negociação construtiva.
- Evite perguntas que podem ser respondidas com "Sim" ou com fragmentos de informações. Elas exigem pouco raciocínio e despertam a necessidade humana de reciprocidade. Seu interlocutor esperará que você dê algo em troca.
- Faça perguntas calibradas que comecem com "Como" ou "O que". Ao pedir ajuda à outra parte de maneira implícita, essas perguntas darão a seu interlocutor uma ilusão de controle e vão inspirá-lo a falar longamente, revelando informações importantes.
- Não faça perguntas que comecem com "Por que", a não ser que você queira que seu interlocutor defenda um objetivo do seu interesse. "Por que" é sempre uma acusação, em qualquer língua.
- Calibre suas perguntas de modo a direcionar seu interlocutor para a resolução do seu problema. Isso o incentivará a gastar energia para encontrar uma saída.
- Morda a língua. Quando for atacado em uma negociação, faça uma pausa e evite reações emocionais de raiva. Em vez disso, proponha uma pergunta calibrada a seu interlocutor.
- Há sempre uma equipe do outro lado. Se você não conseguir influenciar aqueles que estão do outro lado da mesa, ficará vulnerável.

―――――― CAPÍTULO 8 ――――――

GARANTA A EXECUÇÃO

Durante um perigoso e caótico cerco à prisão de St. Martin Parish, na Louisiana, alguns anos atrás, um grupo de presidiários armados de facas improvisadas tomou como reféns o diretor e alguns funcionários. A situação foi especialmente tensa porque os prisioneiros estavam nervosos e desorganizados. Era um cenário preocupante e qualquer coisa poderia acontecer ali.

Os negociadores perceberam que, por trás das ameaças, os prisioneiros não queriam ferir os funcionários. Eles sabiam que estavam encurralados e, mais do que tudo, desejavam pôr fim àquela situação.

Mas havia um obstáculo: os presidiários temiam retaliações àqueles que se entregassem depois de terem feito funcionários reféns, sem falar o diretor. Achavam que poderiam apanhar, e muito.

Os negociadores entregaram walkie-talkies aos presos e criaram um elaborado ritual de rendição para levá-los a encerrar o cerco. A ideia era elegantemente simples.

Um dos presos sairia primeiro, levando um dos walkie-talkies. Ele atravessaria a pé os três agrupamentos de policiais das várias agências de segurança que estavam posicionados do lado de fora da prisão. Depois que ultrapassasse o último grupo, entraria em um camburão e seria transferido para outra prisão. Ali, ele usaria o walkie-talkie para ligar para os outros e dizer apenas: "Não me deram porrada." Os demais rebeldes se sentiriam seguros para sair, assim como ele, um de cada vez.

Depois de alguma discussão, os presos concordaram com o plano e o primeiro deles saiu. Tudo começa bem. Ele passa pela zona federal, depois pela zona da SWAT e então chega ao agrupamento mais externo. Mas, justo quando vai entrar no camburão, um cara vê o walkie-talkie na mão do preso e diz:

– O que você está fazendo com isso?

Então confisca o aparelho antes de enviá-lo para a cadeia.

Na prisão, os presidiários começam a ficar nervosos porque o companheiro não fez contato. Aquele que está com o outro walkie-talkie chama os negociadores e começa a gritar:

– Por que ele não ligou? Estão dando porrada nele. Nós avisamos que isso aconteceria!

Ele ameaça cortar o dedo de um refém para mostrar aos negociadores que não estão de brincadeira.

Agora são os negociadores que estão nervosos. Eles percorrem a área onde os policiais estão agrupados, aos berros. É uma questão de vida ou morte. Ou pelo menos de dedo amputado.

Por fim, depois de 15 minutos de tensão, um cara da SWAT se aproxima a passos largos, orgulhoso de si.

– Algum idiota tinha dado um rádio para o cara – diz ele, meio que sorrindo, enquanto entrega o walkie-talkie aos negociadores. Estes se controlam para não atacar o policial e saem em disparada para a cadeia, levando o aparelho para que o primeiro preso a sair pudesse entrar em contato com os demais.

A crise foi evitada, mas por pouco.

O trabalho do negociador não é apenas chegar a um acordo; é chegar a um acordo que possa ser implementado e assegurar que ele seja cumprido. Negociadores têm que ser arquitetos de decisões: eles precisam criar, de maneira dinâmica e adaptável, os elementos verbais e não verbais da negociação para obter o consentimento *e* a execução.

Um "Sim" não é nada sem um "Como". Embora um acordo seja bom, um contrato é melhor, e um cheque assinado, melhor ainda. Não se obtém lucro com o acordo: isso vem depois da implementação. Sucesso não é o sequestrador afirmar: "Sim, estamos de acordo." O sucesso vem depois, quando o refém libertado olha para você e diz: "Obrigado."

Neste capítulo, mostrarei como chegar ao consentimento tanto daqueles que estão na mesa de negociação quanto das forças invisíveis que estão "embaixo" dela; como distinguir uma concordância verdadeira de uma aquiescência falsa; e como garantir a execução usando a Regra de Três.

"SIM" NÃO É NADA SEM "COMO"

Mais ou menos um ano depois da crise em Dos Palmas, eu estava lecionando na Academia do FBI, em Quantico, quando a agência recebeu um telefonema urgente do Departamento de Estado: um americano fora sequestrado na selva equatoriana por um grupo rebelde que tinha base na Colômbia. Como principal negociador internacional de reféns do FBI, aquele "filho" era meu, então reuni uma equipe e montei um centro de operações em Quantico.

Há alguns anos, José e sua esposa, Julie, vinham guiando grupos de turistas pela selva próxima à fronteira colombiana. Nascido no Equador, José se tornara cidadão americano e estava trabalhando como paramédico em Nova York quando ele e Julie decidiram montar um negócio de ecoturismo em seu país natal. José adorava a floresta equatoriana e sonhava havia muito tempo em ensinar aos visitantes sobre os macacos que se balançavam nas árvores e as flores que perfumavam as trilhas.

A clara paixão do casal encantava os turistas e o negócio não parava de crescer. Em 20 de agosto de 2003, José e Julie levaram onze pessoas para um rafting nas corredeiras do rio Mira. Depois de um ótimo dia na água, os turistas, sorridentes e ensopados, amontoaram-se em jipes e caminhonetes para ir até uma pousada em uma vila próxima. José contava casos enquanto dirigia a caminhonete à frente, Julie à sua direita com o bebê de 11 meses do casal no colo.

Eles estavam a cinco minutos da pousada quando três homens surgiram de repente e apontaram armas para o veículo. Um quarto homem encostou um revólver na cabeça de Julie, enquanto os outros puxaram José para fora do carro e o forçaram a entrar na carroceria da caminhonete. Os sequestradores ordenaram então que a caravana passasse por várias cidadezinhas até chegar a uma bifurcação na estrada, onde eles saltaram, levando José. Ao passarem junto à cabine onde Julie estava sentada, ela disse:

– Lembre-se: não importa o que acontecer, eu amo você.
– Não se preocupe, vou ficar bem – respondeu José.
E então ele e seus captores desapareceram na selva.

...

Os captores queriam 5 milhões de dólares. Nós queríamos ganhar tempo.

Desde o desastre em Dos Palmas e a epifania de Pittsburgh, eu estava ansioso para empregar as lições que aprendera sobre perguntas calibradas. Então, quando José foi sequestrado, enviei meus homens ao Equador e disse a eles que tínhamos uma nova estratégia. O sequestro nos daria uma oportunidade de validar essa abordagem.

– Tudo que vamos dizer é: "Ei, como saberemos que José está bem? Como devemos pagar sem saber que José está bem?" Repetidamente – instruí.

Embora estivéssemos apreensivos em relação às técnicas não testadas, meus homens estavam prontos para agir. Os policiais locais, porém, se irritaram, porque faziam prova de vida da maneira antiga (como o próprio FBI lhes ensinara no passado). Por sorte, Julie estava 100% conosco. Ela entendeu como as perguntas calibradas nos faziam ganhar tempo e estava convencida de que, com tempo suficiente, seu marido encontraria uma maneira de voltar para casa.

No dia seguinte ao sequestro, os rebeldes levaram José a pé para as montanhas ao longo da fronteira colombiana e se instalaram em uma cabana na selva. Ali, José construiu um diálogo com os sequestradores na tentativa de evitar que o matassem. Ele os impressionou com seu conhecimento sobre a selva e, como era faixa preta em caratê, preencheu o tempo ensinando artes marciais aos captores.

Meus negociadores treinaram Julie todos os dias enquanto esperavam o contato dos rebeldes. Mais tarde, soubemos que o negociador designado pelo outro lado tinha que caminhar até uma cidade vizinha para telefonar.

Meus homens disseram a Julie para responder a cada uma das exigências dos sequestradores com uma pergunta. Minha estratégia era mantê-los engajados, mas desestabilizados.

– Como posso saber que José está vivo? – perguntou ela na primeira vez que conversaram.

Diante da exigência deles de 5 milhões de dólares, ela disse:

– Nós não temos esse dinheiro. Como podemos levantar uma quantia assim?

Na conversa seguinte, Julie indagou:

– Como podemos pagar qualquer coisa sem saber se José está bem?

Perguntas, sempre perguntas.

...

O sequestrador que estava negociando com Julie parecia perplexo com as perguntas persistentes, e a cada vez pedia tempo para pensar. Isso tornou o processo mais lento, mas ele nunca perdeu a calma com ela. Responder as perguntas lhe dava a ilusão de que estava no controle da negociação.

Fazendo perguntas o tempo todo e contrapondo ofertas minúsculas, Julie baixou o resgate para 16.500 dólares. Quando chegaram a esse número, os sequestradores exigiram que ela lhes entregasse a quantia imediatamente.

– Como posso fazer isso se tenho que vender meus carros e caminhonetes? – perguntou ela.

Sempre ganhando mais tempo.

Começamos a sorrir porque o sucesso estava ao nosso alcance; estávamos bem perto de um resgate que a família poderia pagar.

E então recebi um telefonema no meio da noite de um de meus homens enviados ao Equador, Kevin Rust. Kevin era um excelente negociador e o mesmo cara que telefonara um ano antes para me contar que Martin Burnham havia sido morto. Meu estômago deu um nó quando ouvi sua voz.

– Acabamos de receber um telefonema de José – disse Kevin. – Ele ainda está no território dos guerrilheiros, mas escapou. Pegou um ônibus e está saindo de lá.

Demorei meio minuto para responder e, quando o fiz, tudo que consegui dizer foi:

– Caramba! Que notícia fantástica!

Mais tarde, soubemos que, diante de tantos atrasos e perguntas, alguns guerrilheiros caíram fora. A certa altura, havia um único adolescente vigiando José à noite. Em uma madrugada de muita chuva, José viu uma oportunidade de fugir; a chuva abafaria todos os outros ruídos enquanto o único vigia dormia. Sabendo que as folhas molhadas absorveriam o som de seus passos, José pulou uma janela, correu por trilhas na selva até encontrar uma estrada de terra e chegou a uma cidadezinha.

Dois dias depois, ele estava de volta para Julie e seu bebê, pouco antes do primeiro aniversário da filha.

Julie estava certa: com tempo suficiente, ele encontrou um caminho para casa.

...

Perguntas calibradas que começam com "Como" são uma forma certeira de manter negociações em andamento. Elas pressionam seu interlocutor a produzir respostas e a considerar os seus problemas ao fazer exigências.

Com a dose certa de perguntas "Como", você pode avaliar e formatar o ambiente da negociação de tal maneira que acabará chegando à resposta que gostaria de ouvir. Basta ter uma ideia do rumo que deseja dar à conversa quando estiver criando suas perguntas.

O truque das perguntas "Como" é que, quando corretamente usadas, elas são uma maneira gentil e elegante de dizer "Não" e orientar seu interlocutor a oferecer uma solução melhor – a *sua* solução. Um "Como/Não" educado convida à colaboração e dá a seu interlocutor a sensação de estar sendo tratado com respeito.

Relembre o que Julie fez quando os sequestradores rebeldes colombianos apresentaram suas primeiras exigências.

– Como podemos levantar uma quantia assim? – perguntou ela.

Note que ela não usou a palavra "Não". Ainda assim, conseguiu negar com elegância a exigência de 5 milhões de dólares dos sequestradores.

Assim como Julie, a primeira pergunta "Não" que você usará, e também a mais comum, é uma versão de "Como devo fazer isso?" (por exemplo, "Como podemos levantar uma quantia assim?"). Seu tom de voz é fundamental, já que essa frase pode soar como uma acusação ou como um pedido de assistência. Portanto, preste atenção à sua voz.

Essa pergunta tende a fazer o outro lado dar uma boa olhada na sua situação, um efeito bastante positivo. Chamo essa dinâmica de "empatia forçada", que é especialmente eficaz se, ao recorrer a ela, você já tiver criado laços de empatia com seu interlocutor. Isso dispara a dinâmica de reciprocidade, que o levará a fazer algo por você. Após o sequestro de José, "Como devo fazer isso?" se tornou nossa primeira reação a uma exigência de resgate feita por um sequestrador. E nosso tiro nunca saiu pela culatra.

Certa vez, eu estava trabalhando com uma consultora de contabilidade chamada Kelly, a quem um cliente corporativo devia muito dinheiro. Ela continuava a assessorá-lo porque acreditava que era um contato útil. Além disso, a promessa de um pagamento futuro parecia justificar a boa-fé que ela creditava ao cliente.

Em determinado momento, porém, Kelly tinha tantas contas atrasadas que se viu em dificuldades. Não podia continuar trabalhando com apenas uma vaga ideia de quando seria paga. Por outro lado, temia que, se fizesse pressão demais, não receberia pagamento algum.

Recomendei a ela que esperasse até o cliente pedir mais trabalho, porque, se ela fizesse um pedido de pagamento firme naquele momento, ficaria vulnerável caso ele recusasse.

Para sorte de Kelly, o cliente logo lhe telefonou com mais uma incumbência. Quando ele terminou de falar, ela fez calmamente uma pergunta "Como":

– Eu adoraria ajudar, mas como devo fazer isso?

Ao indicar sua disposição para trabalhar, mas pedir ajuda para encontrar uma maneira de concretizar isso, ela deixou o cliente caloteiro sem nenhuma escolha a não ser priorizar as necessidades de Kelly.

E ela recebeu o que lhe deviam.

...

Além de ser um "Não" elegante, o outro benefício-chave de perguntar "Como" é, literalmente, forçar o interlocutor a considerar um acordo e explicar como será implantado. Um acordo não é nada sem uma boa implementação. A implementação ruim é um câncer que corrói seus lucros.

Quando você leva seus interlocutores a articular a implementação com as próprias palavras, suas perguntas "Como" cuidadosamente calibradas os convencem de que a solução final é uma ideia *deles*. E isso é crucial. As pessoas sempre fazem mais esforço para implementar uma solução quando se consideram os pais da ideia. Faz parte da natureza humana. É por isso que a negociação com frequência é considerada "a arte de convencer outra pessoa a fazer o que você quer".

Existem duas perguntas-chave que têm o poder de levar seus interlocutores a pensar que eles é que estão definindo o sucesso: "Como saberemos se estamos no caminho certo?" e "Como vamos lidar com a situação se acharmos que não estamos no caminho certo?". Quando eles responderem, cabe a você resumir as respostas deles até obter um "Está certo". Então você saberá que eles aceitaram.

No outro extremo, tenha cuidado com dois sinais relevantes de que seu interlocutor *não* acredita que a ideia é dele. Conforme observamos, "*Você está certo*" costuma ser um bom indicador de que ele não tomou para si o que está sendo discutido. E, quando você força a barra e ele diz "Vou tentar", algo deu errado. Porque isso significa: "Não pretendo cumprir."

Ao ouvir uma dessas duas frases, rebata com perguntas "Como" calibradas até ele definir os termos de uma implementação bem-sucedida com a própria voz. Em seguida, resuma o que ele disse para obter um "Está certo".

Faça o outro lado se sentir vitorioso. Deixe-o pensar que a ideia é dele. Cale o seu ego. Lembre-se: "Sim" não é nada sem "Como". Portanto, continue perguntando "Como". E tenha êxito.

INFLUENCIANDO AQUELES QUE ESTÃO POR TRÁS DA MESA

Algumas semanas depois de José voltar para os Estados Unidos, fui à casa da família no norte do estado de Nova York.

Fiquei empolgado quando José escapou, mas o caso me deixou com uma preocupação incômoda: será que minha nova estratégia havia falhado? Veja bem, José chegara em casa a salvo, mas não porque tínhamos negociado sua libertação. Eu temia que essa vitória tivesse mais a ver com pura sorte do que com a nossa brilhante estratégia.

Depois de ser recebido calorosamente por Julie e seus pais, eu me sentei com José para um café. Estava ali para fazer o que a CNU chamava de relato de sobrevivência do refém; procurava insights sobre como aconselhar pessoas que enfrentam sequestros a sobreviver melhor, física e psicologicamente. Eu também estava louco para descobrir o que tinha acontecido nos bastidores; afinal, parecia que minha estratégia não havia funcionado.

Quando chegou a hora de avaliar o uso de perguntas calibradas, José disse:

– Quer saber? A coisa mais louca foi que o representante deles deveria ficar na cidade e negociar o acordo, mas, como Julie continuou fazendo perguntas que ele não sabia direito como responder, ficava indo e voltando. Todos eles se reuniam e tinham uma enorme discussão sobre o que dizer. Até pensaram em me levar à cidade para falar com ela, porque Julie insistiu muito no ponto de como ela saberia se eu estava bem.

Foi aí que eu soube que tínhamos a ferramenta certa. Era exatamente o oposto do caso Burnham, em que nosso negociador fechou o acordo com um dos caras e os outros pegaram os 300 mil dólares e disseram: "Não, não vamos fazer isso." Levar o outro lado a trabalhar duro e forçar aquela grande coordenação interna a serviço de nossos objetivos era algo sem precedentes.

Nossa estratégia de negociação no Equador funcionou por dois motivos. Primeiro, porque as perguntas contribuíram para criar o ambiente que permitiu a José escapar; segundo, porque asseguraram que os sequestradores – nossos interlocutores – entrassem em um acordo.

Poucos daqueles que tomam pessoas como reféns – e também daqueles que fecham acordos de negócios – agem sozinhos. Quase sempre há outros jogadores, pessoas com potencial para fechar ou destruir um acordo. Se você realmente quer chegar a um "Sim" *e* implementar seu acordo, precisa descobrir como influenciar esses indivíduos.

Quando a implementação é feita por um grupo, o apoio desse grupo é fundamental. É preciso sempre identificar e desenterrar as motivações deles, mesmo que ainda não se tenha identificado cada indivíduo do grupo. Uma maneira simples de fazer isso é por meio de algumas perguntas calibradas: "Como isso afeta o restante de sua equipe?"; "Como anda a aprovação das pessoas que não estão nesta conversa?"; "Para os seus colegas, quais são os principais desafios?".

Há um conceito mais amplo aqui: em qualquer negociação é preciso analisar o contexto completo.

Quando outras pessoas serão afetadas pelo que é negociado e poderão impor seus direitos ou seu poder mais tarde, é estúpido considerar apenas os interesses daqueles que estão à mesa. É preciso ter cuidado com os jogadores que estão nos bastidores, que chamamos de "Nível II" – ou seja, partes não diretamente envolvidas, mas que podem ajudar a implementar os acordos que querem e bloquear os que não querem. Não é possível menosprezá-las, mesmo quando se está falando com um CEO; sempre pode haver alguém cochichando no ouvido dele. No fim das contas, pessoas que destroem acordos com frequência são mais importantes do que pessoas que fecham acordos.

Relembre o cerco à prisão: o acordo quase foi arruinado porque um participante pequeno do nosso lado não estava bem informado. Foi isso que o nosso uso de perguntas calibradas no Equador evitou. Por isso o caso de José foi bem-sucedido.

Basta um jogador menor para estragar um acordo.

...

Após alguns anos de prática na iniciativa privada, deixei de me preocupar com a importância de avaliar e influenciar a negociação oculta que acontece "por trás da mesa" e paguei um preço substancial.

Estávamos fechando um acordo com uma grande empresa da Flórida que queria um treinamento em negociação para uma de suas divisões. Falamos ao telefone algumas vezes com o CEO e com o gerente de RH, e ambos estavam 100% entusiasmados com a nossa oferta. De nossa parte, nos sentíamos exultantes – acreditávamos ter a aprovação total dos principais tomadores de decisões para um acordo bastante lucrativo.

E então, quando já estávamos cuidando dos detalhes, o acordo naufragou.

O chefe da divisão que precisava do treinamento matou o acordo. Talvez esse cara se sentisse ameaçado, desprezado ou de alguma forma pessoalmente ofendido pela noção de que ele e seu pessoal "precisavam" de treinamento. (Um percentual surpreendentemente alto de negociações depende de fatores que vão além do dinheiro, algo que tem mais a ver com autoestima, status e outras necessidades não financeiras.) Jamais saberemos agora.

A questão é que só nos importamos com isso quando era tarde demais. Tínhamos certeza de que os únicos tomadores de decisões necessários estavam do nosso lado.

Poderíamos ter evitado tudo isso com algumas perguntas calibradas: "Como isso afeta todas as outras pessoas?"; "Como está a aprovação do resto de sua equipe?"; "Como ter certeza de que oferecemos o material certo às pessoas certas?"; "Como nos asseguramos de que os gerentes daqueles que vamos treinar estão totalmente de acordo?".

Se tivéssemos feito perguntas assim, o CEO e o gerente de RH teriam consultado esse cara, talvez até o convidado para a conversa. Isso teria nos poupado de uma grande chateação.

IDENTIFICAR MENTIROSOS, LIDAR COM BABACAS E ENCANTAR TODOS OS OUTROS

Como negociador, você vai se deparar com pessoas que mentem na sua cara e tentam assustá-lo para forçar um acordo. Babacas agressivos e mentirosos em série são inevitáveis, e lidar com eles é algo necessário.

No entanto, aprender a lidar com a agressão e identificar a falsidade fazem parte de uma questão maior: identificar e interpretar as sutilezas da comunicação, tanto verbal quanto não verbal. Essas sutilezas revelam os estados mentais de seus interlocutores.

Negociadores verdadeiramente eficientes estão atentos às comunicações verbais, paraverbais (como é dito) e não verbais que permeiam negociações e dinâmicas de grupo. E eles sabem como empregar essas sutilezas em benefício próprio. O simples ato de mudar uma palavra ao apresentar opções – como usar "não perder" em vez de "manter" – pode, de modo inconsciente, influenciar escolhas conscientes do seu interlocutor.

Quero falar sobre as ferramentas necessárias para identificar mentirosos, desarmar babacas e encantar todos os outros. É claro que a pergunta "Como" aberta é uma delas – talvez a mais importante –, mas há muitas outras.

Alastair Onglingswan morava nas Filipinas quando, certa noite, em 2004, pegou um táxi e se acomodou para a longa viagem do shopping center Greenhills, em Manila, até sua casa.

Ele cochilou.

E acordou acorrentado.

Infelizmente para Alastair, o motorista tinha um segundo trabalho: era sequestrador. Ele guardava uma garrafa de éter no carro; quando um alvo adormecia, ele o drogava, aprisionava-o e pedia um resgate.

Horas depois, o sequestrador usou o telefone de Alastair para entrar em contato com a namorada dele em Nova York. Ele exigiu um pagamento diário para "cuidar" do refém enquanto pesquisava sobre a riqueza da família.

– Tudo bem se você não pagar – disse ele. – Posso vender os órgãos dele na Arábia Saudita.

Vinte e quatro horas depois, eu havia sido encarregado de chefiar a negociação de Quantico. A namorada de Alastair ficou nervosa demais para representar a família na negociação e a mãe dele, que morava nas Filipinas, estava disposta a aceitar qualquer exigência que o sequestrador fizesse.

Mas o irmão de Alastair em Manila, Aaron, era diferente: ele *comprou* a ideia da negociação e aceitou que Alastair corria risco de morte, o que fazia dele um negociador melhor e mais eficiente. Aaron e eu nos mantivemos conectados o tempo inteiro por uma linha de telefone. Tornei-me seu guru do outro lado do mundo.

Pelos comentários e exigências do sequestrador, percebi que ele era calejado e paciente. Como prova de suas intenções, ele se ofereceu para cortar uma das orelhas de Alastair e enviá-la à família juntamente com um vídeo da mutilação.

A exigência de um pagamento diário era claramente um truque para extrair tanto dinheiro quanto possível da família e logo, enquanto o sequestrador avaliava quão ricos eles eram. Tínhamos que descobrir quem era esse cara – ele agia sozinho ou fazia parte de um grupo? Estava planejando matar Alastair ou não? E tínhamos que fazer tudo antes que a família falisse. Para isso, seria preciso envolver o sequestrador em uma negociação lenta e prolongada.

De Quantico, encarreguei Aaron de fazer perguntas calibradas. Eu o instruí a bombardear o babaca violento com perguntas "Como". "Como devo...?" "Como saberemos...?" "Como podemos...?" Tratar babacas com deferência é uma atitude poderosa, que dá ao negociador a capacidade de ser extremamente assertivo – dizer "Não" – de maneira disfarçada.

– Como saberemos que, se pagarmos, você não vai machucar Alastair? – perguntou Aaron.

Na arte marcial chinesa do tai chi, o objetivo é usar a agressividade de seu oponente contra ele – fazer da ofensa dele a sua estratégia para derrotá-lo. Essa foi a abordagem que usamos com o sequestrador de Alastair:

queríamos absorver suas ameaças e esgotá-lo. Demos um jeito para que mesmo marcar um telefonema conosco fosse algo complexo. Demorávamos a responder e-mails.

Por meio dessas táticas, obtivemos a vantagem enquanto dávamos ao sequestrador a ilusão de controle. Ele pensou que estava resolvendo os problemas de Aaron enquanto nós o estudávamos e desperdiçávamos seu tempo. É melhor não bater de frente com pessoas agressivas como o sequestrador de Alastair; o melhor é usar perguntas padrão com "O que" e "Como" para evitar fazer propostas ou para ajustar sua posição na negociação. Esquive-se e vá costurando.

Finalmente, após dias barganhando, Aaron convenceu o sequestrador a aceitar uma quantia simbólica e concordou em depositar uma parte na conta bancária dele. Depois que esse pagamento parcial foi feito, Aaron descobriu uma maneira perfeita de confrontar sem confronto o motorista de táxi com uma pergunta calibrada "Quando/O que".

– Quando ficarmos sem dinheiro, o que acontecerá? – perguntou.

O sequestrador fez uma pausa.

– Ficará tudo bem – respondeu por fim o sequestrador.

Sim!

Sem perceber, nosso assassino acabara de nos prometer que não machucaria Alastair. Uma série repetitiva de perguntas "O que" e "Como" pode ajudar a superar as táticas agressivas de um adversário manipulador.

Como fica claro nesse último diálogo, as conversas prolongadas com o sequestrador haviam feito com que ele e Aaron se tornassem quase amigos. Com o tempo, o sequestrador se descuidou e passou a falar longamente ao telefone com seu "amigo". Por fim, investigadores da Polícia Nacional das Filipinas rastrearam o telefone até uma casa e a invadiram. O sequestrador e Alastair não estavam ali, mas a mulher do sequestrador estava. Ela contou à polícia sobre outra casa que eles tinham. A polícia rapidamente foi até lá, libertou Alastair e prendeu o sequestrador.

...

Existem muitas outras táticas, ferramentas e métodos de usar formas de comunicação verbal e não verbal sutis para entender e modificar os estados mentais de seu interlocutor. À medida que eu passar por algumas delas aqui, quero que você pare um instante para absorver cada uma. São ferramentas que podem ajudar negociadores atentos a obter vitórias.

A REGRA DO PERCENTUAL 7-38-55

Em dois famosos estudos sobre o que nos faz gostar ou não de alguém,[1] o professor de psicologia da UCLA Albert Mehrabian criou a regra 7-38-55. Quer dizer, apenas 7% de uma mensagem se baseiam nas palavras, enquanto 38% vêm do tom de voz e 55% da linguagem corporal e da expressão de quem fala.

Embora esses números se relacionem principalmente a situações em que estamos formando uma maneira de perceber alguém, a regra oferece uma proporção útil para negociadores. Observe que a linguagem corporal e o tom de voz – e não as palavras – são as ferramentas de avaliação mais potentes. É por isso que muitas vezes percorro grandes distâncias de avião para encontrar alguém cara a cara, mesmo quando posso dizer pelo telefone grande parte do que é preciso.

Como você aplica essa regra? Primeiro, preste bastante atenção ao tom e à linguagem corporal do seu interlocutor para se certificar de que eles combinam com o significado literal das palavras. Caso não se alinhem, é bem possível que a pessoa esteja mentindo ou, pelo menos, que não esteja convencida do que diz.

Quando o tom de voz ou a linguagem corporal de alguém não estão em harmonia com o significado das palavras que saem de sua boca, use rótulos para descobrir a fonte da incongruência.

Eis um exemplo:

Você: "Então, chegamos a um acordo?"

Ele: "Sim..."

Você: "Eu ouvi você dizer 'Sim', mas parecia haver uma hesitação em sua voz."

Ele: "Ah, não é nada."

Você: "Não, isso é importante. Precisamos ter certeza de que entendemos isso direito."

Ele: "Obrigado, eu agradeço."

Essa é a maneira de garantir que seu acordo seja implementado sem nenhuma surpresa. E seu interlocutor ficará grato. Seu ato de reconhecer a incongruência e lidar com isso de maneira gentil por meio de um rótulo fará com que ele se sinta respeitado. Consequentemente, a relação de confiança entre vocês vai melhorar.

A REGRA DE TRÊS

Tenho certeza de que já houve na sua vida negociações em que você recebeu um "Sim" que mais tarde se revelou um "Não". Talvez a outra parte estivesse mentindo, ou talvez apenas quisesse que aquilo fosse real. De um jeito ou de outro, não é uma experiência incomum.

Isso acontece porque existem três tipos de "Sim": o Falso, o de Confirmação e o de Compromisso.

Conforme discutimos no Capítulo 5, são tantos os vendedores insistentes que tentam prender seus clientes a um "Sim" de Compromisso que muita gente se torna muito boa no "Sim" Falso.

Uma ótima ferramenta para evitar essa armadilha é a Regra de Três.

A Regra de Três consiste apenas em levar o outro a concordar com o mesmo ponto três vezes na mesma conversa. É triplicar a força de qualquer dinâmica que você esteja tentando incutir no momento. Ao agir assim, você revela os problemas antes que eles aconteçam. É difícil mentir ou fingir convicção repetidamente.

Quando aprendi essa habilidade, meu maior temor era soar como um disco arranhado ou parecer insistente demais.

Para evitar que isso aconteça, aprendi que é preciso variar a tática.

A nº 1 é a primeira vez que meus interlocutores concordam com algo ou firmam um compromisso. Para a nº 2 você pode rotular ou resumir o que eles disseram para que respondam "Está certo". E a nº 3 pode ser uma pergunta calibrada "Como" ou "O que" sobre implementação que exija deles uma explicação sobre o que constituirá um sucesso, algo como "O que faremos se perdermos a direção?".

As três vezes também podem ser a mesma pergunta calibrada feita de três maneiras diferentes, como: "Qual é o maior desafio que você enfrenta?"; "Estamos indo contra o que aqui?"; "O que você considera a coisa mais difícil a ser contornada?".

Voltar à mesma questão três vezes revela tanto as mentiras quanto as incongruências entre palavras e linguagem corporal que mencionamos na seção anterior. Portanto, da próxima vez que você não tiver certeza de que seu interlocutor é confiável e está comprometido, experimente isso.

O EFEITO PINÓQUIO

Com Pinóquio, o famoso personagem de Carlo Collodi, era fácil dizer quando ele está mentindo: bastava observar o nariz.

Collodi não estava longe da realidade. A maioria das pessoas oferece sinais reveladores bastante óbvios quando está mentindo. Não um nariz crescendo, mas quase isso.

Em um estudo sobre os componentes da mentira,[2] o professor Deepak Malhotra, da Harvard Business School, e seus coautores constataram que, em média, os mentirosos são mais prolixos do que aqueles que dizem a verdade e empregam mais pronomes na terceira pessoa. Começam falando sobre *ele*, *ela*, *eles* e *deles* em vez de *eu*, para estabelecer uma distância entre eles próprios e a mentira.

Os pesquisadores descobriram que os mentirosos tendem a formular frases mais complexas na tentativa de convencer seus interlocutores desconfiados. Foi isso que W. C. Fields quis dizer sobre confundir alguém com bobagens. Os pesquisadores chamaram isso de Efeito Pinóquio porque, assim como o nariz do personagem, o número de palavras cresce juntamente com a mentira. Pessoas que mentem estão mais preocupadas em fazer com que acreditem nelas, o que é compreensível, então se esforçam para isso – além da conta.

PRESTE ATENÇÃO AO USO DE PRONOMES

Os pronomes que o interlocutor utiliza também oferecem pistas sobre a real importância dele na cadeia de decisão e implementação do outro lado da mesa. Quanto mais apaixonado por "eu" e "meu", menos importante ele é.

Inversamente, quanto mais difícil for extrair um pronome na primeira pessoa da boca de um negociador, mais importante ele é. Assim como no estudo de Malhotra, em que o mentiroso procura distanciar-se da mentira, em uma negociação os tomadores de decisões inteligentes não querem ser encurralados para tomar uma decisão. Eles recorrerão a pessoas que estão longe da mesa para não serem forçados a decidir naquele momento.

Nosso motorista de táxi que sequestrou Alastair Onglingswan nas Filipinas usou "nós" e "eles" com tamanho rigor no início do sequestro que eu me convenci de estar negociando com o líder. Mas só no momento do resgate eu soube quão literalmente verdadeiro isso era. No assalto ao Chase Manhattan Bank citado no Capítulo 2, o assaltante Chris Watts falou consistentemente sobre como os "outros" eram perigosos e como ele tinha pouca influência sobre os demais. Tudo mentira.

O DESCONTO CHRIS

Fala-se muito sobre lembrar e usar (*sem exagero*) o nome do interlocutor em uma negociação. E isso é importante. A realidade, porém, é que as pessoas com frequência se cansam quando alguém fica martelando seus nomes o tempo inteiro. O vendedor astuto que está tentando levar você a um "Sim" repetirá seu nome muitas vezes.

Recomendo que tome um caminho diferente e use o seu nome. É como consigo o desconto Chris.

Assim como mencionar o nome de Alastair para o sequestrador e levá-lo a repetir em resposta humanizou o refém e diminuiu a probabilidade de que ele fosse ferido, usar o próprio nome cria a dinâmica da "empatia forçada". Faz o outro lado ver você como uma pessoa.

Alguns anos atrás eu estava em um bar em Kansas com alguns colegas negociadores do FBI. O bar estava lotado, mas vi uma cadeira vazia. Caminhei até ela, mas, quando estava prestes a sentar, o cara ao lado disse:

– Nem pense nisso.

– Por quê? – perguntei.

– Porque eu vou lhe dar uma porrada – respondeu ele.

Ele era grande, forte e já estava bêbado, mas lembre-se de que sou um negociador de reféns experiente – e parece que atraio situações tensas que exigem mediação como a luz atrai uma mariposa.

Estendi minha mão para apertar a dele e disse:

– Meu nome é Chris.

O cara congelou. Aproveitando a pausa, meus colegas do FBI se aproximaram, deram tapinhas no ombro dele e se ofereceram para lhe pagar uma bebida. Descobriu-se que era um veterano do Vietnã que passava por um momento particularmente complicado. Para piorar, ele estava em um bar lotado onde o mundo inteiro parecia estar comemorando. A única coisa em que ele podia pensar era lutar. Mas, assim que eu me tornei "Chris", tudo mudou.

Agora aplique essa mentalidade a uma negociação financeira. Eu estava em um shopping alguns meses depois da experiência em Kansas e escolhi algumas camisas em uma das lojas. No balcão, a jovem me perguntou se eu queria participar do programa de fidelidade deles.

Perguntei se isso me daria um desconto e ela disse:

– Não.

Então decidi tentar por outro ângulo. Falei de maneira amigável:

– Meu nome é Chris. Qual é o desconto Chris?

Ela afastou os olhos da caixa, fixou-os em mim e deu um leve sorriso.

– Terei que perguntar a minha gerente, Kathy – disse ela, virando-se para a mulher que estava em pé ao seu lado.

Kathy, que ouvira todo o diálogo, disse:

– O melhor que posso fazer é dar 10% de desconto.

Humanize-se. Use seu nome para se apresentar. Diga-o de maneira divertida, amigável. Deixe o interlocutor apreciar essa interação tanto quanto você. E consiga seu preço especial.

COMO LEVAR SEU INTERLOCUTOR A FAZER UMA OFERTA QUE O PREJUDICA

Agora que você viu Aaron e Julie interagindo com sequestradores, sabe que a melhor maneira de levar seu interlocutor a baixar as exigências é dizer "Não" por meio de perguntas "Como". Essas negativas indiretas não farão seu interlocutor se fechar como faria diante de um "Não" direto, capaz de ferir seu orgulho. Na verdade, têm tanta cara de contrapropostas que seus interlocutores com frequência cairão na armadilha de fazer ofertas contra si mesmos.

Constatamos que, em geral, é possível "dizer" "Não" quatro vezes antes de pronunciar realmente a palavra.

O primeiro passo na série de "Nãos" é o velho recurso reserva: "Como devo fazer isso?"

Lembre-se de fazer a pergunta de maneira respeitosa, para que se torne um pedido de ajuda. Quando dita de forma apropriada, ela convida o outro lado a participar do seu dilema e resolvê-lo com uma oferta melhor.

Depois disso, coloque na mesa alguma versão de "Sua oferta é muito generosa. Sinto muito, isso não funciona para mim", mais uma maneira elegante de dizer "Não".

Essa resposta de sucesso comprovado evita uma contraoferta e o uso da palavra "generosa" estimula o interlocutor a fazer jus ao adjetivo. O "Sinto muito" também suaviza o "Não" e cria empatia. (Fique à vontade para ignorar os assim chamados "especialistas em negociação" que dizem que desculpas são sempre sinais de fraqueza.)

Em seguida você pode usar algo como: "Sinto muito, mas temo não poder fazer isso." É um pouco mais direto e o "não poder fazer isso" cumpre função dupla. Ao expressar a incapacidade de realizar, essa afirmação pode desencadear a empatia do outro lado em relação a você.

"Sinto muito, não" é uma versão ligeiramente mais sucinta para o quarto "Não". Quando dita de maneira gentil, mal chega a soar negativa.

Se você precisar ir mais longe, é claro que o "Não" é o último recurso, e também o mais direto. Verbalmente, deve ser pronunciado com uma inflexão para baixo e um tom de respeito; não deve ser um "NÃO!".

Um de meus alunos, um cara chamado Jesus Bueno, escreveu-me não muito tempo atrás para me contar a história fantástica de como usou os vários passos do "Não" para ajudar seu irmão Joaquin a sair de uma negociação difícil.

Joaquin e dois amigos haviam comprado uma franquia de loja de cultivo de maconha no norte da Espanha, onde o plantio da erva para uso pessoal é legalizado. Ele e seu parceiro Bruno investiram cada um 20 mil euros no negócio, para uma participação de 46% (o terceiro parceiro, minoritário, entrou com 3.500 euros, 8% do total investido).

Desde o começo Joaquin e Bruno tiveram uma relação difícil. Joaquin é um excelente vendedor, enquanto Bruno cuidava da contabilidade. O parceiro minoritário também se destacava como vendedor, e ele e Joaquin acreditavam que aumentar as vendas era a estratégia correta. Isso significava oferecer descontos para pedidos grandes e clientes frequentes, mas Bruno discordava. Também se incomodava com os gastos planejados para lançar um site e expandir o estoque.

Em paralelo, a mulher de Bruno se tornou um problema quando começou a importunar Joaquin dizendo que ele deveria gastar menos em expansão para obter mais lucro. Um dia, Joaquin estava revisando o estoque e notou que alguns itens que eles haviam pedido não estavam nas prateleiras da loja. Começou a procurá-los on-line e, para sua surpresa, encontrou uma loja no eBay cujo nome coincidia com o primeiro nome da esposa de Bruno. A tal loja vendia exatamente os produtos que faltavam.

Isso desencadeou uma enorme discussão entre Bruno e Joaquin e azedou a relação deles. No calor do momento, Bruno disse a Joaquin que estava disposto a vender sua participação porque achava que estavam correndo riscos grandes demais. Entao Joaquin consultou seu irmão, meu aluno Jesus.

Como eles achavam que Bruno queria vender sua parte por pressão da esposa, Jesus ajudou Joaquin a elaborar uma mensagem de empatia nestes termos: "Parece que você está sendo muito pressionado pela sua esposa." Joaquin estava passando por um divórcio, então eles decidiram relacionar isso a problemas com esposas de modo geral e prepararam uma auditoria de acusação – "Eu sei que você pensa que não me importo com os custos e com a lucratividade da empresa" – para dissipar a energia negativa e induzir Bruno a falar.

Funcionou como mágica. Bruno imediatamente concordou com a auditoria de acusação e começou a explicar por que achava que Joaquin era descuidado com os gastos. Observou também que Joaquin obtivera um empréstimo inicial com sua mãe, enquanto ele, Bruno, não tinha a quem recorrer se o negócio naufragasse. Joaquin usou espelhos para manter Bruno falando, com sucesso.

Por fim, Joaquin disse:

– Eu sei como pode ser a pressão de sua esposa. Eu mesmo estou passando por um divórcio e isso exige muito.

Bruno então discorreu durante dez minutos, sem parar, sobre sua mulher. Nisso, deixou escapar uma informação importante: ela estava muito chateada porque o banco que lhes emprestara os 20 mil euros tinha revisado o empréstimo e dera duas opções ao casal: saldar a dívida inteira ou pagar uma taxa de juros muito maior.

Pimba!

Joaquin e Jesus analisaram essa informação e decidiram que seria razoável Joaquin pagar um pouco acima do valor do empréstimo porque Bruno já tirara 14 mil euros do negócio em salários. A carta do banco deixara Bruno em má situação e Joaquin calculou que podia baixar a oferta porque não havia um mercado para Bruno vender sua participação.

Os irmãos concordaram que 23 mil euros seria o número mágico, com 11 mil euros iniciais e o restante ao longo de um ano.

Então as coisas deram errado.

Em vez de esperar que Bruno desse seu preço, Joaquin se adiantou e fez sua oferta máxima, dizendo que aquilo era "bastante justo". Se existe uma maneira de chatear seu interlocutor, é esta: indicar que seria *injusto* discordar de você.

O que aconteceu em seguida provou isso.

Bruno desligou o telefone com raiva e dois dias depois Joaquin recebeu um e-mail de alguém que dizia ter sido contratado para representar Bruno. Eles pediam 30.812 euros: 20 mil para o empréstimo, 4 mil de salários, 6.230 de participação acionária e 582 de juros.

Números quebrados, que pareciam imutáveis em sua especificidade. O cara era profissional.

Jesus disse a Joaquin que ele tinha estragado tudo, mas ambos sabiam que Bruno estava desesperado para vender sua parte. Então decidiram usar a estratégia de vários passos de "Não" para levar Bruno a fazer uma oferta contra si mesmo. O pior cenário, segundo eles, seria Bruno desistir de vender sua participação e a atual situação perdurar. Teriam que correr esse risco.

Então elaboraram sua primeira mensagem "Não":

O preço que você propôs é muito justo e eu gostaria de ter condições de pagá-lo. Bruno trabalhou muito pelo sucesso desse negócio e merece ser compensado adequadamente. Sinto muito, mas lhe desejo sorte.

Notou que eles não fizeram nenhuma contraproposta e disseram "Não" sem usar a palavra?

Joaquin ficou perplexo quando, no dia seguinte, recebeu um e-mail do advogado baixando o preço para 28.346 euros.

Joaquin e Jesus prepararam, então, o segundo "Não" gentil:

Obrigado por sua oferta. Você foi generoso ao reduzir o preço, o que agradeço muito. Eu realmente gostaria de lhe pagar essa quantia, mas sou sincero e não tenho como arcar com tal valor neste momento. Como você sabe, estou no meio de um divórcio e não é possível para mim. Mais uma vez, desejo-lhe toda a sorte.

No dia seguinte, novo e-mail do advogado baixando o preço para 25 mil euros. Joaquin queria aceitar, mas Jesus lhe disse que ainda havia alguns "Nãos" que poderia dar. Joaquin protestou, mas no fim acabou cedendo.

Há uma lição fundamental aqui: a arte de fechar um acordo exige foco até o fim. Na etapa decisiva haverá pontos cruciais que demandarão grande disciplina mental. Não se deixe distrair pelo horário do último voo ou pela ideia de chegar em casa cedo e fazer uma caminhada. Não deixe sua mente vagar. Permaneça focado.

Eles escreveram:

Obrigado mais uma vez pela oferta generosa. Você baixou o preço de verdade e eu me esforcei muito para chegar a esse valor. Infelizmente, ninguém está se dispondo a me emprestar dinheiro, nem mesmo minha mãe. Tentei diversos caminhos, mas não consigo levantar essa quantia. Posso lhe oferecer 23.567 euros, dos quais só posso adiantar 15.321,37 euros. Eu poderia pagar o restante ao longo de um ano, mas cheguei ao meu máximo. Desejo-lhe o melhor em sua decisão.

Uso brilhante de números específicos e uma excelente maneira de construir empatia dizendo "Não" – sem usar a palavra!

E funcionou. Uma hora depois, o advogado respondeu que aceitava a oferta.

Façamos uma análise mais profunda: a mistura de espelhamento e perguntas abertas arrancou informações sobre os problemas financeiros de Bruno; depois, o método do "Não" explorou seu desespero. Se houvesse outro comprador, talvez não tivesse dado certo, mas, como não existia, foi uma maneira brilhante de levar Bruno a fazer uma oferta que contrariava seus interesses.

LIÇÕES-CHAVE

Os grandes astros da negociação – verdadeiros magos – sabem que toda negociação é um jogo que se desenrola nas entrelinhas; chegar a um bom acordo envolve detectar e manipular sinais sutis que não são óbvios. Só visualizando e modificando essas questões subjacentes é que se consegue articular um ótimo acordo e assegurar sua implementação.

Ao utilizar as ferramentas a seguir, lembre-se do conceito mais importante deste capítulo: "Sim" não é nada sem "Como". Perguntar "Como", saber "Como" e definir "Como" compõem o arsenal do negociador eficiente. Sem isso ele estaria desarmado.

- Faça perguntas "Como" calibradas, e faça-as repetidamente. Perguntas "Como" mantêm seu interlocutor engajado, mas fora de equilíbrio. Responder dará a ele a ilusão de controle. Também o levará a considerar os seus problemas quando fizer exigências.
- Use perguntas "Como" para formatar o ambiente de negociação. Isso é possível com formulações do tipo "Como posso fazer isso?", que nada mais são do que versões gentis do "Não". Isso pressionará sutilmente seu interlocutor a procurar outras soluções – as *suas* soluções. Com muita frequência, ele será induzido a fazer uma oferta que vai contra si mesmo.
- Não preste atenção apenas às pessoas com as quais você está negociando diretamente; sempre identifique as motivações dos jogadores "por trás da mesa". Lembre-se de perguntar como um acordo afetaria todas as outras pessoas e se elas aprovam o que está se delineando.
- Siga a Regra do Percentual 7-38-55 observando atentamente o tom de voz e a linguagem corporal. Incongruências entre as palavras e sinais

não verbais mostrarão quando seu interlocutor estiver mentindo ou desconfortável com o acordo.
- O "Sim" é verdadeiro ou falso? Teste-o com a Regra de Três: use perguntas calibradas, resumos e rótulos para levar seu interlocutor a reafirmar o acordo pelo menos três vezes. Fica difícil mentir ou fingir convicção repetidamente.
- O uso de pronomes permite uma análise bem informada sobre a autoridade relativa do negociador. Se você estiver ouvindo muito "eu" e "meu", o verdadeiro poder de decidir provavelmente estará em outras mãos. Se estiver captando muitos "nós" e "eles", há boas chances de que esteja lidando diretamente com um líder astuto que busca manter suas opções em aberto.
- Use o seu nome para tornar-se uma pessoa real para o outro lado e talvez até conseguir seu desconto pessoal. Humor e humanidade são as melhores maneiras de quebrar o gelo e derrubar barreiras.

CAPÍTULO 9

PECHINCHE MUITO

Alguns anos atrás eu me apaixonei por uma Toyota 4Runner vermelha. Na verdade, não apenas vermelha, mas "Vermelho Salsa Perolizado". Uma espécie de vermelho queimado que parecia brilhar à noite. Como era linda!

Comprá-la se tornou minha obsessão.

Pesquisei nas revendedoras da área metropolitana de Washington e logo percebi que eu não era o único obcecado por aquela caminhonete: não havia nenhuma naquela cor em toda a região. Ou melhor, havia uma.

Sabe quando lhe dizem para não ir ao supermercado se você estiver com fome? Bem, eu estava com fome. Muita fome. Na verdade, estava apaixonado... Então concentrei-me e montei uma estratégia. Aquela revendedora era minha única chance. Eu tinha que conseguir.

Fui à loja em uma tarde ensolarada de sexta-feira. Sentei-me diante do vendedor, um cara simpático chamado Stan, e elogiei o veículo.

Ele me ofereceu o sorriso habitual – eu estava nas mãos dele, pensou – e mencionou o preço de tabela "daquele belo veículo": 36 mil dólares.

Fiz um gesto de compreensão e contraí os lábios. A chave para iniciar uma pechincha é dirigir-se ao outro sempre com muita gentileza, o que se faz da maneira mais simpática possível. Se eu soubesse agir com cautela, teria uma boa chance de pagar o preço que queria.

– Posso pagar 30 mil – falei. – E posso pagar à vista, em dinheiro. Faço um cheque do total hoje. Desculpe, não posso pagar mais do que isso.

O sorriso dele estremeceu um pouco nas extremidades, como se estivesse perdendo o foco. Mas ele se aprumou e balançou a cabeça.

– Tenho certeza de que você sabe que não é possível. Afinal de contas, o preço de tabela é 36 mil.

– Como devo fazer isso? – perguntei respeitosamente.

– Tenho certeza – disse ele, fazendo uma pausa em seguida, como se não soubesse o que argumentar. – Tenho certeza de que podemos resolver isso financiando os 36 mil.

– É uma bela caminhonete. Maravilhosa. Você não sabe quanto eu gostaria de tê-la. Ela vale mais do que estou oferecendo. Sinto muito, isso é bastante constrangedor. Eu não consigo chegar a esse preço.

Ele me encarou em silêncio, agora um pouco confuso. Em seguida se levantou e foi até os fundos pelo que pareceu uma eternidade. Ausentou-se por tanto tempo que me lembro de dizer a mim mesmo: "Droga, eu deveria ter começado com menos. Eles vão baixar tudo." Qualquer resposta que não seja uma rejeição completa à sua oferta significa que a vantagem é sua.

Ele retornou e me disse que, como era Natal, seu chefe concordara com um novo preço: 34 mil dólares.

– Uau, sua oferta é muito generosa e esse é o carro dos meus sonhos – comentei. – Eu juro que gostaria de pagar isso. De verdade. Me sinto muito constrangido, mas simplesmente não posso.

Ele ficou calado e eu não mordi a isca. Deixei o silêncio se prolongar. E então, com um suspiro, saiu de novo, caminhando pesado.

Retornou depois de outra eternidade.

– Você venceu – disse ele. – Meu gerente aceitou 32.500.

Ele empurrou sobre a mesa um papel onde estava escrito "VOCÊ VENCEU" em letras grandes, as palavras enfeitadas com carinhas sorridentes.

– Sou muito grato. Você está sendo muito generoso e não tenho como agradecer. A caminhonete sem dúvida vale mais do que o meu preço – insisti. – Sinto muito. Não posso fazer isso.

Ele se levantou novamente. Nenhum sorriso agora; ainda estava desnorteado. Voltou à sala da gerência e eu esperei, já sentindo o gosto da vitória. Um minuto depois – dessa vez não demorou uma eternidade – ele retornou e se sentou.

– Podemos fazer isso – informou.

Dois dias depois, saí dirigindo minha Toyota 4Runner Vermelho Salsa Perolizado – que comprei por 30 mil dólares.

Nossa, como adoro essa caminhonete. Eu a dirijo até hoje.

...

A maioria das negociações chega àquele ponto inevitável em que uma interação informal entre duas pessoas se transforma em um confronto que resulta no proverbial "Vamos ao que interessa". Você sabe o momento: já espelhou e rotulou seu caminho para um grau de entendimento; uma auditoria de acusação removeu os obstáculos mentais ou emocionais persistentes; você identificou e resumiu os interesses e as posições em jogo até extrair um "Está certo"...

Agora é hora de pechinchar.

O embate por dinheiro, uma incômoda dança de ofertas e contraofertas, leva a maioria das pessoas a suar frio. Se você se inclui nesse grupo e considera que o momento da pechincha é apenas um mal necessário, há uma boa chance de ser derrotado com frequência por gente que aprendeu a fazer isso.

Nenhuma parte de uma negociação produz mais ansiedade e agressão sem foco do que a pechincha. Isso explica por que tanta gente se atrapalha e lida mal com essa etapa. Para a maioria das pessoas, não é uma dinâmica confortável. Mesmo quando temos os planos mais bem traçados, muitos de nós fraquejam no momento de discutir preços.

Neste capítulo, vou explicar as táticas que constituem o processo de pechinchar e analisar como dinâmicas psicológicas ditam as estratégias que devem ser usadas. Também explicarei como elas devem ser implementadas.

Você precisa saber que pechinchar não é um bicho de sete cabeças, mas também não é simples intuição ou matemática. Para se sair bem, é preciso despir-se de suas suposições sobre o processo e aprender a reconhecer as estratégias psicológicas sutis que exercem papéis vitais na negociação. Pechincheiros habilidosos veem mais do que apenas ofertas iniciais, contraofertas e decisões finais. Eles detectam as correntes psicológicas que correm abaixo da superfície.

Quando você aprender a identificar essas correntes, conseguirá "ler" situações de pechincha com mais precisão e responder com confiança às perguntas táticas que atormentam até os melhores negociadores.

Você estará pronto para "pechinchar sem luvas de boxe". E seus interlocutores nem vão perceber o que houve.

QUAL É O SEU TIPO?

Alguns anos atrás, eu estava em meu barco com um de meus funcionários, um cara ótimo chamado Keenon; era aquele momento em que eu deveria avaliar seu desempenho e instigá-lo a avançar.

– Quando penso no que fazemos, descrevo isso como "revelar a correnteza forte" – disse eu.

– Revelar a correnteza forte – repetiu Keenon.

– Sim, a ideia é que nós... você, eu e todo mundo aqui... temos as habilidades para identificar as forças psicológicas que estão nos afastando da praia e usá-las para chegar a algum lugar mais produtivo.

– Algum lugar mais produtivo – disse Keenon.

– Exatamente – confirmei. – A um lugar onde possamos...

Estávamos falando havia 45 minutos quando meu filho Brandon, que dirige operações para The Black Swan Group, caiu na gargalhada.

– Eu não aguento mais isso. Você não está vendo? Pai, jura que você não está vendo *mesmo*?

Pisquei.

– Vendo o quê? – perguntei.

– Há quase uma hora, tudo que Keenon está fazendo é espelhar você.

– Ah – disse eu, meu rosto ficando vermelho, enquanto Keenon começava a rir.

Brandon estava totalmente certo. Keenon estava brincando comigo o tempo todo, usando a ferramenta psicológica que funciona de maneira mais eficaz com caras assertivos como eu: o espelho.

...

O estilo pessoal de negociação de cada um se forma ao longo da infância, da vida escolar, do convívio com a família, com a cultura e um milhão de outros fatores. Ao reconhecer o seu, é possível identificar seus pontos fortes e fracos (e os de seu interlocutor) em uma negociação e ajustar sua mentalidade e suas estratégias para ter sucesso.

O estilo de negociação é uma variável crucial na hora de pechinchar. Se você não souber o que o instinto dirá a você ou ao outro lado em circunstâncias variadas, encontrará enorme dificuldade para analisar estratégias e táticas eficazes. Você e seu interlocutor têm hábitos mentais e comportamentos, e, quando você os identifica, pode aproveitá-los de maneira estratégica.

Assim como Keenon fez.

Existe um acervo imensurável de pesquisas sobre arquétipos e perfis comportamentais descrevendo todos os tipos de personalidade possíveis que você pode encontrar em uma mesa de negociação. Esse acervo é tão descomunal que acaba perdendo a utilidade. Nos últimos anos, em um esforço conduzido sobretudo por meu filho Brandon, consolidamos e simplificamos todas essas pesquisas, cruzando as referências com nossas experiências em campo e estudos de casos de nossos alunos de escolas de administração. Constatamos que as pessoas se encaixam em três categorias amplas. Algumas são Acomodadoras – ou seja, cooperativas; outras – como eu – são basicamente Assertivas; e as restantes são Analistas que adoram dados.

O cinema está povoado de cenas que sugerem a necessidade de um estilo Assertivo para fazer uma pechincha eficaz. No entanto, todos os estilos podem se dar bem. E, para ser verdadeiramente eficaz, você precisa de elementos de todos os três.

Um estudo de mediadores americanos[1] constatou que 65% dos procuradores de duas grandes cidades dos Estados Unidos usavam um estilo cooperativo, enquanto apenas 24% eram verdadeiramente assertivos. E, quando esses advogados foram classificados por eficácia, mais de 75% do grupo eficaz eram do tipo Cooperativo; apenas 12% eram Assertivos. Portanto, se você não é Assertivo, não se desespere. A asserção direta é contraproducente na maioria das vezes.

Lembre-se: seu estilo pessoal de negociação não é uma camisa de força. Ninguém tem apenas um estilo; a maioria de nós é capaz de suprimir seu estilo dominante se a situação pedir. Mas há uma verdade básica sobre um estilo de pechincha bem-sucedido: para ser bom, você tem que aprender a ser autêntico na mesa de negociação. Para ser ótimo, tem que reforçar seus pontos fortes, não substituí-los.

Aqui estão um guia rápido para classificar seu interlocutor em uma mesa de negociação e as táticas mais adequadas para você enfrentá-lo.

ANALISTA

Os analistas são metódicos e diligentes. Não têm muita pressa; acreditam que, desde que estejam trabalhando pelo melhor resultado de maneira cuidadosa e sistemática, o tempo tem pouca importância. Sua autoimagem está ligada a minimizar erros. Seu lema: use o tempo que for necessário para fazer certo.

Os analistas clássicos preferem trabalhar por conta própria e raramente se desviam de seus objetivos. Poucas vezes demonstram emoção e usam bastante um tom de voz parecido com o que chamamos no Capítulo 3 de *Voz de Locutor de FM*, lenta e cadenciada, com uma inflexão para baixo. Porém, os Analistas com frequência falam de maneira distante e fria, nada tranquilizadora. Isso desmotiva as pessoas sem que eles percebam e os impede de deixar o interlocutor à vontade e de peito aberto.

Os Analistas se orgulham de não deixar passar nenhum detalhe em sua extensa preparação. Eles pesquisarão durante duas semanas para obter dados que poderiam extrair em 15 minutos na mesa de negociação, só para não serem surpreendidos. Analistas odeiam surpresas.

São solucionadores de problemas que atuam com discrição; também podem ser descritos como agregadores de informações e hipersensíveis à reciprocidade. Eles lhe darão uma informação, mas, se não conseguirem algo em troca dentro de certo período de tempo, perderão a confiança e se afastarão. Isso parece vir do nada, mas lembre-se: como gostam de trabalhar sozinhos, o fato de estarem falando com você é, na perspectiva deles, uma concessão. Quase sempre verão as concessões do interlocutor como uma nova informação a ser levada para casa e avaliada. Não espere deles contrapropostas imediatas.

Pessoas assim são céticas por natureza. Portanto, fazer perguntas demais no começo é má ideia, porque elas só responderão quando entenderem todas as implicações. Com os Analistas, é vital estar preparado. Use dados claros para apresentar seus motivos; não improvise; compare informações para discordar e se atenha aos fatos; avise-os logo sobre problemas; e evite surpresas.

Consideram o silêncio uma oportunidade para pensar. O fato de se calarem não significa que estejam furiosos com você nem tentando lhe dar uma chance de falar mais. Caso sinta que há discordâncias em relação a suas ideias, dê-lhes uma chance de pensar primeiro.

Desculpas são de pouco valor para eles, uma vez que distinguem muito bem o que é a negociação e o que é o relacionamento com a sua pessoa. Eles respondem razoavelmente bem a rótulos no momento. Não são rápidos para responder a perguntas calibradas ou a perguntas fechadas quando a resposta for "Sim". Podem precisar de alguns dias.

Se você é um Analista, deve ficar atento para não se desconectar de uma fonte de dados essencial: seu interlocutor. A melhor coisa que pode fazer é sorrir enquanto fala. Como resultado, as pessoas estarão mais dispostas a dar informações a você. Sorrir também pode se tornar um hábito conveniente para disfarçar momentos em que for pego desprevenido.

ACOMODADOR

O mais importante para esse tipo de negociador é o tempo gasto construindo a relação. Os Acomodadores acreditam que, enquanto houver uma troca livre e contínua de informações, o tempo está sendo bem gasto. Desde que estejam se comunicando, estão felizes. O objetivo deles é se relacionar com o interlocutor. Adoram quando os dois lados saem ganhando.

Dos três tipos, este é o que mais tende a construir um ótimo entendimento sem, na verdade, conquistar nada.

Os Acomodadores querem continuar amigos do interlocutor mesmo quando não conseguem chegar a um acordo. São muito fáceis de conversar, extremamente amigáveis e têm vozes agradáveis. Farão uma concessão para apaziguar ou aquiescer e esperarão que o outro lado retribua.

Se seus interlocutores são sociáveis, buscam a paz, são otimistas, distraem-se com facilidade e administram mal o tempo, provavelmente são Acomodadores.

Diante deles, seja sociável e amigável. Escute-os discorrer sobre suas ideias e use perguntas calibradas focadas na implementação; isso fará com que eles avancem e encontrem maneiras de traduzir o que falam em ação.

Como tendem a ser os primeiros a ativar o ciclo de reciprocidade, podem ter concordado em dar a você algo que na verdade não podem entregar.

Pode lhes faltar uma abordagem para a preparação, uma vez que estão muito mais focados na pessoa diante deles à mesa. Eles querem conhecer você. São apaixonados pelo espírito de negociação e pelo que é preciso não apenas para administrar as emoções, mas também para satisfazê-las.

Um Acomodador quer apenas ouvir o que você tem a dizer, portanto é muito fácil discordar dele. O outro lado da moeda é que descobrir as objeções que têm pode ser difícil. Eles identificarão de antemão áreas com problemas potenciais e não se ocuparão delas por medo do conflito que podem causar.

Se você se identificou como Acomodador, mantenha sua capacidade de fazer as pessoas gostarem de você, mas preserve suas objeções. Não são apenas os outros dois tipos que precisam ouvir seu ponto de vista; se você está lidando com outro Acomodador, ele receberá bem seus argumentos. Também esteja consciente do excesso de conversa fiada: para os outros dois tipos isso não tem nenhuma utilidade e, se você estiver sentado à mesa com alguém semelhante, estará propenso a interações que não levam a nada.

ASSERTIVO

O tipo Assertivo acredita que tempo é dinheiro; cada minuto gasto é um minuto perdendo dinheiro. Sua autoimagem está ligada a quantas tarefas ele consegue realizar em um período de tempo. Para ele, chegar à solução perfeita é menos importante do que executá-la.

Os Assertivos são pessoas intensas que adoram vencer mais do que qualquer coisa, com frequência às custas dos outros. Seus colegas e interlocutores nunca questionam suas posições porque eles são sempre diretos e sinceros. Têm um estilo de comunicação agressivo e não temem futuras interações. Sua visão de relações de negócios é baseada pura e simplesmente em respeito.

Mais do que tudo, o Assertivo quer ser ouvido. E não apenas quer ser ouvido como só tem capacidade de escutá-lo depois de saber que você o ouviu. Eles se concentram em seus objetivos, não nas pessoas. Não perguntam, afirmam.

Quando estiver lidando com tipos Assertivos, é melhor focar no que têm a dizer. Eles só darão ouvidos ao seu ponto de vista se estiverem convencidos de que você os entende.

Para um Assertivo, cada silêncio é uma oportunidade de falar mais. O espelho funciona à perfeição com esse tipo, assim como perguntas calibradas, rótulos e resumos. O mais importante a extrair de um Assertivo será um "Está certo" que pode vir sob a forma de "É exatamente isso" ou "Acertou na mosca".

Em termos de reciprocidade, a mentalidade dessas pessoas é: "Conceda um centímetro e receba um quilômetro." Como acham que merecem tudo que você lhes deu, serão desatentas em relação à sua expectativa de obter algo em troca e continuarão buscando oportunidades de receber mais. Se fizeram algum tipo de concessão, certamente contarão os segundos até obter a contrapartida.

Se você é um Assertivo, esteja particularmente atento ao seu tom. Embora não pretenda ser duro demais, com frequência é assim que parecerá. Fale com suavidade e cuide para que sua voz soe mais agradável. Use perguntas calibradas e rótulos com seu interlocutor; isso tornará você mais acessível e aumentará as chances de colaboração.

...

Cada um desses grupos dá importância bem diferente ao tempo (tempo = preparação; tempo = relação; tempo = dinheiro) e interpreta o silêncio de maneiras muito diversas.

Não tenho dúvidas de que sou um Assertivo e, certa vez, em uma conferência, um tipo Acomodador me disse que tinha destruído um acordo. Pensei: "O que será que ele fez? Gritou com o outro cara e foi embora?" Porque esse seria eu destruindo um acordo.

Não; ele ficou em silêncio. Para um Acomodador, silêncio significa raiva.

Para os Analistas, porém, silêncio significa que eles precisam pensar. E os Assertivos interpretam o silêncio como se você não tivesse nada a dizer ou quisesse que eles falassem. Sou desse tipo, por isso eu sei: se faço silêncio, é porque não tenho o que falar.

É curioso quando eles se cruzam. Se um Analista faz uma pausa para pensar, o interlocutor Acomodador fica nervoso e o Assertivo dispara a falar, irritando o Analista, que pensa consigo mesmo: "Toda vez que tento pensar, você vê isso como uma oportunidade de falar um pouco mais. Será que nunca cala a boca?"

...

Antes de prosseguirmos, quero falar sobre por que tantas pessoas acham difícil identificar o estilo de seu interlocutor.

O maior obstáculo para reconhecer com precisão o estilo de alguém é o que chamo de paradoxo "Eu sou normal". Quer dizer, nossa hipótese de que todos veem o mundo da mesma forma que nós. Afinal de contas, quem não faria essa suposição?

Embora seja algo inocente e compreensível, pensar em você como padrão de normalidade é uma das suposições mais prejudiciais em uma negociação. Isso nos faz projetar inconscientemente no outro o nosso estilo. Porém, com três tipos de negociador no mundo, há uma chance de 66% de seu interlocutor ter um estilo diferente do seu. Um "normal" diferente.

...

Um CEO certa vez me disse que esperava que nove entre dez negociações fracassassem. Esse CEO estava provavelmente projetando suas crenças no interlocutor. Na realidade, ele talvez só tivesse negociado com alguém que pensava parecido com ele uma entre dez vezes. Se entendesse que seu interlocutor era diferente, seu índice de sucesso possivelmente seria maior.

Desde a preparação até o engajamento em um diálogo, os três tipos negociam de maneiras bem diversas. Portanto, antes mesmo de pensar em pechinchar com eficácia, você precisa entender o "normal" de seu interlocutor. Precisa identificar o tipo e acolher a diferença. Na hora de negociar, a Regra de Ouro está errada.

A regra do Cisne Negro é não tratar os outros como você quer ser tratado; é tratá-los como *precisam* ser tratados.

(Tenho um material complementar que ajudará você a identificar seu tipo e os daqueles à sua volta. Basta acessar o link http://info.blackswanltd.com/3-types e baixar o PDF, em inglês.)

LEVANDO UM SOCO

Acadêmicos de negociação gostam de tratar a barganha como um processo racional desprovido de emoção. Eles criaram o termo ZOPA – ou Zona de Acordo Potencial –, em que os territórios do vendedor e do comprador se cruzam. Digamos que Tony queira vender seu carro e não aceite menos que 5 mil dólares e que Samantha queira comprar, mas não pague mais de 6 mil dólares. A ZOPA se estende de 5 mil a 6 mil dólares. Alguns acordos têm ZOPA e outros não. É tudo muito racional.

Ou pelo menos é assim que querem que você pense.

Esqueça esse conceito. Em uma sessão de regateio real, negociadores feras não usam ZOPA; quase sempre começam com uma oferta ridícula, uma âncora extrema. Se você não estiver preparado para lidar com isso, perderá suas amarras e imediatamente irá para o seu máximo. É da natureza humana. Como disse certa vez o grande pugilista e mordedor de orelha Mike Tyson: "Todo mundo tem um plano até levar um soco na boca."

Como negociador bem preparado que busca informações incansavelmente, você vai querer que o outro dê um preço primeiro, porque deseja ver o que ele tem na mão. Dará boas-vindas à âncora extrema, mas ela é forte e você é humano: suas emoções podem aflorar. Se isso acontecer, há maneiras de resistir à tempestade sem fazer uma oferta que contrarie seus interesses ou responder com raiva. Quando você aprender essas táticas, estará pronto para sobreviver ao impacto e reagir com desenvoltura.

Primeiro, desvie-se do soco convidando seu interlocutor a baixar a guarda. Negociadores bem-sucedidos com frequência dizem "Não" de uma das muitas maneiras que abordamos ("Como devo aceitar isso?") ou esquivam-se da âncora com perguntas como "O que nós estamos tentando fazer aqui?". Respostas assim são ótimas para mudar o foco da outra parte quando você se sente pressionado a fazer uma concessão.

Também é possível reagir a uma âncora agressiva apenas com palavras. Se achar que estão tentando arrastar você para uma barganha, tente desviar a conversa para as questões não monetárias que tornam aceitável qualquer preço final.

Você pode fazer isso diretamente dizendo, em um tom de voz encorajador: "Vamos deixar o preço de lado um pouco e falar sobre o que melhoraria esse acordo." Ou pode ser mais sutil, perguntando, por exemplo: "O que mais você poderia oferecer para tornar esse preço bom para mim?"

Se o outro lado pressionar *você* a se manifestar primeiro, não caia na armadilha. Em vez de dar um preço, faça uma alusão a um valor altíssimo que outra pessoa poderia cobrar. Certa vez, quando uma rede de hospitais quis que eu desse um preço primeiro, eu disse: "Bem, se você for à Harvard Business School, eles vão cobrar 2.500 dólares por dia, por estudante."

Não importa o que aconteça, a questão aqui é absorver o máximo de informações de seu interlocutor. Deixá-lo jogar a âncora primeiro lhe dará uma tremenda percepção sobre ele. Tudo que você precisa é neutralizar o primeiro soco.

...

Um de meus alunos de MBA em Georgetown, um cara chamado Farouk, me mostrou como não ceder depois de levar um soco. Ele marcou uma reunião com a reitora do MBA em busca de fundos para realizar um grande evento de ex-alunos em Dubai. Era uma situação desesperadora, porque ele precisava de 600 dólares e ela era sua última chance.

No encontro, Farouk contou à reitora sobre como os estudantes estavam animados com a viagem e como ela ajudaria a divulgar o MBA de Georgetown na região.

Antes que ele pudesse terminar, porém, a reitora interveio:

– Parece que vocês estão planejando uma ótima viagem, mas o dinheiro está curto e eu não poderia autorizar mais do que 300 dólares.

Farouk não esperava que a reitora fosse tão rápida. Mas as coisas nem sempre acontecem conforme planejado.

– É uma oferta bastante generosa considerando o seu orçamento, mas não tenho certeza de que nos ajudaria a organizar uma boa recepção para os ex-alunos na região – disse Farouk, reconhecendo os limites da reitora sem dizer a palavra "Não".

Em seguida, ele lançou uma âncora extrema:

– Tenho uma quantia mais alta em mente: precisamos de mil dólares.

Como esperado, a âncora extrema desestabilizou a reitora.

– Isso está totalmente fora de meu alcance. Mas vou lhe dar 500 dólares.

Farouk ficou meio tentado a ceder – 100 dólares a menos não era tão ruim –, mas lembrou-se da maldição de mirar baixo e decidiu pressionar.

Os 500 dólares o aproximavam de seu objetivo, mas ainda não eram suficientes, disse ele; 850 dólares funcionariam.

A reitora reagiu dizendo que já estava oferecendo mais do que queria e que 500 dólares era uma quantia razoável. Nesse momento, se Farouk estivesse menos preparado, teria desistido, mas ele estava pronto para a pancadaria.

– Acho sua oferta muito razoável e entendo suas restrições, mas preciso de mais dinheiro para montar uma ótima apresentação para a escola – falou. – Que tal 775 dólares?

A reitora sorriu e Farouk soube que tinha vencido.

– Acho que você está tentando chegar a um número específico – afirmou ela. – Me diga qual é.

Farouk percebeu que ela falava com sinceridade e ficou feliz por apresentar seu número.

– Preciso de 737,50 dólares para fazer isso funcionar e você é minha última chance – disse ele.

Ela riu.

A reitora então o elogiou por saber o que queria e disse que verificaria seu orçamento. Dois dias depois, Farouk recebeu um e-mail dizendo que teria 750 dólares.

DEVOLVENDO O SOCO: USANDO A ASSERÇÃO SEM SE DEIXAR MANIPULAR POR ELA

Quando uma negociação está longe da resolução e caminhando rápido para lugar nenhum, você precisa sacudir a poeira e libertar o interlocutor de sua mentalidade rígida. Em momentos assim, manobras fortes podem ser muito eficazes. Às vezes uma situação pede apenas que você seja o agressor e dê um soco na cara do outro.

Dito isso, se você é basicamente uma pessoa agradável, precisará de muito esforço para atingir seu interlocutor feito Mike Tyson. Somos o que somos. Como diz um ditado popular dinamarquês, "Você assa o pão com a farinha que tem". Porém, qualquer um pode aprender algumas táticas.

Aqui estão maneiras eficazes de ser assertivo com inteligência:

RAIVA VERDADEIRA, AMEAÇAS SERENAS E RESSENTIMENTO ESTRATÉGICO

Marwan Sinaceur, do Insead, e Larissa Tiedens, da Universidade de Stanford, constataram que manifestações de raiva aumentam a vantagem e o lance final de um negociador.[2] A raiva demonstra uma paixão e uma convicção que podem coagir o outro lado a aceitar menos. Porém, ao aumentar a sensibilidade de seu interlocutor ao perigo e ao medo, sua raiva reduz os recursos dele para outras atividades cognitivas, preparando-o para fazer concessões ruins que provavelmente levarão a problemas de implementação, reduzindo seus ganhos.

Outro cuidado: pesquisadores constataram ainda que manifestações falsas de raiva – fingimento – saem pela culatra, desencadeando exigências absurdas e destruindo a confiança. Para ser eficaz, a raiva precisa ser verdadeira, mas necessita estar sob controle, porque também reduz a nossa capacidade cognitiva.

Portanto, quando alguém fizer uma oferta ridícula que o aborreça, respire fundo, permita-se um pouco de raiva, canalize-a – para a proposta, não para a pessoa – e diga: "Não entendo como isso funcionaria."

A atitude de se ofender no momento oportuno – conhecida como "ressentimento estratégico" – pode despertar seu interlocutor para o problema. Em estudos dos acadêmicos da Universidade de Colúmbia Daniel Ames e Abbie Wazlawek, pessoas que lidaram com o ressentimento estratégico de outras apresentaram probabilidade maior de se avaliar como exageradamente assertivas, mesmo quando o interlocutor não pensava isso delas.[3] A verdadeira lição aqui é estar consciente de como isso pode ser usado contra *você*. Por favor, não se torne vítima de um "ressentimento estratégico".

Ameaças feitas sem raiva mas com "firmeza" – ou seja, confiança e autocontrole – são ótimas ferramentas. Dizer "Sinto muito, isso não funciona para mim" com firmeza funciona.

PERGUNTAS "POR QUÊ"

No Capítulo 7, falei sobre os problemas do "Por quê?": em qualquer ponto do universo, essa pergunta coloca as pessoas na defensiva.

Como experimento, da próxima vez que seu chefe quiser que você faça algo, pergunte a ele "Por quê?" e veja o que acontece. Repita o procedimento com um colega, um subordinado e um amigo. Observe as reações deles e me conte se encontrou algum nível de defesa (aposto que sim). Mas não faça isso demais, sob risco de perder seu emprego e todos os seus amigos.

O único momento em que digo "Por que você fez isso?" em uma negociação é quando quero derrubar alguém. No entanto, é uma técnica duvidosa e eu não a recomendaria.

Existe, porém, outra maneira de usar "Por quê?" com eficácia. A ideia é empregar a defesa que a pergunta desencadeia para levar seu interlocutor a assumir *a sua* posição.

Sei que soa estranho, mas funciona. O formato básico é assim: quando quiser converter um interlocutor hesitante ao seu ponto de vista, pergunte a ele "Por que você faria *isso*?", mas de maneira que o "*isso*" favoreça você. Vou explicar. Se você está trabalhando para atrair um cliente e afastá-lo da concorrência, pode dizer: "Por que você faria negócio comigo? Por que você deixaria seu fornecedor atual? Ele é ótimo!"

Nessas perguntas, o "Por quê?" coage seu interlocutor a trabalhar para você.

MENSAGENS "EU"

Usar o pronome da primeira pessoa do singular é outra ótima maneira de estabelecer um limite sem desencadear um confronto.

Quando você diz "Eu sinto muito, isso não funciona para mim", a palavra "Eu" direciona estrategicamente a atenção de seu interlocutor para você por tempo suficiente para você apresentar um argumento.

Tradicionalmente, a mensagem "Eu" pressiona o botão de pausa e rompe uma dinâmica ruim. Quando você quer contrariar afirmações improdutivas de seu interlocutor, pode dizer "Eu sinto ___ quando você ___ porque ___", e isso exige que a outra pessoa pare e pense.

Mas tenha cuidado com o grande "Eu": é preciso estar atento para não usar um tom agressivo ou que gere desentendimento. Fale de maneira tranquila e equilibrada.

NÃO CEDA À CARÊNCIA: A MENTALIDADE PRONTO-PARA-SAIR

Dissemos antes que é melhor nenhum acordo do que um acordo ruim. Se você sente que não pode dizer "Não", então está refém.

Quando tiver clareza sobre qual é o seu limite mais baixo, não hesite em interromper a negociação. Não deixe que a carência assuma o comando.

...

Antes de prosseguirmos, quero enfatizar como é importante manter uma relação colaborativa mesmo ao estabelecer limites. Expresse sua resposta informando seus limites de maneira forte mas empática – pense em um amor complicado –, e não com ódio ou violência. A raiva e outras emoções fortes podem, em raras ocasiões, ser eficazes, mas apenas como atos calculados, nunca como um ataque pessoal. Em qualquer sessão de barganha sem luvas de boxe, o princípio mais vital é nunca olhar seu interlocutor como um inimigo.

A pessoa do outro lado da mesa nunca é o problema; a questão não resolvida é que é. Portanto, concentre-se na questão. Essa é uma das táticas mais básicas para evitar uma escalada emocional. Nossa cultura demoniza pessoas raivosas nos filmes e na política, o que cria a mentalidade de que, se pudermos nos livrar delas, tudo ficará bem. Mas essa dinâmica é tóxica para qualquer negociação.

Revidar o soco é o último recurso. Antes de chegar lá, sempre recomendo uma tentativa de aliviar a situação. Sugira um intervalo. Quando seus interlocutores saírem um pouco para respirar, já não se sentirão reféns de uma situação ruim. Eles recuperarão um senso de ação e poder e agradecerão você por isso.

Pense nas táticas de revidar e estabelecer limites como uma curva em S nivelada: você acelerou para subir a ladeira de uma negociação e atingiu um platô. Nessa posição, é preciso interromper temporariamente qualquer progresso, intensificar (ou aliviar) a questão que está funcionando como obstáculo, criar um estado de entendimento e então retomar a subida. Usar uma abordagem positiva, construtiva, para um conflito envolve entender que o vínculo é fundamental para qualquer solução. Nunca crie um inimigo.

O MODELO ACKERMAN

Passei tanto tempo refletindo sobre o judô psicológico que montei um arcabouço de negociação: as perguntas calibradas, os espelhos, as ferramentas para tirar meu interlocutor do jogo dele e levá-lo a fazer uma oferta contra os próprios interesses.

Mas negociar ainda consiste em determinar quem fica com qual fatia da torta, e de vez em quando todos somos obrigados a enfrentar um cara durão – sem luvas de boxe.

Encarei barganhas com as mãos nuas o tempo todo no mundo dos reféns. Regateei com muitos caras que não abriam mão de seu plano e estavam acostumados a fazer do jeito deles. "Pague ou mataremos", diziam, e estavam falando sério. É necessário cultivar habilidades bem firmes para vencê-los em uma negociação. Você precisa de ferramentas.

No treinamento de negociação do FBI, aprendi o sistema de barganha que uso até hoje. E confio muito nele.

Chamo esse sistema de Modelo Ackerman porque ele foi criado por Mike Ackerman, um ex-agente da CIA que fundou uma empresa de consultoria especializada em sequestros com pedido de resgate sediada perto de Miami. Em muitos sequestros estivemos ao lado dos "caras de Ackerman" – nunca do próprio Mike –, que nos ajudavam a planejar a barganha.

Depois que me aposentei do FBI, finalmente conheci Mike durante uma viagem a Miami. Quando eu lhe disse que também usava o sistema para negociações financeiras, ele riu e falou que utilizava a técnica de Howard Raiffa, um lendário negociador de Harvard, e que Howard afirmara que funcionaria em qualquer situação. Então senti que meu raciocínio fazia todo o sentido.

Por definição, o Modelo Ackerman é um método de oferta e contraoferta. Mas é um sistema muito eficaz por vencer a habitual dinâmica medíocre da barganha, cujo resultado previsível é levar a negociação para um meio-termo.

O processo sistematizado e fácil de lembrar tem apenas seis passos:

1. Defina o preço que deseja (sua meta).
2. Estabeleça sua primeira oferta em 65% da meta.
3. Calcule três aumentos com incrementos decrescentes (para 85, 95 e 100%).

4. Use muita empatia e maneiras diferentes de dizer "Não" para levar o outro lado a reagir antes de você aumentar sua oferta.
5. Quando calcular a quantia final, use números quebrados, não arredondados, como 37.893 dólares em vez de 38 mil dólares. Isso dá credibilidade e peso ao número.
6. Sobre seu número final, lance um item não monetário (algo que provavelmente eles não querem) para mostrar que você chegou ao seu limite.

A genialidade desse sistema é que ele incorpora as táticas psicológicas que discutimos – reciprocidade, âncoras extremas, aversão à perda e outras – sem você precisar pensar nelas.

Examinarei os passos para você entender o que quero dizer.

Primeiro, a oferta original de 65% de seu preço alvo estabelecerá uma âncora extrema, um grande tapa na cara que pode levar seu interlocutor diretamente ao preço-limite dele. O choque de uma âncora extrema induzirá uma reação de fuga ou de luta em quase todos os negociadores, à exceção dos mais experientes, limitando sua capacidade cognitiva e empurrando-os para uma ação precipitada.

Agora observe os aumentos progressivos de 85, 95 e 100% do preço alvo. Você vai liberá-los de maneira comedida: depois que o interlocutor fizer outra oferta e você lançar algumas perguntas calibradas para ver se consegue levá-lo a fazer uma oferta contra si mesmo.

Essas ofertas que você faz funcionam em vários níveis. Primeiro, jogam com a norma da reciprocidade; inspiram seu interlocutor a fazer uma concessão também. Assim como as pessoas tendem mais a enviar cartões de Natal àqueles que enviaram primeiro a elas, em uma negociação a tendência maior é fazer concessões àqueles que cederam antes.

Segundo, os aumentos decrescentes – note que a cada vez eles caem à metade – convencem seu interlocutor de que ele está apertando você até o limite. Quando chegar ao último, achará que extraiu até a última gota.

Isso alimenta a autoestima dele. Pesquisadores constataram que pessoas que obtêm concessões com frequência se sentem melhor em relação ao processo de barganha do que aquelas que recebem uma única oferta firme e "justa". Esse sentimento se mantém mesmo quando acabam pagando mais – ou recebendo menos – do que poderiam se a negociação tivesse tomado outro rumo.

Por fim, vale a pena reiterar o poder dos números não arredondados.

No Haiti, usei intensamente o Método Ackerman. Durante 18 meses tivemos até três sequestros por semana; portanto, por experiência, sabíamos que os preços de mercado iam de 15 mil a 75 mil dólares por vítima. Como eu era durão, minha meta era pagar menos de 5 mil dólares em cada negociação de sequestro que eu conduzisse.

Uma dessas situações se destaca, a primeira que menciono neste livro. Usei o Método Ackerman, desafiando os sequestradores com uma âncora extrema e atingindo-os com perguntas calibradas; então, aos poucos, fiz concessões cada vez menores. Por último, lancei o número estranho que selou o acordo. Jamais me esquecerei do chefe do escritório do FBI em Miami telefonando para meu colega no dia seguinte e dizendo: "Voss conseguiu resgatar essa pessoa por 4.751 dólares? Como um dólar faz diferença?"

Eles estavam se dobrando de rir, com razão. Aquele dólar é ridículo. Mas funciona para a nossa natureza humana. Observe que você não pode comprar nada por 2 dólares, mas pode comprar um milhão de coisas por 1,99 dólar. Um centavo muda alguma coisa? Não muda. Mas faz diferença todas as vezes. Gostamos mais de 1,99 dólar do que de 2 dólares, mesmo sabendo que isso é uma ilusão.

NEGOCIANDO UMA REDUÇÃO NO ALUGUEL DEPOIS DE RECEBER UM COMUNICADO DE AUMENTO

Oito meses depois de assinar um contrato de aluguel de 1.850 dólares por mês, um aluno meu chamado Mishary, estudante de MBA em Georgetown, recebeu uma notícia indesejada: o corretor de seu senhorio informou que queria reajustar o valor para 2.100 dólares por mês durante dez meses ou 2 mil dólares por mês durante um ano.

Mishary adorava o lugar e não achava que encontraria outro melhor, mas o preço já estava alto e ele não tinha condição de pagar mais.

Levando a sério o slogan de nossa aula, "Caia para o seu nível mais alto de preparação", ele mergulhou em classificados de imóveis e constatou que os preços de apartamentos similares variavam entre 1.800 e 1.950 dólares por mês, mas nenhum deles ficava em um prédio tão bom. Então fez as contas e definiu que queria pagar 1.830 dólares de aluguel.

Ele solicitou uma reunião com o corretor.

Seria uma negociação difícil.

No encontro, Mishary expôs sua situação. Sua experiência no prédio vinha sendo bastante positiva, afirmou, além do que, ele sempre pagava em dia. Seria triste sair dali, argumentou, e triste para o senhorio perder um bom inquilino. O corretor assentiu.

– Estou totalmente de acordo – disse ele. – Por isso acho que renovar o aluguel será benéfico para todos.

Foi aí que Mishary sacou sua pesquisa: os preços nos prédios da vizinhança eram "muito" menores, disse ele.

– Embora o seu prédio seja melhor em termos de localização e serviços, **como devo pagar 200 dólares a mais?**

A negociação tinha começado.

O corretor fez silêncio por alguns instantes e então respondeu:

– Seu argumento é válido, mas esse ainda é um bom preço. E, como você notou, podemos cobrar um adicional.

Mishary então lançou uma âncora extrema:

– Entendo perfeitamente, você tem uma localização melhor e comodidades. Mas sinto muito, não posso. **Será que um aluguel de 1.730 dólares por mês durante um ano pareceria justo para você?**

O corretor riu e disse que não havia como aceitar aquele número porque estava bem abaixo do preço de mercado.

Em vez de entrar em uma rodada de barganha, Mishary agiu com esperteza e recorreu a perguntas calibradas:

– Está bem. Então, por favor, me ajude a entender: **como você calcula o valor do reajuste do aluguel?**

O corretor não disse nada surpreendente – apenas que eles usavam indicadores como os preços na região e a lei da oferta e procura – mas isso deu a Mishary uma brecha para o seguinte argumento: com sua saída, o senhorio correria o risco de ficar com o apartamento vago e ainda ter que repintá-lo. Um mês sem alugar seria uma perda de 2 mil dólares, disse ele.

Então Mishary lançou outra oferta. Já sei: você provavelmente acha que ele agiu mal por fazer duas ofertas sem ter recebido uma em troca. E você está certo; em geral, isso é proibido. Mas vale aqui a capacidade de improvisação. Se você se sente no controle em uma negociação, pode fazer dois ou três movimentos sequenciais. Não deixe as regras arruinarem o fluxo.

– Vou tentar novamente. **Que tal 1.790 dólares por doze meses?**

O corretor fez uma pausa.

– Eu entendo suas preocupações e o que disse faz sentido – ponderou. – No entanto, o valor que você quer pagar é muito baixo. Porém me dê um tempo para pensar sobre isso e podemos nos encontrar outra vez. Que tal?

Lembre-se: qualquer resposta diferente de uma rejeição total significa que você tem vantagem.

Cinco dias depois os dois se encontraram de novo.

– Fiz uma pesquisa e, acredite, este é um bom negócio – começou o corretor. – Posso lhe oferecer 1.950 por mês durante um ano.

Mishary sabia que tinha conseguido. O corretor só precisava de um empurrãozinho. Então ele elogiou o homem e disse não sem dizer "Não". Observe como ele rotula errado, e de maneira brilhante, para levar o cara a se abrir:

– É generoso de sua parte, mas como devo aceitar isso se posso me mudar para outro prédio a alguns quarteirões de distância pagando 1.800 dólares? Cento e cinquenta dólares por mês são um bom dinheiro para mim. Você sabe, eu sou estudante. Não sei, mas **parece que você prefere correr o risco de manter o lugar sem inquilino.**

– Não é isso – respondeu o corretor. – Mas não posso lhe dar um valor abaixo do mercado.

Mishary fez uma pausa dramática, como se o corretor estivesse extraindo cada centavo que ele tinha.

– Veja, a situação é a seguinte: inicialmente, fui de 1.730 para 1.790 – disse ele, suspirando. – Vou subir para 1.810. E **acho que isso funciona bem para ambos.**

O corretor balançou a cabeça.

– Ainda está abaixo do mercado, senhor. E não posso fazer isso.

Mishary se preparou para fazer a última de suas ofertas Ackerman. Ficou em silêncio por algum tempo e então pediu caneta e papel. Em seguida, começou a fazer cálculos falsos para parecer que estava realmente pressionando a si mesmo.

Por fim, olhou para o corretor e disse:

– Fiz alguns cálculos e o máximo que posso pagar é 1.829.

O corretor balançou a cabeça de um lado para outro, como se estivesse tentando entender a oferta. Por fim, falou:

– Uau, 1.829. Você parece muito preciso. Deve ser contador. [Mishary não era.] Olhe, eu valorizo o fato de você querer renovar conosco e por isso acho que posso aceitar esse valor para um aluguel de doze meses.

Tlim! Notou a brilhante combinação de ofertas Ackerman decrescentes, números quebrados, pesquisa profunda, rotulação inteligente e dizer não sem dizer "Não"? É assim que se consegue um *desconto* no aluguel quando um senhorio quer aumentar o valor.

LIÇÕES-CHAVE

Quando a coisa apertar – e isso acontecerá –, você se verá sentado a uma mesa diante de um negociador sem luvas de boxe. Depois de usar todas as suas ferramentas psicologicamente sutis – a rotulagem, o espelhamento e a calibragem –, terá que lidar com o "Vamos ao que interessa".

Para a maioria de nós, isso não tem graça.

Grandes negociadores sabem, porém, que o conflito é quase sempre o caminho para ótimos acordos. E os melhores encontram maneiras de se divertir no processo. O conflito traz verdade, criatividade e resolução. Portanto, da próxima vez que você se vir cara a cara com um pechincheiro sem luvas de boxe, lembre-se das lições deste capítulo.

- Identifique o estilo de negociação de seu interlocutor. Quando você reconhecer se ele é Acomodador, Assertivo ou Analista, saberá a maneira correta de abordá-lo.
- Prepare-se, prepare-se, prepare-se. Quando a pressão aumentar, não reaja à altura: atinja o seu nível mais alto de preparação. Portanto, crie uma meta ambiciosa, porém legítima, e verifique os rótulos, as perguntas calibradas e as respostas que usará para chegar lá. Dessa maneira, não terá que improvisar quando estiver à mesa de negociação.
- Esteja pronto para levar um soco. Negociadores feras geralmente usam

uma âncora extrema para desestabilizá-lo de seu jogo. Se você não estiver preparado, fugirá para o seu máximo sem oferecer resistência. Portanto, prepare suas táticas de esquiva para não cair na armadilha da concessão.
- Estabeleça limites e aprenda a levar um soco ou devolver a agressão sem raiva. O cara do outro lado da mesa não é o problema; a situação é que é.
- Prepare um plano Ackerman. Antes de sua cabeça entrar no emaranhado da barganha, você precisará de um plano de âncora extrema, perguntas calibradas e ofertas claras. Lembre-se: 65, 85, 95 e 100%. Decrescendo os aumentos e terminando em números quebrados, você levará seu interlocutor a acreditar que está apertando você até onde é possível quando, na verdade, ele é que está chegando ao número que você quer.

―――――――――――― CAPÍTULO 10 ――――――――――――

ENCONTRE O CISNE NEGRO

Às 11h30 de 17 de junho de 1981, um belo dia de primavera com temperatura de 21 graus e uma insistente brisa soprando do oeste, William Griffin, de 37 anos, saiu de seu quarto no segundo andar da casa onde morava com os pais, em Rochester, Nova York, e desceu a escada lustrosa que levava à sala de estar.

No andar de baixo ele parou, fez uma pausa e então, sem uma palavra de advertência, disparou três tiros de escopeta que mataram sua mãe e um trabalhador que estava colando papel de parede e feriram gravemente seu padrasto. O som reverberou no ambiente fechado.

Griffin então saiu da casa e atirou contra um operário e dois transeuntes enquanto caminhava devagar para o Security Trust Company, um banco na vizinhança. Segundos depois de ele entrar, as pessoas começaram a sair correndo do banco. Griffin fez nove funcionários reféns e ordenou aos clientes restantes que abandonassem o local.

Durante as três horas e meia que se seguiram, Griffin levou a polícia e os agentes do FBI a um violento impasse. Ele atirou e feriu os dois primeiros policiais que reagiram ao alarme silencioso do banco e baleou seis pessoas que por acaso estavam por ali. Griffin disparou tantos tiros – mais de cem ao todo – que foi preciso usar um caminhão de lixo para proteger um policial enquanto este era resgatado.

Após levar os nove funcionários do banco para um pequeno escritório, às 14h30 Griffin disse à gerente para telefonar para a polícia e transmitir uma mensagem.

Do lado de fora, o agente do FBI Clint Van Zandt estava por perto quando Jim O'Brien, policial de Rochester, atendeu o telefone.

– Ou você vai até a porta de entrada do banco às três horas e enfrenta o sequestrador a tiros no estacionamento, ou ele começará a matar os reféns e desovar os corpos – disse a gerente, entre lágrimas.

Em seguida a ligação caiu.

Nunca na história dos Estados Unidos um sequestrador matara um refém no prazo final. Determinar um prazo era sempre uma maneira de focar a mente; o que os bandidos realmente queriam era dinheiro, respeito e um helicóptero. Todo mundo sabia disso. Isso era uma regra permanente e inalterável. Era a verdade.

Mas essa verdade perene e inalterável estava prestes a mudar. O que aconteceu em seguida mostrou o poder dos Cisnes Negros, as informações ocultas e inesperadas – os *desconhecidos desconhecidos* – cuja descoberta muda o jogo em uma dinâmica de negociação.

Os avanços de uma negociação – quando o jogo muda a seu favor – são criados por aqueles que podem identificar e utilizar os Cisnes Negros.

Vou revelar como.

ENCONTRE A VANTAGEM NO PREVISIVELMENTE IMPREVISÍVEL

Exatamente às 15h, Griffin fez um gesto para um dos reféns, uma funcionária do caixa de 29 anos chamada Margaret Moore, e lhe disse para sair pela porta de vidro do banco. Apavorada, ela obedeceu, mas primeiro gritou que era mãe solteira de um filho jovem.

Griffin não pareceu ouvi-la ou se importar. Quando a mulher, chorando, chegou ao vestíbulo, ele atirou com sua escopeta calibre 12. Duas balas pesadas atingiram Moore no tronco, lançando-a violentamente através da porta de vidro e quase cortando seu corpo ao meio.

Do lado de fora, a polícia assistiu a tudo em choque e em silêncio. Era óbvio que Griffin não queria dinheiro, respeito nem uma rota de fuga. Ele só sairia dali em um saco para cadáver.

Naquele momento, Griffin se aproximou de uma janela grande e pressionou o corpo contra o vidro. Ele estava plenamente visível a um atirador de elite posicionado na igreja do outro lado da rua. Griffin sabia muito bem que o atirador estava ali; mais cedo, disparara contra ele.

Menos de um segundo depois de a silhueta de Griffin aparecer em sua mira, o atirador puxou o gatilho.

Griffin desabou no chão, morto.

...

A teoria do Cisne Negro nos diz que coisas que achávamos impossíveis – ou em que nunca pensamos – acontecem. É diferente de afirmar que se trata daquela chance em um milhão que se concretizou; estamos falando aqui de eventos nunca imaginados, que no entanto ocorrem.

A ideia do Cisne Negro foi popularizada pelo analista de riscos Nassim Nicholas Taleb em seus best-sellers *Iludido pelo acaso* (2001)[1] e *A lógica do Cisne Negro* (2007),[2] mas o termo é muito mais antigo. Até o século XVII, as pessoas só podiam imaginar cisnes brancos porque todos os cisnes já avistados tinham penas brancas. Na Londres do século XVII, era comum se referir a coisas impossíveis como "Cisnes Negros".

Até o dia em que o explorador holandês Willem de Vlamingh chegou ao oeste da Austrália, em 1697, e viu um cisne negro. De repente, o impensável e impensado era real. Todos tinham certeza de que, na próxima vez em que vissem um cisne, ele seria branco. A descoberta dos cisnes negros destruiu essa visão de mundo.

Os Cisnes Negros são apenas uma metáfora, é claro. Pense em Pearl Harbor, no surgimento da internet, no 11 de Setembro e na recente crise bancária.

Nenhum desses eventos foi previsto – mas, se refletirmos, todos os sinais estavam ali. Só que ninguém estava prestando atenção.

Para Taleb, o Cisne Negro simboliza a inutilidade de previsões baseadas em experiências prévias. Cisnes Negros são eventos ou conhecimentos que estão fora de nossas expectativas regulares e, portanto, não podem ser antecipados.

Esse é um conceito crucial em negociação. Sempre há diferentes tipos de informação. Existem as coisas que sabemos, como o nome de nosso interlocutor, a oferta dele ou nossas experiências em outras negociações. Esses são os *conhecidos conhecidos*. Existem as coisas que temos certeza que existem, mas não conhecemos, como a possibilidade de o outro lado adoecer e nos entregar para outro interlocutor. Esses são os *desconhecidos conhecidos* e equivalem aos curingas no pôquer; você sabe que eles estão ali, mas não sabe quem os tirou. Porém, mais importantes são as coisas que não sabemos que não sabemos, informações que nunca imaginamos, mas que mudariam o jogo uma vez descobertas. Talvez seu interlocutor queira que o acordo fracasse porque ele está se aliando a um concorrente.

Esses *desconhecidos desconhecidos* são os Cisnes Negros.

...

Com os *conhecidos conhecidos* e as expectativas prévias embasando sua abordagem, Van Zandt e todo o FBI estavam cegos para as pistas e conexões que indicavam haver algo fora do previsível em jogo. Eles não viram os Cisnes Negros debaixo de seus narizes.

Não quero culpar Van Zandt aqui. Ele prestou um serviço a todas as polícias relatando esse evento; durante uma sessão de treinamento em Quantico, contou a mim e a uma sala cheia de agentes a história daquele terrível dia de junho. Estava nos apresentando o fenômeno suicídio cometido por policial – quando um indivíduo cria deliberadamente uma situação de crise para provocar uma resposta letal por parte da polícia –, mas havia uma lição maior em jogo: o ponto central da história, na época e agora, é a importância de reconhecer o inesperado para assegurar que mortes como a de Margaret Moore nunca mais aconteçam.

Naquele dia de junho de 1981, O'Brien, o policial de Rochester, ficou ligando repetidamente para o banco, mas todas as vezes o funcionário que atendia logo desligava. Nesse momento eles deveriam ter percebido que a situação estava fora do *conhecido*. Sequestradores *sempre* falavam porque *sempre* tinham exigências; eles *sempre* queriam ser ouvidos, respeitados e pagos.

Mas esse cara não.

Depois que o impasse estava instalado, um policial entrou no posto de comando com a notícia de um duplo homicídio, além de uma terceira pessoa gravemente ferida a poucos quarteirões de distância.

– Precisamos saber disso? – disse Van Zandt. – Há uma ligação?

Ninguém sabia ou descobriu a tempo. Se soubessem, poderiam ter encontrado um segundo Cisne Negro: que Griffin já matara várias pessoas sem fazer exigências monetárias.

E então, algumas horas depois, o criminoso fez um dos reféns ler ao telefone um bilhete para a polícia. Curiosamente, não havia nenhuma exigência; era uma diatribe confusa sobre a vida de Griffin e as injustiças que ele suportara. O bilhete era tão longo e desfocado que não foi lido na íntegra. Por causa disso, uma frase importante – outro Cisne Negro – passou batida: "... depois que a polícia tirar minha vida..."

Como esses Cisnes Negros não foram descobertos, Van Zandt e seus colegas nunca enxergaram a situação como ela era: Griffin queria morrer e desejava que a polícia fizesse isso por ele.

Nunca tinha acontecido nada semelhante nos anais do FBI (um tiroteio no prazo final?). Então os agentes tentaram encaixar as informações que possuíam nos modelos do passado. Eles se perguntaram: "O que esse cara *realmente* quer?" Depois que Griffin tivesse causado algum pânico, os policiais esperavam que ele pegasse o telefone e iniciasse um diálogo. Ninguém é morto no prazo final.

Era assim que eles pensavam.

DESCOBRINDO DESCONHECIDOS DESCONHECIDOS

A lição do que aconteceu às 15h de 17 de junho de 1981 em Rochester, Nova York, é esta: quando fragmentos de um caso não fazem sentido, em geral é porque nossas referências estão equivocadas; só poderemos compreendê-los quando nos libertarmos de nossas expectativas.

Cada caso é novo. Devemos deixar o que sabemos – nossos *conhecidos conhecidos* – nos guiar, mas não nos cegar para o que não conhecemos; permanecer flexíveis e adaptáveis a qualquer situação; sempre manter uma mente de iniciante; e não devemos nunca supervalorizar nossa experiência ou subestimar as informações e emoções que se apresentam momento a momento em qualquer situação que enfrentemos.

Mas essas não foram as únicas lições importantes daquele evento trágico. Se o excesso de confiança nos *conhecidos conhecidos* pode acorrentar um negociador a suposições que o impedem de ver e ouvir tudo que uma situação apresenta, talvez uma receptividade maior aos *desconhecidos desconhecidos* possa libertá-lo para que ele veja e ouça elementos capazes de produzir avanços excepcionais.

No momento em que ouvi a história de 17 de junho de 1981, percebi que tinha que mudar completamente o modo de abordar uma negociação. Comecei a formular a seguinte hipótese: em toda barganha, cada lado está de posse de pelo menos três Cisnes Negros, três informações que, se fossem descobertas pelo outro lado, mudariam tudo.

Minha experiência desde então provou que isso é verdade.

Não se trata apenas de um pequeno ajuste na técnica de negociação. Não é por coincidência que dei à minha empresa o nome de Cisne Negro e uso a expressão como símbolo de nossa abordagem.

Encontrar Cisnes Negros e agir em relação a eles exige uma mudança de mentalidade. Faz com que a negociação deixe de ser um jogo de tabuleiro unidimensional, com movimentos e contramovimentos, e se transforme em um jogo tridimensional mais emocional, adaptativo, intuitivo e verdadeiramente eficaz.

Encontrar Cisnes Negros não é uma tarefa fácil, claro. Todos nós temos algum grau de cegueira. Não sabemos o que há depois da esquina até chegarmos lá. Por definição, não sabemos o que não sabemos.

É por isso que digo que encontrar e entender Cisnes Negros exige uma mudança de mentalidade. É preciso expandir caminhos consolidados e adotar novas maneiras de escutar, intuitivas e sensíveis às nuances.

Isso é vital para todos, de negociadores a inventores e comerciantes. O que você não sabe pode destruí-lo, ou destruir seu acordo. Mas descobrir o que não sabemos é incrivelmente difícil. O desafio mais elementar é que as pessoas não sabem que perguntas fazer ao cliente, ao usuário... ao interlocutor. Quando não é interrogada da maneira correta, a maioria é incapaz de articular a informação que você busca. O mundo não disse a Steve Jobs que queria um iPad; ele descobriu a nossa necessidade, aquele Cisne Negro, antes que tivéssemos consciência dela.

O problema é que questionamentos e técnicas de pesquisa convencionais são elaborados para confirmar *conhecidos conhecidos* e reduzir a incerteza. Eles não investigam o desconhecido.

As negociações sempre sofrerão de previsibilidade limitada. Seu interlocutor poderá assegurar que "esse terreno é encantador" sem mencionar que é também um lugar contaminado. Ele dirá "Se os vizinhos são barulhentos? Bem, todo mundo faz um pouco de barulho, não é?", quando a verdade é que uma banda de heavy metal ensaia ali toda noite.

Quem for mais habilidoso para descobrir, adaptar-se e explorar os desconhecidos sairá na frente.

Para encontrar esses desconhecidos, temos que interrogar nosso mundo, lançar um chamado e escutar a resposta com atenção. Faça muitas perguntas. Leia pistas não verbais e sempre expresse suas observações ao interlocutor.

Isso não é nada além do que você aprendeu até agora. É apenas mais intenso e intuitivo. Será preciso procurar a verdade por trás da camuflagem; notar as pequenas pausas que sugerem desconforto e mentiras. Não tente confirmar sua expectativa. Se fizer isso, é o que encontrará. Abra-se para a realidade factual que está à sua frente.

É por isso que minha empresa mudou a forma de se preparar para uma negociação e de se engajar nela. Não importa quantas pesquisas nossa equipe tenha feito antes da interação, sempre nos perguntamos: "Por que eles estão comunicando o que estão comunicando agora?" Lembre-se: uma negociação é mais como caminhar sobre uma corda bamba do que competir contra um oponente. Focar demais no objetivo final apenas vai distrair você do próximo passo, e isso pode levá-lo a se desequilibrar e cair. Concentre-se, porque a corda levará você ao fim – desde que não pule nenhum passo.

A maioria das pessoas espera que os Cisnes Negros sejam informações altamente confidenciais ou muito bem guardadas; na verdade, elas podem soar inócuas. Cada um dos lados pode estar totalmente inconsciente da importância delas. Seu interlocutor sempre tem informações cujo valor ele não compreende.

OS TRÊS TIPOS DE VANTAGEM

Voltarei às técnicas específicas para descobrir Cisnes Negros, mas primeiro gostaria de examinar o que os torna tão úteis.

A resposta é: vantagem. Os Cisnes Negros são multiplicadores de vantagens. Eles lhe dão a primazia no jogo.

"Vantagem" é a palavra mágica, mas é também um daqueles conceitos que especialistas em negociação lançam casualmente, mas nos quais poucas vezes se aprofundam; portanto, eu gostaria de fazer isso aqui.

Na teoria, vantagem é a capacidade de infligir perda e preservar ganho. Onde seu interlocutor quer ganhar e o que ele teme perder? Descubra essas informações e você terá vantagem sobre as percepções, ações e decisões do outro lado – é isso o que nos dizem. Na prática, percepções irracionais são nossa realidade e perda e ganho são noções escorregadias. Com frequência, pouco importa qual a vantagem que realmente existe sobre você; o que de fato interessa é a vantagem que o outro lado pensa que você tem sobre ele. É por isso que eu digo que há sempre vantagem: como conceito essencialmente emocional, ela pode ser fabricada, quer exista ou não.

Se estão falando com você, a vantagem é sua. Quem tem vantagem em um sequestro: o sequestrador ou a família da vítima? A maioria das pessoas pensa que o sequestrador está na melhor posição. Claro, ele tem algo que você ama, mas você tem algo que ele cobiça. Quem tem mais poder? Além disso, quantos compradores há para a mercadoria que os sequestradores estão tentando vender? Que negócio é bem-sucedido se tem apenas um comprador?

A vantagem tem muitos pilares, como tempo, necessidade e competição. Se você *precisa* vender sua casa *agora*, tem menos vantagem do que a pessoa sem pressa. Se você *quer* vendê-la, mas não *precisa*, tem mais vantagem. E, se várias pessoas estão lhe fazendo ofertas ao mesmo tempo, bom para você.

Perceba que vantagem não é a mesma coisa que poder. Donald Trump é um homem muito poderoso, mas, se ele estiver sozinho no deserto e o dono da única loja existente em um raio de quilômetros tiver a água que ele quer, o vendedor tem a vantagem.

Como negociador, você deve estar sempre atento a qual lado, em qualquer momento, acha que tem mais a perder se a negociação fracassar. Esse lado tem menos vantagem, e vice-versa. Para obter vantagem, você precisa convencer seu interlocutor de que ele tem algo real a perder se o acordo falhar.

Em um nível taxonômico, existem três tipos de vantagem: Positiva, Negativa e Normativa.

VANTAGEM POSITIVA

A vantagem positiva é nossa capacidade, como negociadores, de fornecer – ou reter – elementos que nosso interlocutor deseja. Sempre que o outro lado diz "Eu quero" (por exemplo: "Eu quero comprar seu carro"), você tem uma vantagem positiva.

Quando ele diz isso, você tem poder: pode transformar o desejo dele em realidade; pode enrolá-lo e, portanto, infligir dor; ou pode usar o desejo dele para obter um acordo melhor.

Eis um exemplo:

Três meses depois de você lançar seu negócio no mercado, um potencial comprador enfim lhe diz: "Sim, eu gostaria de comprar isso." Você fica animado, mas alguns dias depois sua alegria se transforma em decepção quando ele faz uma oferta tão baixa que chega a ser insultante. Se essa é a única oferta que você tem, o que fazer?

Espera-se que você tenha feito contato com outros compradores, mesmo que de modo casual. Se fez, pode usar a oferta para criar um ambiente de competição e, com isso, deflagrar uma guerra de ofertas. Pelo menos você os forçará a uma escolha.

Mesmo que você não tenha outras ofertas na mesa ou mesmo que o comprador interessado seja sua primeira opção, você tem mais poder do que antes de seu interlocutor revelar o desejo dele. Você controla o que ele quer. É por isso que negociadores experientes demoram a fazer ofertas – eles relutam em abrir mão da vantagem.

A vantagem positiva deve melhorar seu aspecto psicológico durante a negociação. Você foi de uma situação em que quer algo do investidor para uma situação em que ambos querem algo um do outro.

Quando você a tem, pode identificar outras ambições de seu oponente. Talvez, com o tempo, ele queira comprar sua firma. Ajude-o a fazer isso, desde que ele aumente o preço. Talvez a oferta dele seja todo o dinheiro que tem. Ajude-o a obter o que quer – seu negócio – dizendo que você só pode lhe vender 75% pelo valor que ele oferece.

VANTAGEM NEGATIVA

É o que a maioria das pessoas imagina quando ouve a palavra "vantagem". É a capacidade de um negociador de levar seu interlocutor ao sofrimento.

Baseia-se em ameaças: você tem a vantagem negativa quando pode dizer à outra parte: "Se você não cumprir seu compromisso/pagar a conta/etc., eu destruirei sua reputação."

Esse tipo de vantagem recebe atenção por causa de um conceito que discutimos: *aversão à perda*. Como os negociadores eficientes sabem há muito tempo e os psicólogos provaram repetidas vezes, as perdas potenciais parecem muito maiores à mente humana do que os ganhos de valor semelhante. Obter um bom acordo pode nos levar a uma aposta arriscada, mas salvar a nossa reputação é uma motivação muito mais forte.

Então, para que tipo de Cisne Negro você deve estar atento como vantagem negativa? Negociadores eficientes procuram informações – com frequência reveladas de modo indireto – que mostrem o que é importante para seu interlocutor: quem é o público dele? O que traz status e reputação para ele? O que mais o preocupa? Para encontrar essas informações, um método é afastar-se da mesa de negociação e falar com uma terceira parte que conheça o seu interlocutor. Porém, o mais eficaz é colher informações a partir de interações com o próprio interlocutor.

Dito isso, uma palavra de advertência: não acredito em ameaças diretas e sou extremamente cuidadoso até mesmo com as sutis. Ameaças podem ser como bombas nucleares: haverá um resíduo tóxico difícil de eliminar. Fique atento ao potencial das consequências negativas ou irá se prejudicar e envenenar ou destruir todo o processo.

Se você empurra sua vantagem negativa pela goela de seu interlocutor, ele pode perceber essa conduta como uma forma de tirar sua autonomia. É mais fácil as pessoas morrerem do que abrirem mão disso. No mínimo, agirão de maneira irracional e interromperão a negociação.

Uma técnica mais sutil é rotular sua vantagem negativa e, com isso, deixá-la evidente, mas sem atacar. Frases como "Parece que você valoriza muito o fato de receber sempre em dia" ou "Parece que você não se importa com a posição em que me colocou" podem abrir o processo de negociação.

VANTAGEM NORMATIVA

Todo mundo tem um conjunto de regras e um arcabouço moral. Vantagem normativa é usar as normas e os padrões da outra parte para ganhar terreno. Se você é capaz de apontar inconsistências entre as crenças e as ações de seu interlocutor, tem uma vantagem normativa. Ninguém gosta de parecer hipócrita.

Por exemplo, se seu interlocutor deixa escapar que em geral paga um certo múltiplo do fluxo de caixa quando compra uma empresa, você pode enquadrar seu preço desejado de maneira a refletir essa avaliação.

Para descobrir os Cisnes Negros que lhe dão uma vantagem normativa, muitas vezes basta perguntar a seu interlocutor em que ele acredita e escutar atentamente. Veja que língua ele fala e use-a para comunicar-se com ele.

CONHEÇA A RELIGIÃO DELE

Em março de 2003, conduzi uma negociação com um agricultor que se tornou um dos mais improváveis terroristas pós-11 de Setembro que você possa imaginar.

O drama começou quando Dwight Watson, um produtor de tabaco da Carolina do Norte, acoplou seu jipe a um trator John Deere enfeitado com faixas e uma bandeira dos Estados Unidos invertida e o rebocou até Washington. Watson queria protestar contra políticas do governo que, segundo ele, estavam afundando o negócio dos agricultores de tabaco.

Quando chegou à capital, Watson empurrou seu trator para dentro de um lago entre o Monumento de Washington e o Memorial dos Veteranos do Vietnã e ameaçou explodi-lo com bombas de "organofosfato" que, alegou, estavam dentro do veículo.

A cidade parou enquanto a polícia bloqueava uma área de oito quarteirões, do Memorial a Lincoln ao Monumento de Washington. Como isso aconteceu meses depois dos ataques do atirador de Beltway e em uma época de acirramento da Guerra do Iraque, a facilidade com que Watson causou tumulto na capital do país deixou as pessoas em pânico.

Pelo celular, Watson disse ao *Washington Post* que estava em uma missão tudo ou nada para mostrar como a redução de subsídios estava destruindo a agricultura do tabaco. Ele disse ao *Post* que Deus o instruíra a fazer seu protesto e que não sairia dali.

– Se é assim que os Estados Unidos serão governados, que vão para o inferno – disse ele. – Não vou me render. Podem me explodir para me tirar da água. Estou pronto para ir para o céu.

O FBI me instalou em um trailer adaptado no National Mall, de onde eu orientaria uma equipe de agentes do FBI e a Polícia de Parques dos Estados Unidos. Ao mesmo tempo, tentaríamos falar com Watson para impedi-lo de matar a si mesmo e quem sabe a quantos outros.

Então começamos a trabalhar.

Como é de se esperar em uma negociação com um cara que ameaçava destruir uma boa parte da capital dos Estados Unidos, foi algo justificadamente tenso. Atiradores apontavam armas de precisão para Watson e tinham "sinal verde" para atirar caso ele fizesse algum movimento suspeito.

Em qualquer negociação, mas especialmente em uma situação tensa como essa, o que determina o seu êxito não é quão bem você fala, mas quão bem escuta. Entender o "outro" é uma pré-condição para falar de maneira persuasiva e desenvolver opções que repercutam nele. Existe a negociação visível e, depois, tudo que está oculto sob a superfície (o espaço secreto onde habitam os Cisnes Negros).

Muitas vezes, o acesso a esse espaço oculto se dá por meio da compreensão da visão de mundo da outra parte, de sua *razão de ser*, sua religião. Investigar a "religião" (às vezes envolvendo Deus, mas nem sempre) de seu interlocutor implica inerentemente ir além da mesa de negociação e entrar na vida dele e compreender suas emoções.

Quando você entende a visão de mundo de seu interlocutor, pode influenciá-lo. Foi por isso que, enquanto falávamos com Watson, investi minha energia em tentar descobrir quem ele era em vez de apresentar argumentos lógicos para que se rendesse.

Soubemos que Watson achava cada vez mais difícil ganhar a vida com sua fazenda de tabaco de 485 hectares, que estava com a família havia cinco gerações. Depois que suas terras sofreram com a seca e sua colheita caiu pela metade, Watson decidiu que já não podia arcar com as despesas da propriedade e foi a Washington dar o seu recado. Ele queria atenção, e saber o que ele queria nos deu uma vantagem positiva.

Watson também nos disse que era veterano de guerra, e veteranos tinham regras. Isso é música para os ouvidos de um negociador, pois oferece uma vantagem normativa. Ele nos contou que estaria disposto a se render, mas não de imediato. Como oficial da polícia militar da 82ª Divisão Aerotransportada nos anos 1970, aprendera que, se estivesse sem saída atrás de linhas inimigas, poderia se retirar com honra caso os reforços não chegassem em três dias. Nunca antes.

Agora havíamos articulado regras que podíamos impor a ele. Além disso, ao admitir que poderia recuar, Watson indicava que, apesar de sua bravata sobre morrer, ele queria viver. Em uma negociação envolvendo reféns, uma das primeiras coisas que tentamos descobrir é se o sequestrador tem planos de sair com vida. E Watson respondera que sim.

Absorvemos essa informação – uma vantagem negativa, já que podíamos tirar algo que ele queria manter, sua vida – e começamos a articulá-la com uma vantagem positiva: o desejo de ser ouvido. Enfatizamos a Watson que ele já era notícia no país inteiro e que, se quisesse que sua mensagem fosse disseminada, ele teria que viver.

Watson era esperto o bastante para entender que havia uma chance real de não sair dali vivo, mas ainda tinha suas regras de honra militar. Seus desejos e temores ajudaram a gerar algumas vantagens positivas e negativas, mas as normas que regiam sua vida vinham antes.

Era tentador esperar até o terceiro dia, mas duvidei que chegássemos tão longe. A cada hora que passava a atmosfera ficava mais tensa. A capital estava sob cerco e tínhamos motivos para acreditar que ele poderia ter explosivos. Bastava um movimento errado, alguma maluquice repentina, e os atiradores o matariam. Ele já tivera várias explosões de raiva, então cada hora que passava o punha em perigo. Watson também poderia pôr fim à própria vida.

No entanto, não podíamos ameaçar matá-lo e esperar que funcionasse. O motivo para isso é algo chamado "paradoxo de poder": quanto maior a pressão, mais provável é encontrar resistência. Por isso é tão importante usar a vantagem negativa com moderação.

Porém o tempo era curto e tínhamos que apressar os desdobramentos. Mas como?

O que aconteceu em seguida foi um daqueles exemplos gloriosos de como uma escuta profunda para entender a visão de mundo de seu interlocutor pode revelar um Cisne Negro; este, por sua vez, transforma a dinâmica de uma negociação. Watson não falou diretamente o que precisávamos saber, mas, prestando toda a atenção, descobrimos uma verdade sutil que modulava tudo que ele dizia.

Mais ou menos 36 horas haviam se passado quando Winnie Miller, uma agente do FBI de nossa equipe que vinha escutando atentamente as referências veladas de Watson, virou-se para mim e disse:

– Ele é um cristão devoto. Diga a ele que amanhã é o Alvorecer do Terceiro Dia. É o dia em que, segundo os cristãos, Jesus Cristo saiu da tumba e subiu ao Céu. Se Cristo saiu no Alvorecer do Terceiro Dia, por que não Watson?

Foi um uso brilhante da escuta profunda. Combinando o subtexto das palavras de Watson com o conhecimento sobre a visão de mundo dele, Winnie nos permitiu mostrar a Watson que não apenas o estávamos *escutando*, mas que o havíamos *ouvido* também.

Se nosso entendimento do subtexto fosse correto, Watson poderia encerrar o impasse de maneira digna, movido pelo sentimento de que estava se rendendo a um adversário que respeitava a ele e a suas crenças.

Ao posicionar suas exigências em harmonia com a visão de mundo de seu interlocutor, você mostra consideração por ele e obtém atenção e resultados. Saber a religião da outra parte em uma negociação é mais do que ganhar uma vantagem normativa *per se*; é alcançar uma compreensão holística da visão de mundo dela – nesse caso, literalmente uma religião – e usar esse conhecimento para modular seus movimentos à mesa.

Usar a religião de seu interlocutor é extremamente eficaz porque, em geral, ele se submete a essa autoridade. A "religião" do outro é o que o mercado, os especialistas, Deus ou a sociedade – o que quer que seja importante para ele – determinou como sendo justo e correto. E as pessoas acatam essa autoridade.

Na conversa seguinte com Watson, mencionamos que a manhã seguinte seria o Alvorecer do Terceiro Dia. Houve um longo silêncio do outro lado da linha. Nosso Centro de Operações ficou tão silencioso que era possível ouvir o batimento cardíaco do cara ao lado.

Watson tossiu.

– Eu vou sair – falou.

E cumpriu o que disse, encerrando um impasse de 48 horas. Não foi ferido e a normalidade voltou à capital do país.

Nenhum explosivo foi encontrado.

Embora a importância de "saber a religião" do outro esteja clara a partir da história de Watson, aqui estão duas dicas para interpretar corretamente essa informação:

- Revise tudo que você ouvir. As revelações sutis não virão da primeira vez, portanto cheque duas vezes. Compare suas anotações com as dos membros de sua equipe. Você descobrirá novas informações que o ajudarão a avançar.
- Recrute ouvintes de apoio cujo único trabalho seja escutar as conversas ao telefone. Eles ouvirão o que você deixará escapar.

Em outras palavras: escute, escute de novo e escute mais um pouco.

Vimos como uma compreensão holística da "religião" de seu interlocutor – um enorme Cisne Negro – pode lhe dar uma vantagem normativa que leva a resultados em uma negociação. Mas há outras maneiras pelas quais aprender a "religião" de seu interlocutor permite que você se saia melhor.

O PRINCÍPIO DA SEMELHANÇA

Pesquisas de cientistas sociais confirmaram algo que negociadores eficientes sabem há muito tempo: confiamos mais nas pessoas quando as vemos como semelhantes ou familiares; quando fazem parte do grupo com o qual nos identificamos. Pertencer é um instinto primário. Se conseguir despertar esse instinto, essa sensação de "Ah, nós vemos o mundo do mesmo jeito", você ganha influência imediatamente.

Quando nosso interlocutor expressa atitudes, crenças, ideias – até mesmo o modo de se vestir – semelhantes às nossas, tendemos a apreciá-lo mais e confiar mais nele. Semelhanças tão superficiais quanto ser membro do mesmo clube ou ex-aluno da mesma faculdade aumentam o entendimento.

É por isso que em muitas culturas os negociadores passam bastante tempo construindo um entendimento antes mesmo de pensar em ofertas. Ambos os lados sabem que as informações colhidas podem ser vitais para fazer um acordo eficaz e obter vantagem. É um pouco como cachorros que ficam medindo forças e cheirando-se uns aos outros.

Certa vez, trabalhei em um acordo com um CEO em Ohio no qual o princípio da semelhança exerceu um papel importante.

Meu interlocutor vivia fazendo referências a teses que reconheci como sendo de cristãos renascidos. Quando falávamos, ele não conseguia decidir se era o caso de chamar ou não seus assessores para as conversas. Esse ponto claramente o atormentava. A certa altura ele chegou a dizer:

– Ninguém me entende.

Naquele momento, comecei a puxar pela memória a palavra cristã que capturava a essência do que ele dizia. E então o termo veio à minha mente, um termo que as pessoas usavam com frequência na igreja para descrever o dever de administrar nossos recursos e os do nosso mundo – e, portanto, de Deus – com honestidade, transparência e responsabilidade.

– Você é realmente um servo, não é? – perguntei.

Sua voz imediatamente ficou mais forte:

– Sim! Você é o único que entende.

E ele nos contratou naquele instante. Ao mostrar que eu entendia suas razões mais profundas e acessar um sentido de semelhança e de pertencimento mútuo, consegui fechar o acordo. Quando estabeleci uma espécie de identidade compartilhada com esse cristão, ganhei o contrato. Não apenas pela semelhança, mas pelo entendimento subentendido que ela implicava.

O PODER DE ESPERANÇAS E SONHOS

Quando você sabe qual é a religião de seu interlocutor e consegue visualizar o que ele verdadeiramente quer da vida, pode usar essas aspirações para levá-lo a seguir você.

Todo engenheiro, todo executivo, toda criança – todos nós queremos acreditar que somos capazes de feitos extraordinários. Na infância, quando sonhamos acordados, nós nos vemos como protagonistas em grandes momentos: um ator ganhando o Oscar, um atleta marcando o ponto que dá a vitória no jogo. Quando crescemos, porém, nossos pais, professores e amigos falam mais sobre o que não podemos e não devemos fazer do que sobre o que é possível. Começamos a perder a fé.

No entanto, quando alguém demonstra uma paixão pelo que sempre quisemos ser ou fazer e prepara um plano assertivo para chegar lá, nós nos permitimos perceber o que é possível mudar. Ansiamos por um caminho para a alegria e, quando alguém é corajoso o bastante para traçá-lo para nós, naturalmente o seguimos.

Portanto, após constatar os objetivos que seu interlocutor não atingiu, invoque seu poder e sua capacidade de liderar, manifestando paixão pelos objetivos dele – e pela capacidade dele de alcançá-los.

Ted Leonsis é ótimo nisso. Como proprietário do time de basquete Washington Wizards e do time de hóquei Washington Capitals, ambos profissionais, ele vive falando sobre a importância de criar momentos imortais nos esportes, situações que narraremos a nossos netos no futuro. Quem não gostaria de se tornar imortal por meio de um acordo espetacular?

RELIGIÃO COMO MOTIVO

Pesquisas mostraram que as pessoas respondem favoravelmente a pedidos feitos em um tom de voz razoável e seguidos de um porquê.

Em um famoso estudo do fim dos anos 1970,[3] a professora de psicologia de Harvard Ellen Langer e seus colegas abordaram pessoas que estavam aguardando a vez para usar máquinas copiadoras e perguntaram se podiam furar a fila. Em algumas abordagens eles deram um motivo; em outras, não. O que Ellen constatou foi surpreendente: sem um motivo, 60% das pessoas permitiram que se furasse a fila, mas, quando ela deu um motivo, esse número superou os 90%. E não importava se o motivo fazia sentido. ("Desculpe, eu tenho cinco páginas. Posso furar a fila?" funcionou muito bem.) As pessoas responderam positivamente à formulação.

Embora motivos idiotas tenham funcionado em situações simples como fazer fotocópias, se as questões forem mais complexas é possível aumentar sua eficácia oferecendo motivos que façam referência à religião do seu interlocutor. Se o CEO cristão tivesse feito uma oferta baixa quando concordou em contratar minha firma, eu poderia ter respondido:

"Eu adoraria, mas também tenho o dever de ser um servo responsável com meus recursos."

NÃO É LOUCURA, É UMA PISTA

Não é da natureza humana aceitar o desconhecido. Ele nos assusta. Quando deparamos com ele, nós o ignoramos, fugimos ou o rotulamos de maneiras que nos permitem rejeitá-lo. Em negociações, esse rótulo assume com mais frequência a forma da afirmação: "Eles são loucos!"

É por isso que tenho críticas severas a uma parte da política americana de negociação de reféns – aquela que diz que não negociamos com aqueles aos quais nos referimos de maneira ampla como "terroristas", incluindo grupos como o Talibã e o Estado Islâmico.

O argumento para não negociar com eles foi bem sintetizado pelo jornalista Peter Bergen, analista de segurança nacional da CNN: "Negociações com fanáticos religiosos munidos de ilusões de grandeza geralmente dão errado."

A alternativa que escolhemos foi *não* entender a religião, o fanatismo e as ilusões deles. Em vez de negociações que dão errado, damos de ombros e dizemos: "Eles são loucos!"

Mas essa ideia está completamente equivocada. Precisamos entender essas coisas. Não estou dizendo isso porque sou um pacifista cabeça mole (o FBI não contrata agentes assim), mas porque sei que compreender tais elementos é a melhor maneira de descobrir as vulnerabilidades do outro lado e o que ele busca e, portanto, de exercer influência. Não se chega lá sem diálogo.

...

Ninguém está imune a "Eles são loucos!". Ouvimos essa frase em todo tipo de negociação, desde entre pais e filhos até entre congressistas e em interações corporativas.

Mas o momento em que estamos mais dispostos a jogar as mãos para o alto e declarar "Eles são loucos!" é, com frequência, o melhor momento para descobrir Cisnes Negros. É quando ouvimos ou vemos algo que não faz sentido – algo "louco" – que surge uma bifurcação crucial na estrada. Pode-se ir em frente, forçando um pouco mais, para explorar aquilo que, de início, não conseguimos processar; ou então tomar o outro caminho, aquele do fracasso garantido, em que dizemos a nós mesmos que era inútil negociar.

No excelente livro *O gênio da negociação*,[4] Deepak Malhotra e Max H. Bazerman, professores da Harvard Business School, analisam os motivos comuns para os negociadores, de maneira equivocada, chamarem seus interlocutores de loucos. Vou abordá-los a seguir.

ERRO Nº 1: ELES ESTÃO MAL INFORMADOS

É frequente que o outro lado esteja agindo com base em informações erradas. Quando as pessoas têm informações erradas fazem escolhas erradas. Há um ótimo termo da indústria de computadores para isso: Gigo – sigla inglesa para Garbage In, Garbage Out (Lixo Entra, Lixo Sai).

Como exemplo, Malhotra relata o litígio entre um aluno seu e um ex-funcionário que alegava que a empresa lhe devia 130 mil dólares em comissões por trabalhos anteriores à sua demissão; o cara estava ameaçando processá-lo.

Confuso, o executivo procurou os contadores da companhia. Ali ele descobriu o problema: as contas estavam uma bagunça quando o funcionário foi demitido, mas agora estavam em ordem. Com tudo esclarecido, os contadores asseguraram ao executivo que, na verdade, o funcionário é que devia 25 mil dólares à empresa.

Querendo evitar um processo, o executivo chamou o funcionário, explicou a situação e fez uma oferta: se ele desistisse da ação, poderia ficar com os 25 mil dólares. Para sua surpresa, o ex-funcionário disse que iria adiante com o processo de qualquer maneira; agiu de maneira irracional, louca.

Malhotra disse a seu aluno que o problema não era loucura, mas sim falta de informação e confiança. Então o executivo pediu a uma firma de contabilidade de fora que fizesse uma auditoria dos números e enviasse os resultados ao funcionário beligerante.

O resultado? O funcionário desistiu do processo.

O ponto aqui é o seguinte: pessoas que operam com informações incompletas parecem loucas aos olhos daquelas que têm dados diferentes. Seu trabalho, quando encontrar alguém assim em uma negociação, é descobrir o que elas *não* sabem e fornecer essas informações.

ERRO Nº 2: ELES ESTÃO DE MÃOS ATADAS

Em qualquer negociação na qual seu interlocutor esteja agindo de maneira hesitante, existe uma clara possibilidade de haver coisas que ele não pode fazer, mas não está disposto a revelar. Essas restrições podem fazer o interlocutor mais sensato parecer irracional. Ele pode estar de mãos atadas por causa de um conselho legal, por promessas que já fez ou até para não abrir um precedente.

Talvez ele não tenha autoridade para fechar o acordo.

Foi essa a situação que um cliente meu enfrentou quando tentava conquistar a conta da Coca-Cola para sua agência de publicidade.

O cara vinha negociando um acordo fazia meses e novembro se aproximava. Meu cliente estava apavorado: se não fechasse o acordo antes de o ano acabar, teria que esperar a Coca-Cola fechar um novo orçamento e poderia perder a conta.

O problema é que o contato havia parado de responder. Eu disse ao meu cliente para enviar uma versão de nosso clássico e-mail para não respondentes, aquele que *sempre* funciona: "Você desistiu de finalizar o acordo este ano?"

Então algo estranho aconteceu. O contato da Coca-Cola *não* respondeu ao e-mail perfeito. O que teria havido?

Aquela conduta parecia um tanto irracional, mas o contato havia sido um cara correto até então. Dissemos ao nosso cliente que isso só podia significar uma coisa: que o cara desistira de fechar o acordo até o fim do ano, mas não queria admitir. Tinha que haver algum tipo de constrangimento.

Sabendo disso, pedimos ao nosso cliente para investigar a fundo. Depois de vários telefonemas e e-mails, ele localizou alguém que conhecia seu contato. Estávamos certos: o departamento daquela pessoa estava um caos havia semanas e, em meio à luta interna na empresa, ele tinha perdido completamente sua influência. Não surpreende que estivesse constrangido de admitir isso. Por isso andava evitando meu cliente.

Explicando de maneira simples, ele estava de mãos atadas.

ERRO Nº 3: ELES TÊM OUTROS INTERESSES

Voltemos à história de William Griffin, o primeiro homem a matar um refém no prazo final.

Os negociadores do FBI e da polícia presentes no local não dispunham de uma informação crucial: Griffin não queria dinheiro para soltar os reféns. Seu interesse era ser morto por um policial. Se eles tivessem descoberto antes esse interesse oculto, poderiam ter evitado parte da tragédia daquele dia.

Não é tão raro assim que haja interesses ocultos. Seu interlocutor muitas vezes rejeitará ofertas mesmo que elas sejam boas.

Um cliente pode protelar a compra de um produto para que o ano fiscal termine antes de a fatura chegar, aumentando seu bônus. Um funcionário pode se demitir no meio de uma trajetória de carreira bem-sucedida porque soube que seus colegas estão ganhando mais que ele. Para esse funcionário, justiça é um interesse tão relevante quanto dinheiro.

Quaisquer que sejam as especificidades da situação, essas pessoas não estão agindo de maneira irracional. Estão apenas se submetendo a necessidades e desejos que você ainda não entende, curvando-se à sua compreensão do mundo e ao conjunto de regras em que acreditam. Seu trabalho é trazer esses Cisnes Negros à tona.

...

Conforme vimos, quando você reconhece que seu interlocutor não é irracional, mas que simplesmente está mal informado, de mãos atadas ou obedecendo a interesses que você desconhece, seu espaço de manobra se expande. E isso lhe permite negociar com muito mais eficiência.

Eis algumas maneiras de descobrir esses Cisnes Negros poderosos:

FAÇA CONTATO PESSOAL

É extremamente difícil descobrir os Cisnes Negros se você não está à mesa – no sentido literal.

Não importa quanta pesquisa você faça, há algumas informações que não vai descobrir se não estiver cara a cara.

Hoje, muitas pessoas mais jovens fazem quase tudo por e-mail. Mas é muito difícil encontrar Cisnes Negros nos e-mails pela simples razão de que, mesmo que você "destrave" o seu interlocutor com ótimos rótulos e perguntas calibradas, a mensagem escrita dá a ele tempo demais para pensar e se reequilibrar emocionalmente, de modo a evitar revelações indesejadas.

Além disso, o e-mail não permite efeitos de tom de voz. Tampouco é possível interpretar os componentes não verbais da resposta de seu interlocutor (relembre o 7-38-55).

Retomemos a história do meu cliente que estava batalhando pela conta da Coca-Cola e descobriu que seu contato na empresa fora jogado para escanteio.

Percebi que a única maneira de meu cliente obter o acordo com a Coca-Cola era levando seu contato a admitir que estava de mãos atadas e, em seguida, encaminhá-lo para o executivo correto. Mas não havia como o cara fazer isso, porque ele ainda imaginava que podia resgatar sua importância.

Então eu disse ao meu cliente para encontrar seu contato fora da sede da Coca-Cola.

– Convide-o para jantar. Formule a pergunta assim: "Seria má ideia eu levar você a sua churrascaria favorita só para darmos umas risadas sem falar de negócios?"

A ideia é que, não importa o motivo – fosse porque o contato estivesse constrangido ou não gostasse de meu cliente ou não quisesse discutir a situação –, a única maneira de o processo avançar seria por meio de uma interação humana direta.

Meu cliente levou o sujeito para jantar e prometeu que não falaria de negócios. Mas não havia como evitar o assunto e a simples interação pessoal, cara a cara, criou o ambiente propício para que o contato admitisse que era o cara errado. Revelou que seu departamento estava uma bagunça e que o acordo só sairia se ele entregasse a negociação para outra pessoa.

E assim foi. Demorou mais de um ano, mas o contrato saiu.

FIQUE ATENTO A PEQUENOS DESCUIDOS

Embora permitam o contato pessoal, reuniões de negócio formais, encontros estruturados e sessões de negociação planejadas dificilmente propiciam momentos reveladores, pois nessas ocasiões as pessoas estão mais protegidas.

A caça aos Cisnes Negros também é eficaz durante eventuais momentos de descontração, como o jantar do meu cliente com seu contato na Coca-Cola ou conversas antes ou depois das interações formais.

Durante uma típica reunião de negócios, os primeiros minutos, antes de você entrar de fato no assunto, e os últimos, quando todos estão saindo, quase sempre oferecem mais informações do que tudo que houve entre uma coisa e outra. É por isso que os repórteres têm o hábito de nunca desligar seus gravadores: você sempre consegue as melhores revelações no começo e no fim de uma entrevista.

Preste também bastante atenção no seu interlocutor durante interrupções, diálogos inusitados ou qualquer fato que perturbe o fluxo. Quando alguém sai do script, as rachaduras na fachada podem se revelar. A simples observação dessas fendas e da forma como os outros respondem, verbalmente ou não, podem revelar uma mina de ouro.

QUANDO ALGO NÃO FAZ SENTIDO, DÁ PARA GANHAR MAIS DINHEIRO

Estudantes com frequência me perguntam se os Cisnes Negros são informações de um tipo específico ou qualquer coisa que ajude. Respondo assim: Cisnes Negros são qualquer coisa que você não sabe e que, ao descobrir, muda o rumo dos acontecimentos.

Para deixar esse conceito mais claro, eis a história de um de meus alunos de MBA que estava estagiando em uma firma imobiliária de participações privadas em Washington. Ele se deparou com ações de seu interlocutor que não faziam sentido e, inocentemente, encontrou, usando um rótulo, um dos maiores Cisnes Negros que já vi em muitos anos.

Meu aluno estava muito atento a alguns alvos potenciais quando um diretor da empresa lhe pediu para examinar uma propriedade de uso misto no coração de Charleston, na Carolina do Sul. Ele não tinha nenhuma experiência no mercado daquela cidade, então telefonou para o corretor encarregado daquela propriedade e pediu mais informações.

Depois de discutir o negócio e a área, meu aluno e seu chefe concluíram que o preço pedido, de 4,3 milhões de dólares, estava 450 mil dólares acima do valor de mercado. Nesse momento, meu aluno ligou para o corretor de novo para discutir o preço e os próximos passos.

Depois dos gracejos iniciais, o corretor perguntou ao meu aluno o que ele achava da propriedade.

– Parece interessante – disse ele. – Infelizmente, não conhecemos o mercado. Gostamos da região central e da King Street em particular, mas temos muitas perguntas.

O corretor lhe disse então que estava no mercado havia mais de quinze anos e que, portanto, estava bem informado. Nesse momento, meu aluno recorreu a **perguntas "Como" e "O que" calibradas** no intuito de coletar informações e avaliar as habilidades do corretor.

– Ótimo – disse meu aluno. – Em primeiro lugar, como Charleston foi afetada pela crise econômica?

O corretor lhe deu uma resposta detalhada, citando exemplos específicos de melhora do mercado. No processo, ficou evidente para o meu aluno que ele tinha bastante conhecimento.

– Parece que estou em boas mãos! – disse meu aluno, **usando um rótulo para construir empatia**. – Próxima pergunta: que tipo de taxa de capitalização se pode esperar desse tipo de prédio?

No diálogo a seguir, meu aluno soube que os proprietários podiam esperar taxas de 6 a 7%, porque prédios como aquele eram populares entre estudantes da universidade local, uma instituição em ascensão em que 60% do corpo estudantil moravam fora do campus.

Ele também descobriu que seria proibitivamente caro – se não fisicamente impossível – comprar um terreno próximo e construir um prédio semelhante. Nos últimos cinco anos, nenhum edifício fora construído na rua por causa de regras de preservação histórica. Mesmo que eles pudessem comprar um terreno, construir algo semelhante custaria cerca de 2,5 milhões de dólares, segundo o corretor.

– O prédio está em ótimo estado, principalmente se comparado a outras opções disponíveis aos estudantes – disse o corretor.

– Parece que esse prédio funciona mais como um excelente dormitório do que como moradia fixa de muitas famílias – disse meu aluno, usando **um rótulo para extrair mais informações**.

E conseguiu.

– Verdade, e isso tem um lado bom e outro ruim – disse o corretor. – Historicamente, a ocupação se mantém em 100% e o negócio é lucrativo, mas estudantes são estudantes, sabe como é...

Uma luz amarela acendeu na cabeça de meu aluno: havia algo estranho ali. Se era um negócio lucrativo, **por que alguém venderia um prédio 100% ocupado, ao lado de um campus em clara ascensão, em uma cidade afluente?** Isso parecia irracional sob qualquer parâmetro. Um pouco confuso, mas ainda mobilizado a negociar, meu aluno construiu um novo rótulo. Inadvertidamente, ele **rotulou equivocadamente a situação**, levando o corretor a corrigi-lo e revelar um Cisne Negro.

– Se estão se desfazendo de um negócio lucrativo, talvez o vendedor tenha dúvidas sobre o futuro do mercado – disse ele.

– Bem – disse o corretor –, o dono tem algumas propriedades mais difíceis em Atlanta e Savannah, então ele precisa se desfazer desta para pagar outras hipotecas.

Pimba! Com isso, meu aluno descobriu um fantástico **Cisne Negro**. O vendedor **tinha dificuldades** que, até aquele momento, ele desconhecia.

Enquanto o corretor discorria sobre outras propriedades, meu aluno tirou o áudio da ligação e usou esse momento para discutir valores com seu chefe. **Rapidamente, obteve sinal verde para fazer uma oferta baixa – uma âncora extrema – a fim de tentar arrancar do corretor seu preço mínimo.**

Depois de sondar o corretor sobre se o vendedor estaria disposto a fechar o negócio logo (a resposta foi "Sim"), meu aluno fincou sua âncora.

– Acho que ouvi o suficiente – disse ele. – Nossa oferta é de 3,4 milhões de dólares.

– Está bem – respondeu o corretor. – Isso é bem menos do que o preço pedido. Porém posso levar a oferta ao vendedor e ver o que ele acha.

Mais tarde naquele dia, o corretor voltou com uma contraoferta. O dono do imóvel lhe dissera que o número era baixo demais, mas que estava disposto a aceitar 3,7 milhões. Meu aluno por pouco não caiu da cadeira: a contraoferta era mais baixa do que sua meta! Porém, em vez de aceitar de imediato – talvez pudesse pagar menos ainda com um **acordo fraqueza-vitória**, em que um lado fraqueja e o outro vence –, ele forçou mais um pouco: **disse "Não" sem usar a palavra**.

– Isso está mais perto do que acreditamos que seja o valor – disse ele –, mas não podemos, em sã consciência, pagar mais de 3,55 milhões.

(Mais tarde, meu aluno me disse – e eu concordei – que devia ter usado **um rótulo ou uma pergunta calibrada** ali para pressionar o corretor a fazer uma oferta contra si mesmo. Mas ele estava tão surpreso com a redução do preço que, sem querer, entrou na barganha da velha guarda.)

– Só estou autorizado a baixar para 3,6 milhões – respondeu o corretor, mostrando claramente que nunca tivera uma aula de negociação que ensinasse o **Modelo Ackerman e como torcer as palavras para evitar o regateio**.

O chefe de meu aluno sinalizou para ele que concordava com 3,6 milhões de dólares e ele aceitou o preço.

Sou entusiasta de várias técnicas que meu aluno usou para negociar com eficiência um ótimo acordo para sua firma, desde **o uso de rótulos e perguntas calibradas** até **sondar as restrições para descobrir um belo Cisne Negro**. Também vale notar que meu aluno trabalhou muito antes de iniciar a negociação. Ele tinha preparado rótulos e perguntas para agarrar o Cisne Negro quando ele aparecesse.

Ao descobrir que o vendedor precisava se desfazer daquele prédio para levantar dinheiro e pagar hipotecas de outros imóveis com desempenho pior, soube que o momento era importante.

É claro que há sempre espaço para melhorar. Mais tarde, meu aluno me disse que gostaria de não ter feito a oferta tão rapidamente; deveria ter aproveitado a ocasião para discutir as outras propriedades. Talvez houvesse mais oportunidades de investimento no portfólio do vendedor.

Além disso, ele poderia ter construído mais empatia e arrancado mais desconhecidos desconhecidos com rótulos ou perguntas calibradas como: "Que mercados você acha mais difíceis neste momento?" Poderia até mesmo ter feito um **contato pessoal diretamente com o vendedor**.

Ainda assim, palmas para ele!

SUPERANDO O MEDO E APRENDENDO A EXTRAIR O MELHOR DA VIDA

Em geral, as pessoas temem conflitos; portanto, evitam discussões úteis por medo de que o tom se eleve e resulte em ataques pessoais com os quais não conseguem lidar. Quando têm relações próximas, muitas vezes evitam revelar seus interesses; em vez disso, fazem concessões à mesa para evitar a percepção de que sejam gananciosas e egoístas. Elas cedem, ficam mais amargas e se distanciam. Todos nós conhecemos casamentos que terminaram em divórcio e casais que nunca brigaram.

Famílias são uma versão extrema de tudo que existe na humanidade, do governo aos negócios. Exceto por alguns que têm um talento natural, em princípio todo mundo odeia negociar. As mãos suam, instala-se a reação de fuga ou luta (com forte ênfase na *fuga*) e os pensamentos se dispersam.

O primeiro impulso natural da maioria das pessoas é se acovardar, jogar a toalha, correr. A simples ideia de lançar uma âncora extrema é traumática. Por isso os acordos fraqueza-vitória são a norma na cozinha de casa e na sala da diretoria.

Mas pare e pense. Será que *realmente* temos medo da pessoa do outro lado da mesa? Posso jurar a você que, com raríssimas exceções, ela não vai atravessar a mesa e lhe dar um murro.

O suor na palma de nossas mãos é apenas uma expressão do medo fisiológico, neurônios impulsivos disparando por algo mais básico: nosso desejo humano inato de conviver bem com os outros membros da tribo. Não é a pessoa do outro lado da mesa que nos assusta: é o conflito em si.

Se este livro puder contribuir para apenas uma coisa, espero que seja levar você a superar esse medo de conflito e conduzir a negociação com empatia. Se deseja ser ótimo em alguma coisa – um ótimo negociador, um ótimo gerente, um ótimo marido, uma ótima esposa –, terá que fazer isso. Terá que ignorar aquele diabinho que fica lhe dizendo para desistir, para conciliar – bem como aquele outro que o incita a partir para o ataque e gritar.

Você terá que aceitar o conflito constante e refletido como a base de uma negociação eficaz – e da vida. Lembre-se de que neste livro enfatizamos que o adversário é a situação, e aquele com o qual você parece estar em conflito é, na verdade, seu parceiro.

Muitas pesquisas revelam que um conflito genuíno e honesto entre pessoas por causa de seus objetivos ajuda a energizar o processo de resolução do problema de maneira colaborativa. Negociadores habilidosos têm o talento de usar o conflito para manter a negociação avançando sem se envolver em batalhas pessoais.

Pressionar muito para obter aquilo em que você acredita não é egoísmo. Não é intimidação. Não é apenas uma forma de se ajudar. Sua amígdala, a parte do cérebro que processa o medo, tentará convencê-lo a desistir, a fugir, porque o outro está certo ou porque você está sendo cruel.

Mas se você for uma pessoa honesta, decente, procurando um resultado razoável, permita-se ignorar a amígdala.

Com o estilo de negociação que ensinei neste livro – uma busca empática e obcecada por informação, pelo melhor acordo possível – você está tentando descobrir valor. Ponto. Não atacar ou humilhar.

Quando você faz perguntas calibradas, está guiando seu interlocutor para os seus objetivos. Verdade. Mas também o está levando a examinar e articular o que deseja e por que e como ele pode alcançar isso. Você está exigindo dele criatividade e, portanto, pressionando-o para uma solução colaborativa.

Quando comprei minha 4Runner vermelha, claro que desapontei o vendedor ao pagar menos do que ele gostaria. Mas eu o ajudei a cumprir sua cota e, sem dúvida, dei mais pela caminhonete do que a revendedora pagara por ela. Se eu quisesse apenas "vencer", humilhar, eu teria roubado a Toyota.

Portanto, faço um único pedido: quer seja no escritório ou à mesa de jantar da família, não fuja do conflito, desde que seja honesto, claro. Ele o levará ao melhor preço de carro, a um salário mais alto e à maior doação. Também salvará seu casamento, sua amizade e sua família.

Só se pode ser um negociador excepcional, e uma ótima pessoa, escutando e falando com clareza e empatia; tratando os interlocutores – e a si mesmo – com dignidade e respeito; e sobretudo sendo honesto em relação ao que se quer e ao que se pode – e não se pode – fazer. Toda negociação, toda conversa e todo momento da vida resume-se a uma série de pequenos conflitos que, bem administrados, podem resultar em pura beleza criativa.

Aceite-os.

LIÇÕES-CHAVE

O que não sabemos pode liquidar a nós e a nossos acordos. Mas descobrir pode mudar totalmente o curso de uma negociação e nos trazer um sucesso inesperado.

Encontrar os Cisnes Negros – esses poderosos *desconhecidos desconhecidos* – é intrinsecamente difícil, porém, pela simples razão de que não sabemos o que perguntar. Como não sabemos qual é o tesouro, não sabemos onde cavar.

Eis algumas das melhores técnicas para trazer à tona os Cisnes Negros – e explorá-los. Lembre-se: seu interlocutor talvez nem imagine como aquela informação é importante, ou mesmo que não deve revelá-la. Portanto, continue pressionando, sondando e colhendo informações.

- Deixe o que você sabe – seus *conhecidos conhecidos* – guiar você, mas não se deixe cegar por eles. Cada caso é diferente, portanto permaneça flexível e adaptável. Lembre-se do episódio no banco: nenhum sequestrador matara um refém no prazo final até Griffin romper o padrão.
- Os Cisnes Negros são multiplicadores de vantagens. Lembre-se dos três tipos de vantagem: positiva (a capacidade de dar a alguém o que ele quer); negativa (a capacidade de prejudicar alguém); e normativa (usar as normas de seu interlocutor para conscientizá-lo).
- Trabalhe para entender a "religião" do outro. Investigar visões de mundo implica ir além da mesa de negociação e entrar na vida – emocional e outras – de seu interlocutor. É ali que vivem os Cisnes Negros.
- Revise tudo que você ouvir de seu interlocutor. Você não ouvirá tudo da primeira vez, portanto cheque duas vezes. Compare anotações com outros membros da equipe. Use ouvintes de apoio cujo trabalho seja escutar as entrelinhas. Eles ouvirão coisas que você deixou passar.
- Explore o princípio da semelhança. As pessoas são mais aptas a ceder a alguém com quem compartilham uma semelhança cultural, portanto investigue o que as incomoda e mostre que vocês têm pontos em comum.

- Quando alguém parece irracional ou louco, é mais provável que não seja uma coisa nem outra. Diante dessa situação, procure restrições, desejos ocultos e informações ruins.
- Faça contato pessoal com seu interlocutor. Com frequência, dez minutos com ele revelam mais do que dez dias de pesquisa. Preste especial atenção à comunicação verbal e não verbal em momentos de relaxamento – no começo e no fim da conversa ou quando alguém diz algo fora do contexto.

AGRADECIMENTOS

Este livro não teria sido possível sem a ajuda de meu filho Brandon. Brandon me ajuda a criar e a formatar essas ideias desde que comecei a lecionar na Universidade de Georgetown. De início, ele estava ali apenas para registrar as aulas em vídeo, mas também me dava retorno sobre o andamento do curso. Para ser justo, ele negocia comigo desde os 2 anos. Acho que sei disso desde que descobri que ele estava usando sua empatia para escapar de problemas com o vice-diretor de sua escola no ensino médio. No primeiro encontro com meu brilhante coautor, Tahl Raz, Brandon estava lá para manter o fluxo de informações enquanto Tahl as absorvia. Na primeira teleconferência sobre o progresso do livro com minha incrível editora, Hollis Heimbouch, Hollis perguntou sobre o papel de Brandon; Tahl respondeu que ter Brandon por perto era como ter outro Chris na sala. Meu filho foi indispensável.

Tahl Raz é um verdadeiro gênio. Qualquer um que escreva um livro de negócios sem ele não fará algo tão profundo quanto poderia. É a mais pura verdade. Ele é inteligente, capta os conceitos com rapidez e é um verdadeiro artista da escrita sobre negócios. É uma ótima pessoa também.

Steve Ross, meu agente, é um homem íntegro e foi perfeito para este livro. Tem grande conhecimento sobre o setor e fez a obra acontecer. Sou grato por conhecê-lo.

Hollis Heimbouch arrasa! Sou muito feliz por ela ter liderado a equipe da HarperCollins e acreditado neste livro o suficiente para comprá-lo. Obrigado, Hollis.

Obrigado, Maya Stevenson, por entrar na equipe Black Swan e nos manter unidos. Vamos mais longe graças a você.

Sheila Heen e John Richardson são duas pessoas incríveis. Eles pavimentaram o caminho para mostrar que essas ideias sobre negociação de reféns fazem sentido no mundo dos negócios. Sheila foi minha professora na Escola de Direito de Harvard. Ela me inspirou com seu jeito de ser e de lecionar. Convidou-me para dar aulas a seu lado dois anos depois. John me convidou para lecionar Negociações Corporativas Internacionais em Harvard ao seu lado um ano depois disso. Ele me guiou durante esse processo, o que levou à oportunidade de me tornar adjunto em Georgetown. Quando nada estava acontecendo para mim, John e Sheila estavam ao meu lado. Sem eles não sei onde eu estaria. Obrigado a vocês dois.

Gary Noesner foi meu mentor no FBI. Ele inspirou e remodelou o mundo da negociação de reféns (com a ajuda de sua equipe da Unidade de Negociação de Crise, CNU na sigla em inglês). Gary me apoiou no que quer que eu quisesse realizar e fez de mim o principal negociador de sequestros internacionais do FBI. Eu podia telefonar para ele às cinco da manhã e lhe dizer que viajaria dali a três horas para negociar um sequestro e Gary dizia: "Vá." Seu apoio nunca falhou. Na CNU, ele formou o mais talentoso time de negociadores de reféns já reunido. A CNU chegou ao auge quando estávamos ali. Nenhum de nós sabia da sorte que tinha. John Flood, Vince Dalfonzo, Chuck Regini, Winnie Miller, Manny Suarez, Dennis Braiden, Neil Purtell e Steve Romano eram todos astros de rock. Aprendi com todos vocês. Mal posso acreditar que Chuck me aturou como parceiro. Dennis foi um mentor e um grande amigo. Eu vivia batendo de frente com Vince e cresci graças a seu talento.

Todos que estavam na Equipe de Negociação de Incidentes Críticos do FBI naquela época me ensinaram também. Obrigado a vocês.

Tommy Corrigan e John Liguori foram meus irmãos quando eu estava em Nova York. Nós três fizemos coisas extraordinárias juntos. A lembrança de Tommy me inspira até hoje. Tive o privilégio de integrar a Força-Tarefa Conjunta contra o Terrorismo. Nela, combatemos o mal. Richie DeFilippo e Charlie Beaudoin foram parceiros excepcionais na Unidade de Negociação de Crise. Obrigado aos dois por tudo que me ensinaram.

Hugh McGowan e Bob Louden, da Equipe de Negociação de Reféns da

NYPD, compartilharam comigo sua sabedoria e foram indispensáveis ao mundo da negociação de reféns. Obrigado.

Derek Gaunt foi um grande parceiro na área metropolitana de Washington. Derek entende. Obrigado, Derek. Kathy Ellingsworth e seu falecido marido, Bill, foram amigos queridos e uma caixa de ressonância durante anos. Sou grato a vocês pelo apoio e pela amizade.

Tom Strentz é o padrinho do programa de negociação de reféns/crise do FBI e tem sido um amigo inabalável. Sempre me surpreende que ele ainda atenda meus telefonemas.

Meus alunos de Georgetown e da USC põem minhas ideias à prova o tempo inteiro e mostram que funcionam em toda parte. Mais de um estudante perdeu o fôlego quando olhei para ele e disse: "Preciso de um carro em sessenta segundos ou ela morre." Obrigado por me acompanharem nessa jornada. Georgetown e USC têm sido lugares fenomenais para lecionar. Ambas se empenham de verdade em promover um ensino mais elevado, altos padrões acadêmicos e o sucesso de seus estudantes.

Os reféns e suas famílias, que me permitiram estar presente nas horas mais sombrias de suas vidas para tentar ajudá-los, são pessoas abençoadas. Sou grato por ainda hoje manter contato com alguns. Não compreendo a sabedoria do universo que definiu seus caminhos, mas fui abençoado pela boa vontade de vocês. (E preciso de toda a ajuda que puder obter.)

APÊNDICE

PREPARE UMA FOLHA DE NEGOCIAÇÃO

Negociação é uma investigação psicológica. Você pode ganhar confiança para realizar uma investigação desse tipo com um exercício preparatório simples, que aconselhamos todos os nossos clientes a fazer. Consiste em uma lista das principais ferramentas que você espera usar, como rótulos e perguntas calibradas, adaptadas para a negociação específica.

Assim, sob pressão, você não se eleva à altura do conflito – você atinge o seu nível mais alto de preparação.

Um cuidado antes de se aprofundar neste exercício. Alguns especialistas em negociação fazem da preparação um fetiche; chegam a aconselhar as pessoas a criar roteiros pré-organizados para o rumo exato que a negociação tomará e a forma e substância exatas que o acordo assumirá. A esta altura, depois de ler até aqui, você já entendeu por que isso é um erro tolo. Essa abordagem não apenas tornará você menos ágil e criativo à mesa como ainda o deixará mais suscetível àqueles que o são.

Com base em experiências na minha empresa, acredito que uma boa preparação inicial para cada negociação rende pelo menos um índice de 7:1 de retorno sobre o tempo poupado renegociando acordos e esclarecendo a implementação.

No ramo do entretenimento, existe um documento único que resume um produto para publicidade e vendas e é chamado de "folha". Seguindo a mesma linha, queremos produzir uma folha que resuma as ferramentas que vamos usar.

Essa folha terá cinco seções breves.

SEÇÃO I: A META

Reflita sobre o pior e o melhor cenário, mas escreva apenas um objetivo específico que represente o melhor.

De maneira geral, especialistas em negociação dirão a você para se preparar fazendo uma lista: sua oferta mínima; o que você realmente quer; como tentará chegar lá; e contra-argumentos para os argumentos de seu interlocutor.

Mas essa preparação típica tem muitas falhas. Ela carece de imaginação e leva à dinâmica previsível de oferta/contraoferta/meio-termo. Em outras palavras, traz resultados, mas com frequência eles são medíocres.

O ponto central da dinâmica de preparação tradicional – e seu maior calcanhar de aquiles – é algo chamado BATNA.

Roger Fisher e William Ury cunharam o termo em seu best-seller *Como chegar ao sim*. BATNA é a sigla em inglês para "a melhor alternativa a um acordo negociado" (Best Alternative To a Negotiated Agreement). Basicamente, é a melhor opção possível se as negociações fracassarem. O último recurso. Digamos que você esteja em uma revenda de veículos tentando negociar seu velho BMW 3-series. Outra loja fez uma oferta por escrito de 10 mil dólares. Essa é a sua BATNA.

O problema é que a BATNA leva os negociadores a mirar baixo. Pesquisadores constataram que os humanos têm capacidade limitada de manter o foco em situações complexas e estressantes, como uma negociação. Então, quando ela está em curso, tendemos a gravitar para o ponto focal que tem a maior importância psicológica para nós.

Nesse contexto, a obsessão pela BATNA faz dela o seu alvo e, assim, estabelece o limite superior do que você pedirá. Depois de passar horas com uma BATNA, você mentalmente abre mão de tudo que está além disso.

Mirar baixo é sedutor. A autoestima conta muito em uma negociação e muita gente estabelece metas modestas para protegê-la. É mais fácil cantar vitória quando as expectativas são menores. Por isso, para alguns especialistas em negociação, pessoas que estabelecem como meta o ganha-ganha têm, na verdade, uma mentalidade "fraqueza-vitória". O negociador de "fraqueza-vitória" foca em seu resultado final, e é isso que ele consegue.

...

Então, se a BATNA não é seu ponto central, qual seria?

Digo a meus clientes que, como parte da preparação, eles devem pensar nos resultados extremos: o melhor e o pior. Se você cobriu as duas pontas, está pronto para qualquer coisa. Portanto, defina o que não pode aceitar e qual seria o seu melhor resultado, mas tenha em mente que, como ainda há informações a extrair do outro lado, é bem possível que o melhor resultado seja ainda melhor do que você imaginou.

Lembre-se: nunca esteja tão certo do que você quer a ponto de não se abrir para algo melhor. Quando a flexibilidade está em primeiro plano na sua mente, você entra em uma negociação com a mentalidade de vitória.

Digamos que você esteja vendendo caixas de som antigas porque precisa de 100 dólares para investir em novas caixas. Se você se concentrar no mínimo de 100 dólares, vai relaxar quando ouvir esse número; é o máximo que conseguirá. Mas, se você sabe que elas estão à venda por 140 dólares em lojas de segunda mão, pode estabelecer uma meta superior de 150 dólares, abrindo-se para coisas melhores.

Embora eu aconselhe meus clientes a pensar no melhor e no pior resultado, sabendo que isso dá a eles a segurança de ter alguma estrutura, quando se trata realmente do que está na folha a minha recomendação é ater-se à meta alta. Isso irá motivar e focar seus poderes psicológicos, levando-o a pensar que qualquer oferta aquém do objetivo representa uma "perda". Décadas de pesquisas sobre estabelecer metas deixam claro que pessoas com objetivos específicos e desafiadores, porém realistas, obtêm acordos melhores do que aquelas que não estabelecem metas ou apenas se esforçam para dar o melhor de si.

Moral da história: pessoas que esperam mais (e articulam isso) conseguem mais.

Eis os quatro passos para estabelecer sua meta:

- Estabeleça uma meta otimista, mas razoável, e defina-a com clareza.
- Escreva-a.

- Discuta sua meta com um colega (assim ficará mais difícil fraquejar).
- Leve a meta por escrito para a negociação.

SEÇÃO II: RESUMO

Resuma em algumas frases os fatos conhecidos que levaram à negociação.

Você precisará ter algo para falar além da avaliação em causa própria daquilo que deseja. E é melhor estar pronto para responder com empatia tática aos argumentos de seu interlocutor; a não ser que seja incompetente, ele virá preparado para defender uma interpretação dos fatos que o favoreça.

Sintonizem no mesmo canal desde o começo.

Você tem que descrever a configuração do terreno antes de pensar em atuar nos limites. Por que está ali? O que você quer? O que eles querem? Por quê?

Você precisará resumir uma situação de maneira que seu interlocutor responda com um "Está certo". Se ele não responder, você não fez direito a sua parte.

SEÇÃO III: RÓTULOS/AUDITORIA DE ACUSAÇÃO

Prepare três a cinco rótulos para realizar uma auditoria de acusação.

Antecipe como seu interlocutor se sentirá em relação aos fatos que você acabou de resumir. Faça uma lista concisa das acusações que ele pode fazer – mesmo que sejam injustas ou ridículas. Em seguida, transforme cada acusação em uma lista com até cinco rótulos e passe um tempinho ensaiando-os.

Existem rótulos com lacunas que podem ser usados em quase todas as situações para extrair informações do interlocutor ou para desarmar uma acusação:

Parece que _____ é valioso para você.
Parece que você não gosta de_____.
Parece que você valoriza _____.
Parece que_____ facilita as coisas.
Parece que você está relutante a_____.

Como exemplo, se você está tentando renegociar um aluguel de apartamento para permitir sublocações e sabe que seu senhorio se opõe a isso, seus rótulos preparados seriam na linha de "Parece que você não é muito fã de sublocações" ou "Parece que você quer inquilinos estáveis".

SEÇÃO IV: PERGUNTAS CALIBRADAS

Prepare de três a cinco perguntas calibradas para revelar valor a você e a seu interlocutor e identificar e superar potenciais sabotadores de acordos.

Negociadores eficientes olham além das posições declaradas por seus interlocutores (*o que* eles procuram) e investigam motivações subjacentes (*o que* faz eles quererem o que querem). Motivações são o que eles temem e o que eles esperam, ou mesmo cobiçam.

Descobrir o que a outra parte teme parece simples, mas nossas expectativas humanas básicas em relação a uma negociação com frequência interferem nisso. A maioria de nós supõe que as necessidades do outro se chocam com a nossa. Tendemos a limitar nosso campo de visão às nossas questões e problemas e esquecermos que o outro tem as próprias questões únicas, baseadas em sua visão de mundo única. Grandes negociadores superam esses pontos perigosos cultivando uma espécie de curiosidade permanente em relação ao que *realmente* motiva a outra parte.

A autora de *Harry Potter*, J. K. Rowling, tem uma ótima citação que resume esse conceito: "Aceite a realidade das outras pessoas. Você pensa que a realidade é passível de negociação, que pensamos que ela é o que quer que você diga que ela é. Aceite que somos tão reais quanto você; aceite que você não é Deus."

Há um pequeno grupo de perguntas "O que" e "Como" que você se verá usando em quase todas as situações. Eis algumas delas:

O que você está tentando realizar?
Como isso vale a pena?
Qual é a questão central aqui?
Como isso afeta as coisas?
Qual é o maior desafio que você enfrenta?
Como isso se encaixa no objetivo?

PERGUNTAS PARA IDENTIFICAR SABOTADORES DE ACORDOS POR TRÁS DA MESA

Quando a implementação é feita por um grupo, o apoio desse grupo é crucial. Ajuste suas perguntas calibradas para identificar e descobrir as motivações daqueles que estão por trás da mesa, incluindo:

Como isso afeta o resto de sua equipe?
Quanto as pessoas que não estão aqui estão aprovando?
O que seus colegas consideram seus principais desafios nesta área?

PERGUNTAS PARA IDENTIFICAR E DISSIPAR QUESTÕES QUE DESTROEM ACORDOS

Em geral, as pessoas que estão mais confortáveis com o status quo são justamente aquelas que têm mais influência interna em uma negociação. Uma mudança pode dar a impressão de que elas não estão fazendo a parte que lhes cabe. Seu dilema em uma negociação assim é impedir que a mudança arranhe sua reputação.

Você ficará tentado a se concentrar no dinheiro, mas deixe-o de lado por enquanto. Um percentual surpreendentemente alto de negociações depende de algo que não tem a ver com dinheiro. Com frequência, tem mais a ver com autoestima, status, autonomia e outras necessidades não financeiras.

Pense nas perdas percebidas pelo outro. Nunca se esqueça de que o impacto de uma perda é pelo menos o dobro do de um ganho equivalente.

Por exemplo, o cara do outro lado da mesa pode estar em dúvida sobre instalar o novo sistema de contabilidade do qual ele precisa (e que você está vendendo) porque não quer pôr em risco sua avaliação anual, daí a quatro meses. Em vez de baixar seu preço, você pode se oferecer para ajudá-lo a impressionar o chefe de maneira segura, prometendo terminar a instalação em noventa dias.

PERGUNTAS PARA DESENTERRAR QUESTÕES QUE DESTROEM ACORDOS

Estamos indo contra o que aqui?
Qual é o maior desafio que você enfrenta?
De que maneira um acordo conosco afeta a situação?
O que acontecerá se você não fizer nada?
Qual é custo para você de não fazer nada?
Como esse acordo repercute naquilo de que sua empresa se orgulha?

Com frequência, é muito eficaz fazer essas perguntas em grupos de duas ou três. Como são semelhantes, podem ajudar seu interlocutor a avaliar a mesma situação por ângulos diferentes.

Cada situação é única, claro, mas escolher a combinação certa dessas perguntas levará seu interlocutor a revelar informações sobre o que ele quer e precisa – e, ao mesmo tempo, pressioná-lo a ver o cenário do seu ponto de vista.

Esteja pronto para executar rótulos logo que ele responder a suas perguntas calibradas.

Ter rótulos preparados permitirá a você devolver rapidamente as respostas de seu interlocutor, o que alimentará um circuito de informações novas e de importância crescente. De novo, estes são rótulos com lacunas que você pode preencher rapidamente:

Parece que _____ é importante.

Parece que você sente que minha empresa está em uma posição única para _____ .

Parece que você está preocupado com _____ .

SEÇÃO V: OFERTAS SEM DINHEIRO

Prepare uma lista de itens de posse do seu interlocutor que não sejam dinheiro *e tenham grande valor.*

Pergunte a si mesmo: "O que ele poderia me oferecer que praticamente me levaria a trabalhar de graça?" Pense na história que contei alguns capítulos atrás sobre meu trabalho para a associação de advogados: o interesse de meu interlocutor era me pagar o mínimo possível para ganhar pontos com os diretores. Então ele me ofereceu uma reportagem de capa sobre mim na revista deles. Isso teve um custo baixo para a associação e fez meu interesse aumentar consideravelmente.

Para mais informações sobre minha empresa, The Black Swan Group, para qualquer informação ou orientação adicional que possamos dar a você sobre negociação ou para me contatar para assuntos profissionais, visite, por favor, o site www.blackswanltd.com.

NOTAS

CAPÍTULO 1: AS NOVAS REGRAS

1. Robert Mnookin, *Negociando com o diabo: quando dialogar, quando lutar* (Editora Gente).
2. Roger Fisher e William Ury, *Como chegar ao sim* (Sextante).
3. Daniel Kahneman, *Rápido e devagar: duas formas de pensar* (Objetiva).
4. Philip B. Heymann e United States Department of Justice, *Lessons of Waco: Proposed Changes in Federal Law Enforcement* (Washington: U.S. Department of Justice, 1993).

CAPÍTULO 2: SEJA UM ESPELHO

1. George A. Miller, "The Magical Number Seven, Plus or Minus Two: Some Limits on Our Capacity for Processing Information", *Psychological Review* 63, nº 2 (1956): 81–97.

CAPÍTULO 3: NÃO SINTA A DOR DELES, ROTULE-A

1. Greg J. Stephens, Lauren J. Silbert e Uri Hasson, "Speaker–Listener Neural Coupling Underlies Successful Communication", *Proceedings of the National Academy of Sciences of the USA* 107, nº 32 (10 de agosto de 2010): 14.425–30.
2. Matthew D. Lieberman et al., "Putting Feelings into Words: Affect Labeling Disrupts Amygdala Activity in Response to Affective Stimuli", *Psychological Science* 18, nº 5 (maio de 2007): 421–28.

CAPÍTULO 4: TENHA CUIDADO COM O "SIM" E DOMINE O "NÃO"

1. Jim Camp, *Start with NO: The Negotiating Tools That the Pros Don't Want You to Know* (Nova York: Crown Business, 2002).

CAPÍTULO 6: INCLINE A REALIDADE DELES

1. Herb Cohen, *Você pode negociar tudo* (Campus).
2. Antonio R. Damasio, *O erro de Descartes* (Companhia das Letras).
3. Jeffrey J. Fox, *How to Become a Rainmaker: The People Who Get and Keep Customers* (Nova York: Hyperion, 2000).
4. Daniel Ames e Malia Mason, "Tandem Anchoring: Informational and Politeness Effects of Range Offers in Social Exchange", *Journal of Personality and Social Psychology* 108, nº 2 (fevereiro de 2015): 254-74.

CAPÍTULO 7: CRIE A ILUSÃO DE CONTROLE

1. Kevin Dutton, *Split-Second Persuasion: The Ancient Art and New Science of Changing Minds* (Boston, Massachusetts: Houghton Mifflin Harcourt, 2011).
2. Dhruv Khullar, "Teaching Doctors the Art of Negotiation", *New York Times*, 23 de janeiro de 2014, http://well.blogs.nytimes.com/2014/01/23/teaching-doctors-the-art-of-negotiation/, acessado em 4 de setembro de 2015.

CAPÍTULO 8: GARANTA A EXECUÇÃO

1. Albert Mehrabian, *Silent Messages: Implicit Communication of Emotions and Attitudes*, 2ª ed. (Belmont, Califórnia: Wadsworth, 1981), e Albert Mehrabian, *Nonverbal Communication* (Chicago, Illinois: Aldine-Atherton, 1972).
2. Lyn M. Van Swol, Michael T. Braun e Deepak Malhotra, "Evidence for the Pinocchio Effect: Linguistic Differences Between Lies, Deception by Omissions, and Truths", *Discourse Processes* 49, nº 2 (2012): 79-106.

CAPÍTULO 9: PECHINCHE MUITO

1. Gerald R. Williams, *Legal Negotiations and Settlement* (St. Paul, Minnesota: West, 1983).
2. Marwan Sinaceur e Larissa Tiedens, "Get Mad and Get More than Even: The Benefits of Anger Expressions in Negotiations", *Journal of Experimental Social Psychology* 42, nº 3 (2006): 314-22.
3. Daniel R. Ames e Abbie Wazlawek, "Pushing in the Dark: Causes and Consequences of Limited Self-Awareness for Interpersonal Assertiveness", *Personality and Social Psychology Bulletin* 40, nº 6 (2014): 1-16.

CAPÍTULO 10: ENCONTRE O CISNE NEGRO

1. Nassim Nicholas Taleb, *Fooled by Randomness: The Hidden Role of Chance in Life and in the Markets* (Nova York: Random House, 2001).
2. Nassim Nicholas Taleb, *A lógica do Cisne Negro: o impacto do altamente improvável* (BestBusiness).
3. Ellen J. Langer, Arthur Blank e Benzion Chanowitz, "The Mindlessness of Ostensibly Thoughtful Action: The Role of 'Placebic' Information in Interpersonal Interaction", *Journal of Personality and Social Psychology* 36, nº 6 (1978): 635-42.
4. Deepak Malhotra e Max H. Bazerman, *O gênio da negociação: as melhores estratégias para superar os obstáculos e alcançar excelentes resultados* (Rocco).

CONHEÇA OUTROS TÍTULOS DA EDITORA SEXTANTE

Como chegar ao sim
Roger Fisher, William Ury e Bruce Patton

Uma das mais importantes obras da área de negócios, *Como chegar ao sim* já ajudou milhões de pessoas a adotar uma forma mais inteligente, amistosa e eficaz de negociar.

Baseado no trabalho do Projeto de Negociação de Harvard, grupo que estuda e atua em todos os tipos de negociações, mediações e resoluções de conflitos, o livro oferece um método direto e prático para obter acordos que satisfaçam todas as partes envolvidas.

As dicas e técnicas são acompanhadas de exemplos reais e podem ser aplicadas a qualquer situação, não importa se você estiver pedindo um aumento, lidando com problemas familiares, resolvendo questões de negócios ou buscando evitar uma guerra.

As lições de William Ury, Roger Fisher e Bruce Patton vão mudar a forma como você encara uma negociação. Aprenda com eles a:
- separar as pessoas do problema em discussão;
- concentrar-se nos interesses das duas partes, não em defender posições;
- trabalhar em parceria para encontrar opções criativas e justas;
- alcançar seus objetivos sem prejudicar o relacionamento;
- negociar com pessoas difíceis ou mais poderosas que você.

Consiga o que você quer
Stuart Diamond

Este livro mostra que descobrir e valorizar as emoções e as percepções da outra parte é bem mais vantajoso do que o uso do poder e da lógica, tão incentivado pela sabedoria convencional.

De forma direta e acessível, o professor Stuart Diamond ensina as estratégias de seu prestigiado curso de negociação da Wharton Business School, o mais concorrido da instituição nos últimos quinze anos.

Suas ferramentas mudarão a forma como você conduz seus relacionamentos com a família, com os amigos, no trabalho, em viagens, na hora das compras, nos negócios, em assuntos públicos, etc.

O autor mostra que o fundamental é tentar compreender o que se passa na cabeça do outro e que nem tudo diz respeito a dinheiro: bens intangíveis, como valorizar as pessoas, podem trazer muito mais resultados.

Ele defende também que o uso do poder não deve ser estimulado, pois frequentemente provoca retaliação e prejudica as relações, e que às vezes faz mais sentido perder hoje para conseguir mais amanhã.

Em mais de quatrocentos relatos, pessoas comuns contam como melhoraram sua vida obtendo um aumento de salário, fechando um ótimo contrato, habituando seus filhos a fazerem o dever de casa, entre outras coisas.

As técnicas deste livro funcionaram para todas elas. E funcionarão para você também.

CONHEÇA ALGUNS DESTAQUES DE NOSSO CATÁLOGO

- Augusto Cury: Você é insubstituível (2,8 milhões de livros vendidos), Nunca desista de seus sonhos (2,7 milhões de livros vendidos) e O médico da emoção
- Dale Carnegie: Como fazer amigos e influenciar pessoas (16 milhões de livros vendidos) e Como evitar preocupações e começar a viver
- Brené Brown: A coragem de ser imperfeito – Como aceitar a própria vulnerabilidade e vencer a vergonha (600 mil livros vendidos)
- T. Harv Eker: Os segredos da mente milionária (2 milhões de livros vendidos)
- Gustavo Cerbasi: Casais inteligentes enriquecem juntos (1,2 milhão de livros vendidos) e Como organizar sua vida financeira
- Greg McKeown: Essencialismo – A disciplinada busca por menos (400 mil livros vendidos) e Sem esforço – Torne mais fácil o que é mais importante
- Haemin Sunim: As coisas que você só vê quando desacelera (450 mil livros vendidos) e Amor pelas coisas imperfeitas
- Ana Claudia Quintana Arantes: A morte é um dia que vale a pena viver (400 mil livros vendidos) e Pra vida toda valer a pena viver
- Ichiro Kishimi e Fumitake Koga: A coragem de não agradar – Como se libertar da opinião dos outros (200 mil livros vendidos)
- Simon Sinek: Comece pelo porquê (200 mil livros vendidos) e O jogo infinito
- Robert B. Cialdini: As armas da persuasão (350 mil livros vendidos)
- Eckhart Tolle: O poder do agora (1,2 milhão de livros vendidos)
- Edith Eva Eger: A bailarina de Auschwitz (600 mil livros vendidos)
- Cristina Núñez Pereira e Rafael R. Valcárcel: Emocionário – Um guia lúdico para lidar com as emoções (800 mil livros vendidos)
- Nizan Guanaes e Arthur Guerra: Você aguenta ser feliz? – Como cuidar da saúde mental e física para ter qualidade de vida
- Suhas Kshirsagar: Mude seus horários, mude sua vida – Como usar o relógio biológico para perder peso, reduzir o estresse e ter mais saúde e energia

sextante.com.br